続・加賀の指ぬきと花てまり帖

高原曄子著

制作／ 1. 酒井禮子・2. 松下良子

作り方　1. 桜満開・2. 紺絣に咲く緋花 /40 ページ

加賀梅鉢

加賀百万石前田家の家紋は梅鉢紋です。
金沢市の花も梅の花。
早春一番に咲く梅の花は
気持ちを明るくしてくれます。

作り方
1. 二面篭目に梅鉢 /27 ページ　2. 小紋麻の葉に梅鉢 /30 ページ
3. 加賀梅鉢 /31 ページ　4. 小紋篭目に梅鉢 /28 ページ
5. 梅鉢と白梅 /31 ページ

作り方
6. 六色篭目に梅鉢 /27 ページ　7. 篭目に梅鉢 /29 ページ
8. 麻の葉に梅鉢 2/29 ページ　9. 麻の葉と梅鉢 /28 ページ
10. 麻の葉に梅鉢 1/30 ページ

花篭

てまり篭に花を摘んでお部屋に飾りましょう。

作り方
1. 舞萩 1・6. 二色花組篭目 /53 ページ　2. 舞萩 2・8. 万作の花 /54 ページ
3. 花篭 1・5. 花網代 /52 ページ　4. 二色三角篭目・9. 花篭 2/51 ページ　7. 二色網代に紅梅 /50 ページ

作り方
1. 蝶々 /38 ページ
2. 洋蘭と鷺草・3. 麻の葉に菊 /37 ページ
4. 花吹雪 /41 ページ

花模様

花模様のてまりかがりは
美しい時間の中に誘ってくれます。

作り方
5. 三色花菱・6. 八重ダリア /36 ページ
7. 紅椿・9. 花影 /39 ページ
8. 姫百合 /38 ページ　10. 桜川 /41 ページ

花火

夜空に咲く一瞬の花。
いつまでも楽しめるてまりに映してみました。

作り方　1. 花火 1/61 ページ　2. 花火 3・5. 花火 2/62 ページ　3. 花火 4・4. 夜空の緋菊 /63 ページ

花宇宙

小さなてまりでも無限の多面体の花を咲かせましょう。

作り方
1. シャボン玉・3. 雪が舞う /55 ページ　2. 花園・4. ダイヤモンドダスト /56 ページ
5. 陰八重梅 1・6. 陰八重梅 2/57 ページ　7. 梅の輪繋ぎ / 参考作品

作り方
1. 花七宝・6. 星付き七宝 /43 ページ
2. 吉祥七宝紋 1・5. 吉祥七宝紋 2/44 ページ
3. 小紋花七宝・4. 七宝 /42 ページ

七宝

四方に輪が繋がる吉祥模様で家紋にも取り入れられています。
てまりの模様に応用範囲が広がります。

作り方
1. 二色三角麻の葉・3. 三角麻の葉 /58 ページ
2. 小紋花格子 /61 ページ
4. 三角繋ぎ・7. 加賀矢絣 /59 ページ
5. 花格子 1・6. 花格子 2/60 ページ

幾何模様

てまりの幾何模様は球面のパズル遊びです。

作り方
1. 菱形卍 /34 ページ
2. 三角雷紋 2・4. 五角卍 /33 ページ
3. 四角卍 / 参考作品
5. 三角雷紋 3/35 ページ

雷紋

渦巻き模様の雷紋は地割の三角、四角、五角の線上
をたどるてまりの迷路です。

作り方
6. 三角卍 1・8. 三角雷紋 1/32 ページ
7. 三角卍 / 参考作品
9. 三色雷紋 /34 ページ
10. 菱形雷紋 /35 ページ

里の秋

実りの秋の賑わいを運んできます。

作り方
1. 舞もみじ 1・4. 綾錦 3/45 ページ　2. かえで /46 ページ　3. 綾錦 2/49 ページ　5. 綾錦 1/47 ページ

作り方

6. コスモス /49 ページ　7. 赤とんぼ・11. 舞もみじ 2/48 ページ　8. 渡り鳥 2/50 ページ　9. 渡り鳥 1/47 ページ　10. 懸崖菊 /46 ページ

里の秋

錦秋の里山を彩り、賑わいだす主役たちです。

作り方　1. 渡り鳥 2・2. 渡り鳥 3・3. 渡り鳥 1/76 ページ
4. かえで 1・5. 四色もみじ・7. かえで 2/75 ページ
6. 二色もみじ・8. もみじ・9. ブレスレット /74 ページ

四季の花・蝶

早春から咲き出す季節の花に蝶々も誘われて。

作り方
1. しゃくなげ・5. 椿・6. 二色花菱 /73ページ
2. コスモス・3. 紅梅白梅・4. あやめ /72ページ　7. 蝶々1・8. 蝶々2/74ページ

双葉

土の中から生まれ出る可愛い植物の赤ちゃんたち。

作り方　1. 三色双葉・4. 双葉 3/77 ページ　2. 双葉 2・3. 双葉 1・/76 ページ

琴の調べ

優雅な音色にも似た色の調べ。

作り方　1. 変わり三色矢羽根・2. 六色重ね矢羽根 /80 ページ　3. 三色重ね矢絣・4. 二色重ね矢絣・7. 帯市松に鱗 /79 ページ　5. 帯鱗 4・6. 帯鱗 2・8. 帯鱗 3・9. 帯鱗 1/78 ページ　10. 斜め帯 /77 ページ

作り方
1. 三色縦矢絣・2. 三色矢羽根・5. 二色縦矢絣 1・6. 二色縦矢絣 2/81 ページ
3・4. 矢羽根 / 参考作品　7. 矢羽根・15. ブレスレッド /80 ページ
8. 六色縦矢絣・9. 四色縦矢絣・10. 三色横矢絣 1・11. 三色横矢絣 2/82 ページ
12. 五色矢羽根・13・14. 三色横矢絣 3/83 ページ

矢羽根・矢絣模様

江戸の御殿女中や大正時代の女性に好まれた矢絣模様は
遠い昔のロマンを感じさせてくれます。
矢羽根は身に着けると魔除けのお守りになると云われています。

網代

日本庭園を囲む風雅な間垣の眺めは格別です。

作り方　1. 篭目・6. 変わり三色網代・7. 四つ編み網代 /87 ページ　2. 二色横組網代・
5. 四色横組網代 /86 ページ　3. 二色縦組網代・4. 四色縦組網代 /85 ページ

ロープヤーン

セーターの縄編みをヒントに編んでみました。

作り方　1. 縄縫い繋ぎ 2・2.(色違い)・4. 四つ編み 1・8.S 字繋ぎ /84 ページ　3. 2 色縄編み・9/ 参考作品
5. 四つ編み 2/85 ページ　6. 三つ編み・7. 縄縫い繋ぎ 1/83 ページ

筆／有馬人形筆

三角・四角模様

色を変えるだけで四角になったり三角になったり…
いろいろ変化させてかがり遊びを楽しみましょう。

作り方
1. 鱗模様 1・2. 鱗合わせ・3. 二色ダイヤ・4. 三色ダイヤ /69 ページ
5. 四色ダイヤ・6. 三色鱗・7. 変わり鱗・10. 変わり三角・17. ブレスレット /70 ページ
8. 升つなぎ·11. あられ 1·12. あられ 2·13. 変わり市松 /71 ページ　14.(No.12 の色違い)
9. 三色ダイヤ（No.4 の色違い）・15. くぐり鱗 1・16. くぐり鱗 2/ 参考作品

はじめに

伝統手芸のてまりや指ぬきは、作られる地域によって同じ模様でも名前や作り方、材料もさまざまです。てまりの土台にかんなくずがあったり、指ぬきの芯が雑誌の切れ端だけだったりします。

指ぬきとてまりは糸を掛けて綾模様を作りますので、同じ模様でもかがり方は幾通りもあります。糸の交差で模様を作るという基本で、より良い作品ができる方法を探して改良されています。

手芸はその時代に身の回りにある材料で工夫して、考えて作ることに楽しみやささやかな喜びを見出してきました。そして制作地ゆかりの名前を付けて郷土の手芸作品となります。てまりは全国各地に伝わり、郷土のてまりとして発展しています。和の指ぬきもてまりのように全国に発展し、加賀以外のご自身の郷土やゆかりの名を冠した指ぬきとなって広まると楽しいことでしょう。

本書のかがり方も一例として参考にし、ご自身のかがり良い方法で作ってください。伝統は人が作るものです。愛着がわき末永く広く伝えられる基になると思います。本書掲載の作品が種となって各地で根付き、育てていただけましたらこの上ない喜びです。

高原 曄子

材料と用具

てまり作りの準備

《材料》

＊てまりの芯

土台まりの芯は手で丸められ、弾力性のあるものを使います。例えば、古綿、古布、荷作り用パッキング、新聞紙、ビニール袋など身近にあるものを利用しましょう。これらのものを丸く丸め、太めの木綿糸や毛糸などで巻いて丸く形作り、新しい手芸綿（弾力性や針の通りを良くするため）で滑らかに包み込み、地巻き糸で丸くなるまで均等に巻きます。その時にペットボトルのキャップに鈴などを入れたものを中心に入れると可愛らしい音が聞こえます。

＊地巻き糸

まりの模様に合わせて、色を決めます。

＊地割り糸（柱糸）

主にラメ糸を使います。金や銀などのラメ糸は地巻き糸となじんで球面でずれにくく、どんなかがり糸とも調和します。地巻き糸と同色の糸を使う場合もあります。また、かがったあとに外す場合もあります。

＊かがり糸

刺繍糸や木綿糸、絹糸、リリヤーン、毛糸など何でも使えますが、てまり専用の糸は甘撚りで、1本どりでも2本どりでも使える最適の太さで、一番使いやすいでしょう。本書では京てまり糸（キュプラ100％）、都てまり花糸（ポリエステル100％）、草木染め風木綿糸、25番刺繍糸などいろいろな糸を使用しています。

《用具》

てまり針、ふとん針、待ち針、巻き尺、はさみなどを用意します。待ち針は色つきのものを何種類か用意しておくと便利でしょう。

1. 手芸綿　2. 地巻き糸　3. 地巻き糸で丸くなるまで巻いたてまりの芯　4. ペットボトルのキャップと鈴　5. ペットボトルのキャップと小箱　6・7. かがり糸（京てまり糸・都てまり花糸）8. てまり針　9. 待ち針　10. 巻き尺　11. はさみ

《地割り》

てまりの球面を三角形に分割して糸を掛け、これを基に模様をかがります。

単純等分は地割りの基本になるもので、赤道を等分し、北極と南極をつなぎます。

《単純等分》

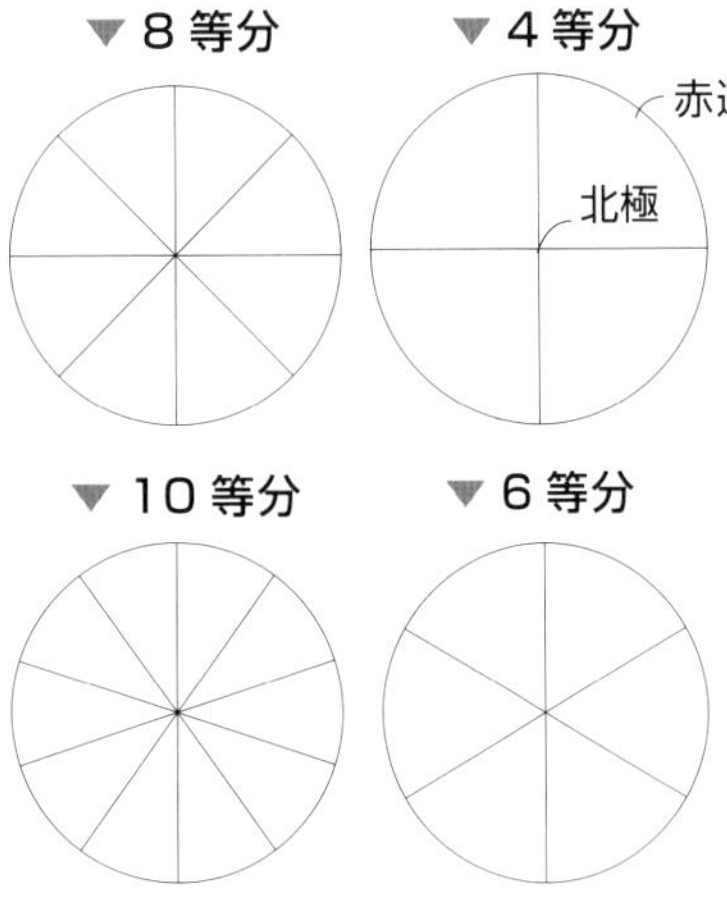

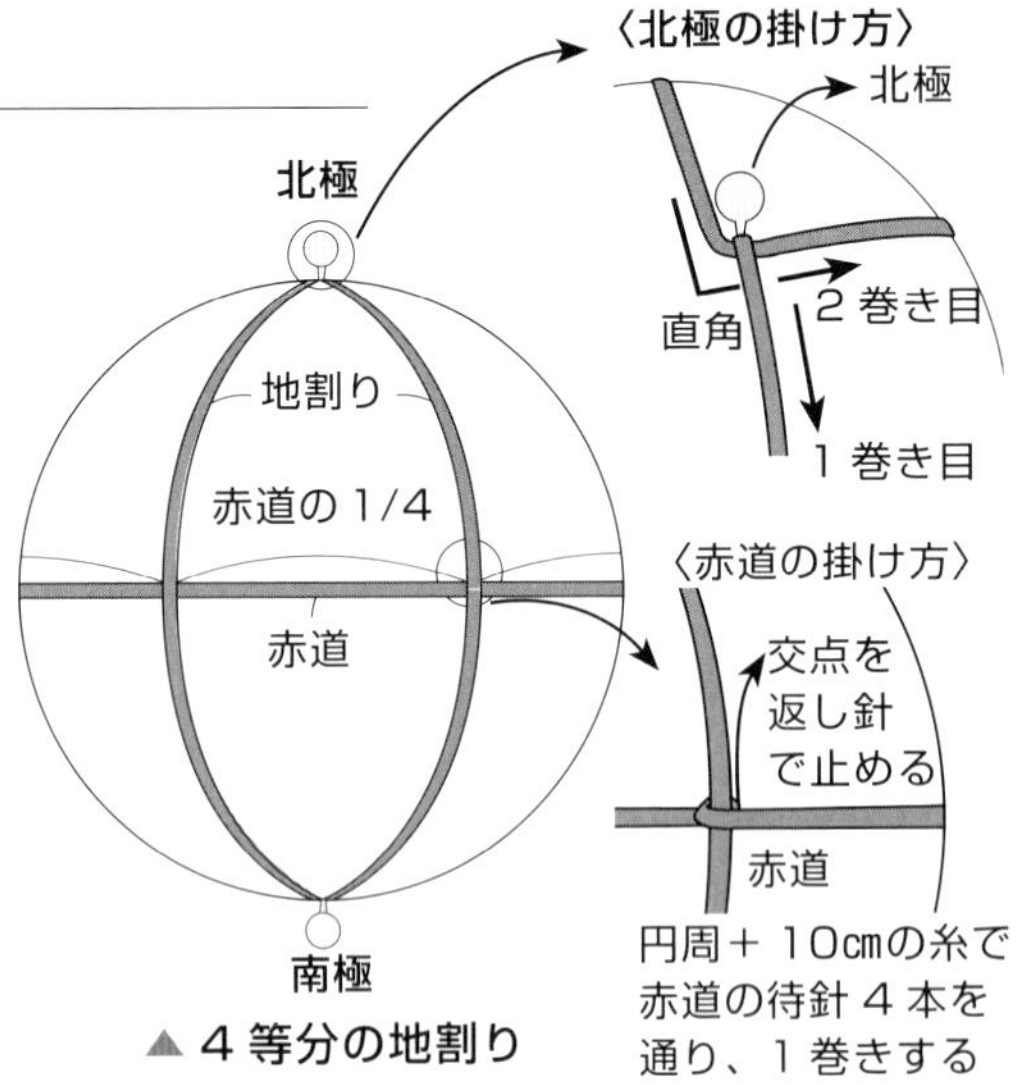

▲4等分の地割り

《組み合わせ等分》

＊10等分の組み合わせ（10K）

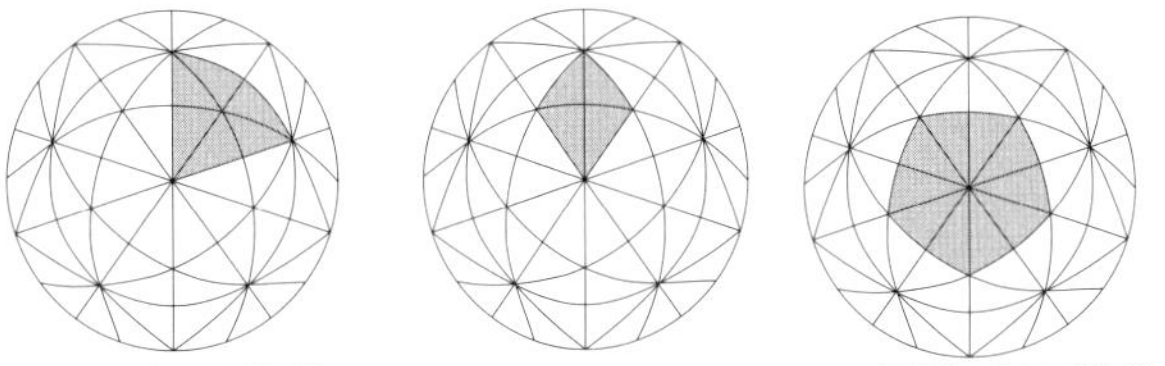

▲三角6等分（球全体で三角20個）　▲菱形4等分（球全体で菱形30個）　▲五角10等分（球全体で五角12個）

＊8等分の組み合わせ（8K）

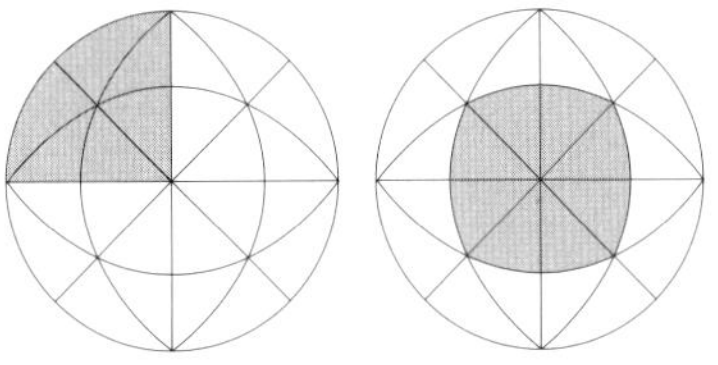

▲三角6等分（球全体で三角8個）　▲四角8等分（球全体で四角6個）

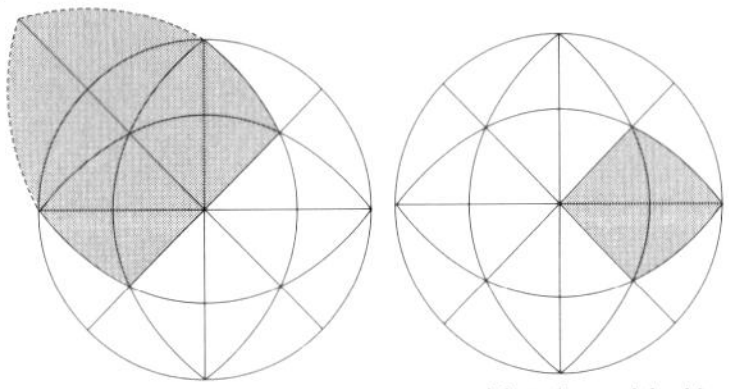

▲大きな三角（球全体で三角4個）　▲菱形4等分（球全体で菱形12個）

《10等分の組み合わせからできる多面体》

多面体＝五角と六角の多面体　小三角5個でできる五角　小三角6個でできる六角

三角20個を基にした多面体	3等分	6等分	9等分	12等分	15等分
	32面体	122面体	272面体	482面体	752面体
三角60個を基にした多面体	2等分	3等分	4等分	5等分	6等分
	42面体	92面体	162面体	252面体	362面体

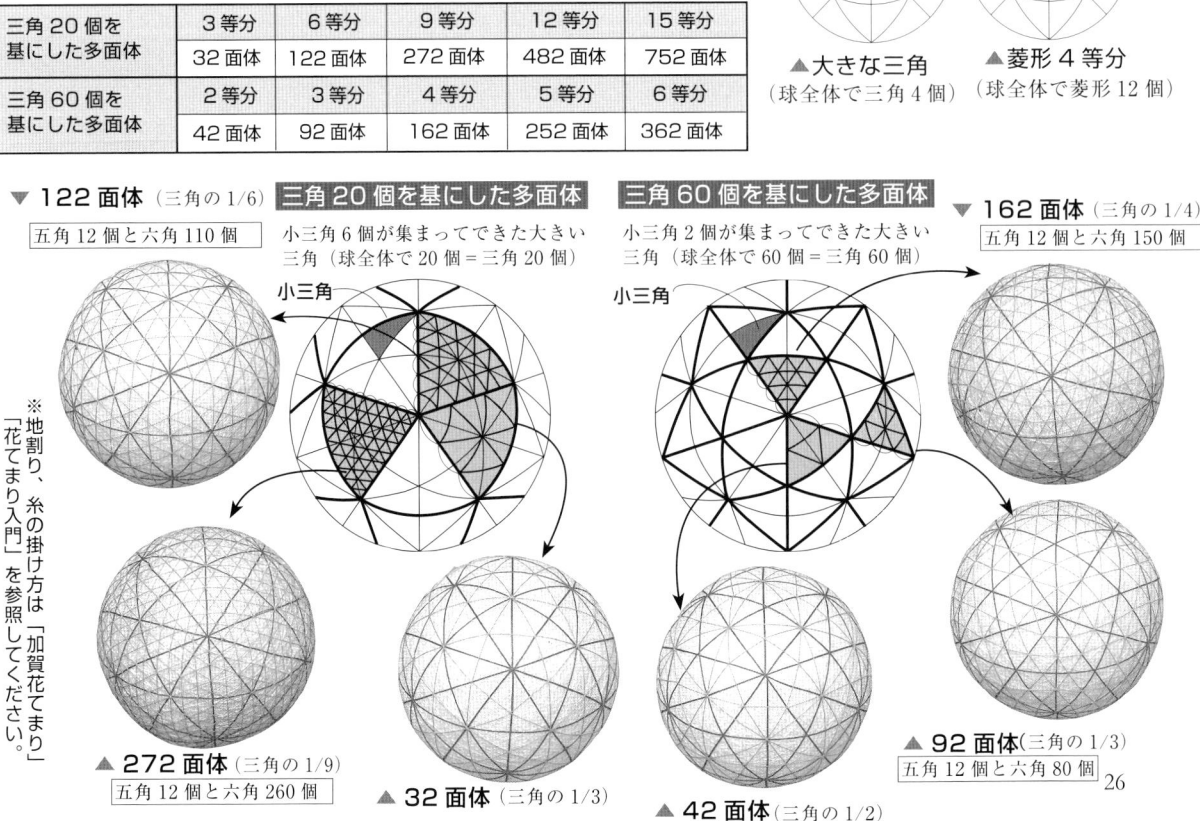

三角20個を基にした多面体

小三角6個が集まってできた大きい三角（球全体で20個＝三角20個）

▼ **122面体**（三角の1/6）

五角12個と六角110個

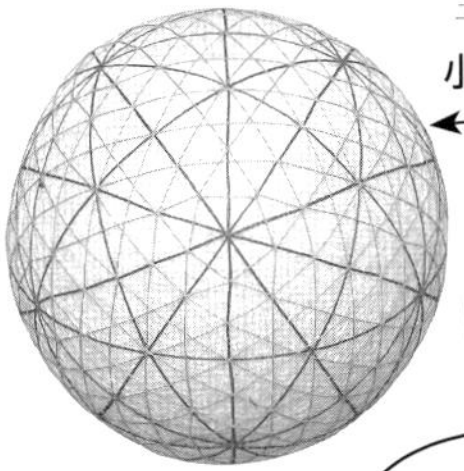

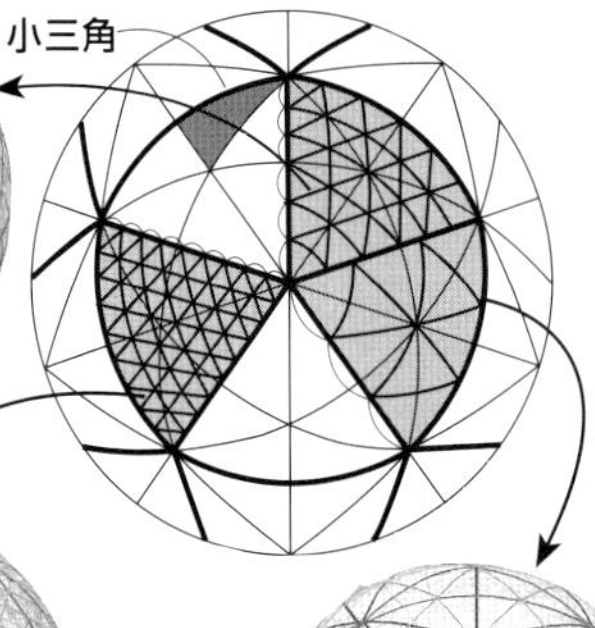

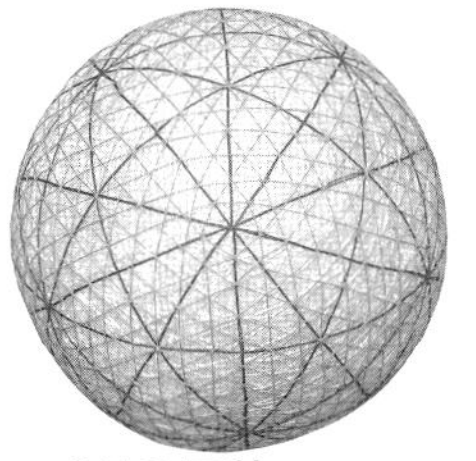

▲ **272面体**（三角の1/9）

五角12個と六角260個

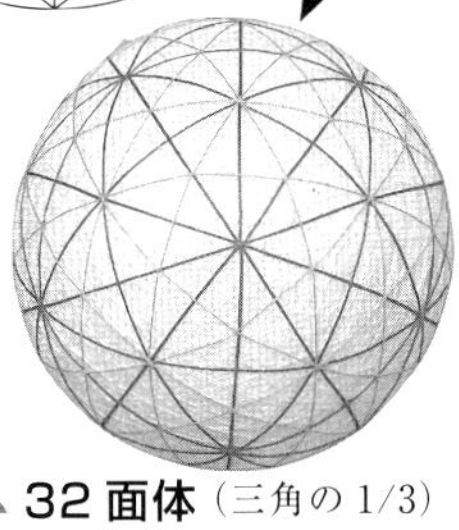

▲ **32面体**（三角の1/3）

三角60個を基にした多面体

小三角2個が集まってできた大きい三角（球全体で60個＝三角60個）

▼ **162面体**（三角の1/4）

五角12個と六角150個

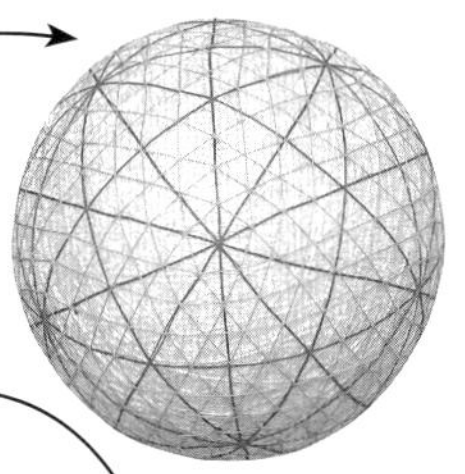

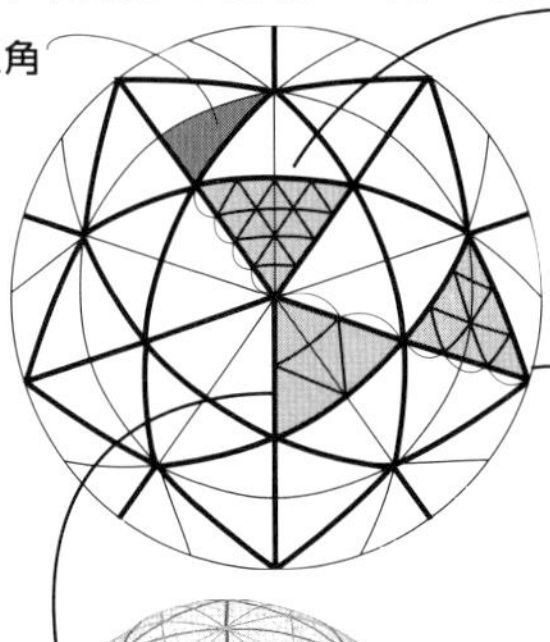

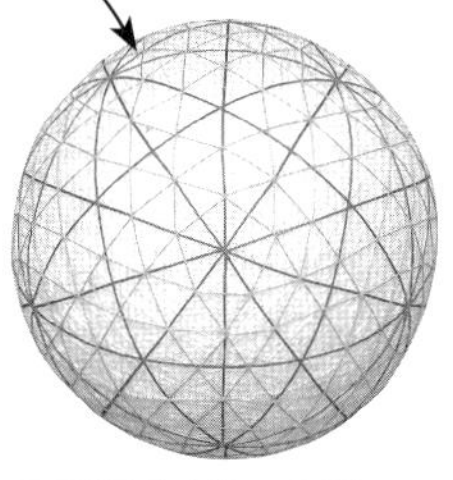

▲ **92面体**（三角の1/3）

五角12個と六角80個

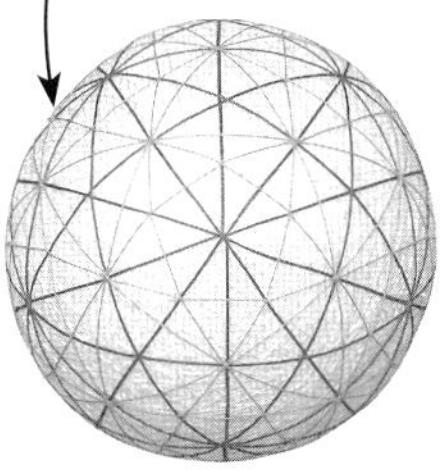

▲ **42面体**（三角の1/2）

※地割り、糸の掛け方は「加賀花てまり」「花てまり入門」を参照してください。

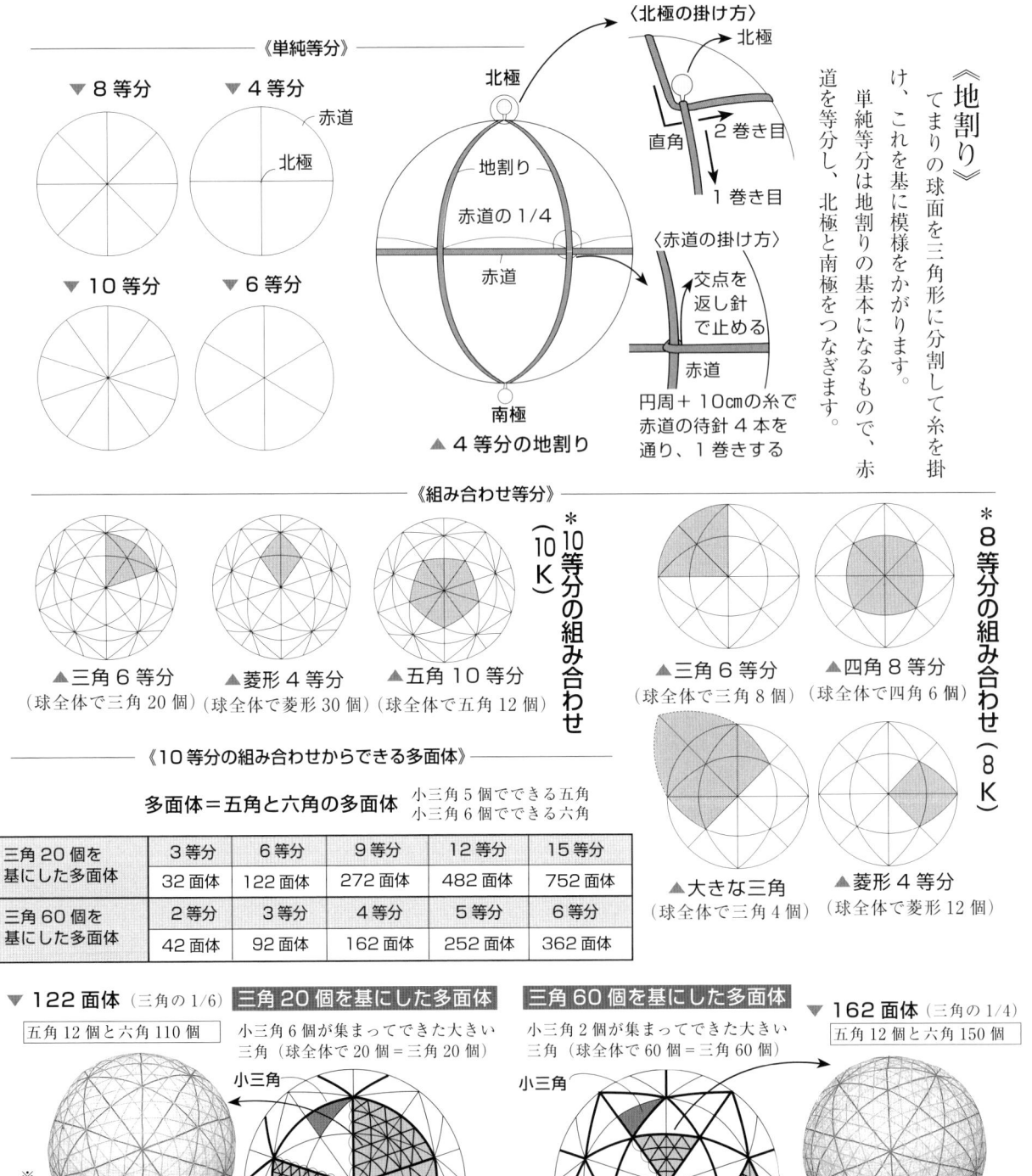

❖ 二面篭目に梅鉢・口絵2ページ

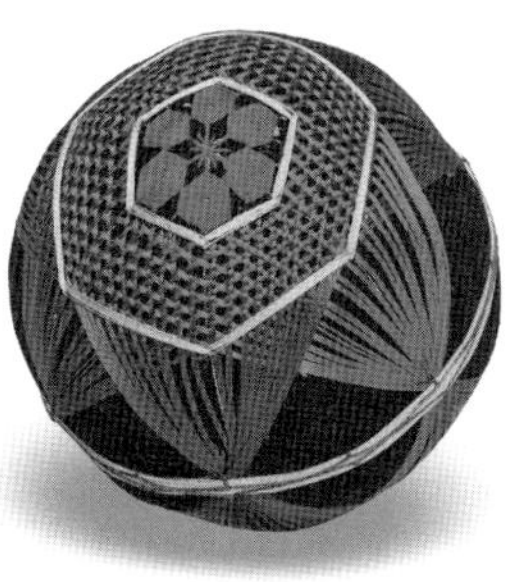

■**材料**

土台まり 円周36cm
地巻き糸 黒
地割り糸 ラメ糸
かがり糸 てまり糸
緑　紫　青　赤　黄　金糸

■**作り方**／初級（6等分）

① 6等分の地割線の$\frac{1}{2}$と$\frac{1}{4}$の六角の補助線を入れます（図1）。

② 赤道のAから青2本どりで20巻きします。小六角の補助線の外側5巻ずつと小六角の中を抜いて10巻します（図2）。

③ Bからも緑で同じように20巻きします（図2）。

④ Cからも紫で20巻きし（図2）、Aから巻いた青をくぐらせて篭目に組みます。

⑤ 補助線の小六角の中に赤1本どりで六角の梅の花をかがります。中心に赤で松葉かがりを入れます（図3）。

⑥ 2か所の補助線の六角に黄2本と金糸1本どりの縁取りの六角をかがります。

⑦ 赤道に金糸の帯を巻き、紫で千鳥掛けをして止めます。

制作／下田真理子

図1

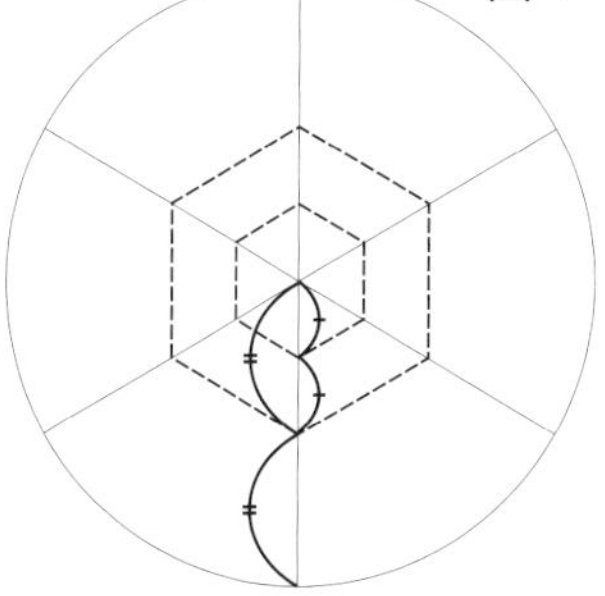

図2

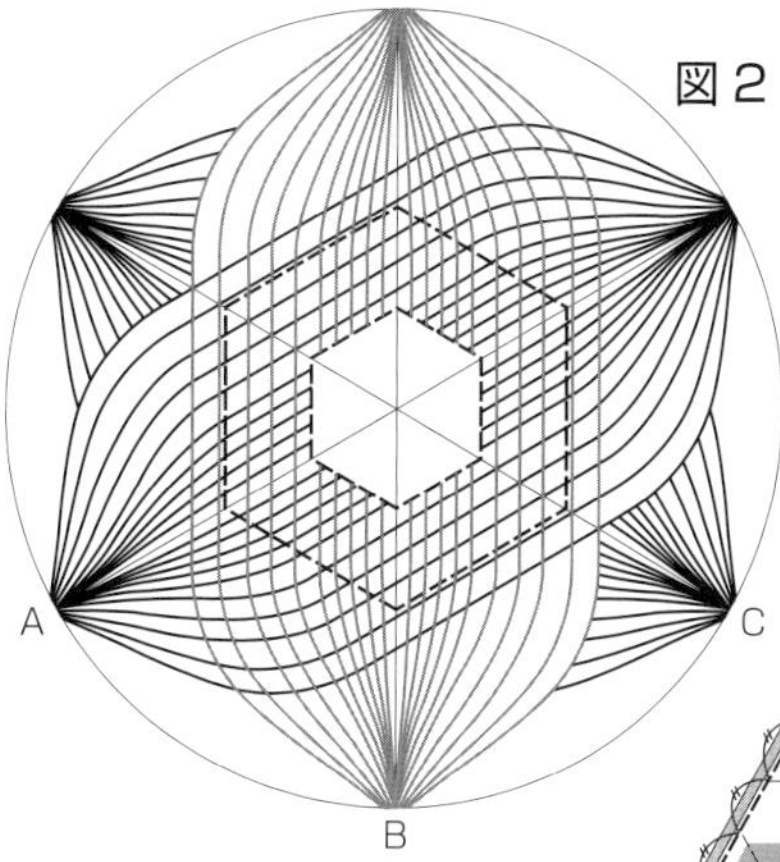

図3

❖ 六色篭目に梅鉢・口絵3ページ

■**材料**

土台まり 円周30cm
地巻き糸 紫
地割り糸 ラメ糸
かがり糸 てまり糸
薄黄　ピンク　黄緑
青　薄紫　薄灰　薄茶

■**作り方**／初級（10等分の組み合わせ）

① 菱の中心を通る補助線を6か所に巻きます。補助線の五角の中に$\frac{2}{3}$の五角の補助線も入れます。

② 補助線に沿って両側に補助線の五角までの幅で巻きかがりをします。菱の中心の交差は片側をくぐらせて組み、6か所に6色で巻きます（図2）。

③ 補助線の五角の中に薄黄で小六角の梅鉢をかがります（図3）。

制作／宇野清美

図1

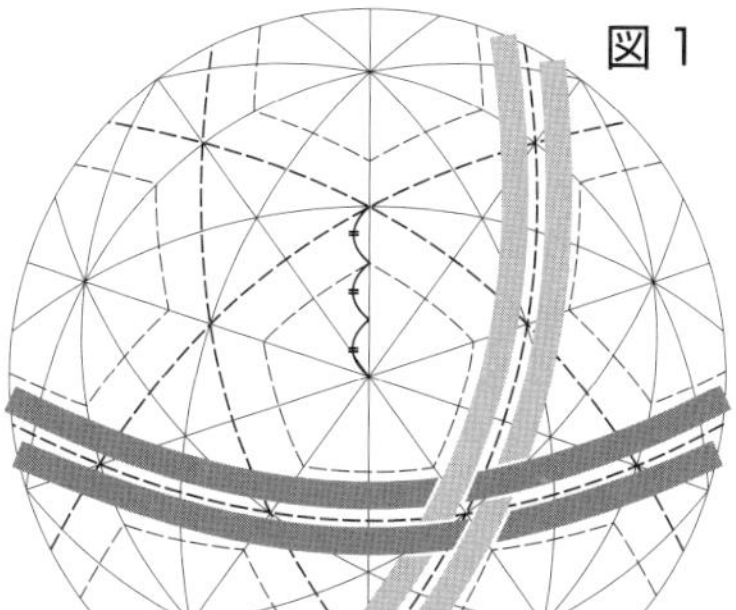

図2

図3

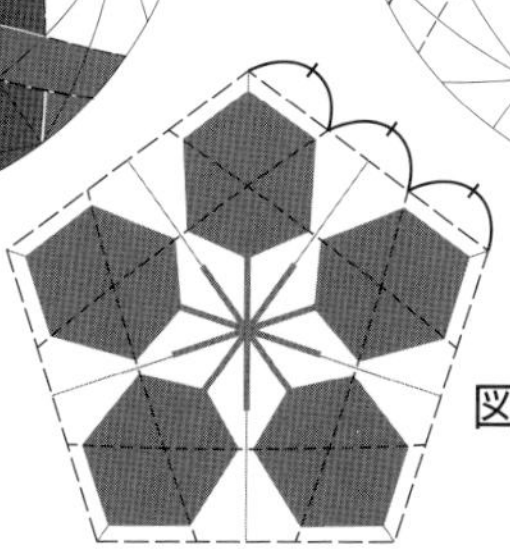

❖麻の葉と梅鉢・口絵3ページ

■材料
土台まり　円周40cm
地巻き糸　黒
地割り糸　黒細糸
かがり糸　25番刺繍
糸　紫　緑　ピンク
クリーム　灰　黄緑　赤　赤縮緬　金糸

■作り方／中級（10等分の組み合わせ）

① 菱形中心を通る補助線を6本入れます。補助線でできた五角の中に⅔の五角の補助線を入れます（図1）。

② 25番刺繍糸で補助線の五角の外周を小三角に区切ります（図2）。6色の25番刺繍糸で2か所ずつ同色に12か所かがります。

③ 小三角に麻の葉かがりをします（図3）。

④ 五角の中に押絵の梅鉢をのり付けします（和紙を0.7cmの○に切り、赤縮緬でくるむ）。

赤糸で松葉かがりの芯を入れます。

制作／北川喜代枝

図1

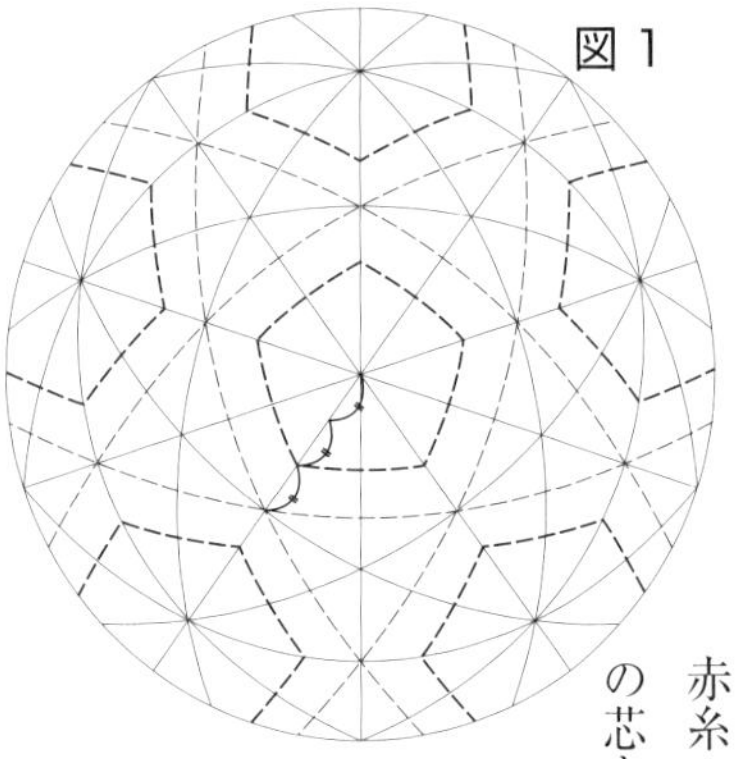

図2

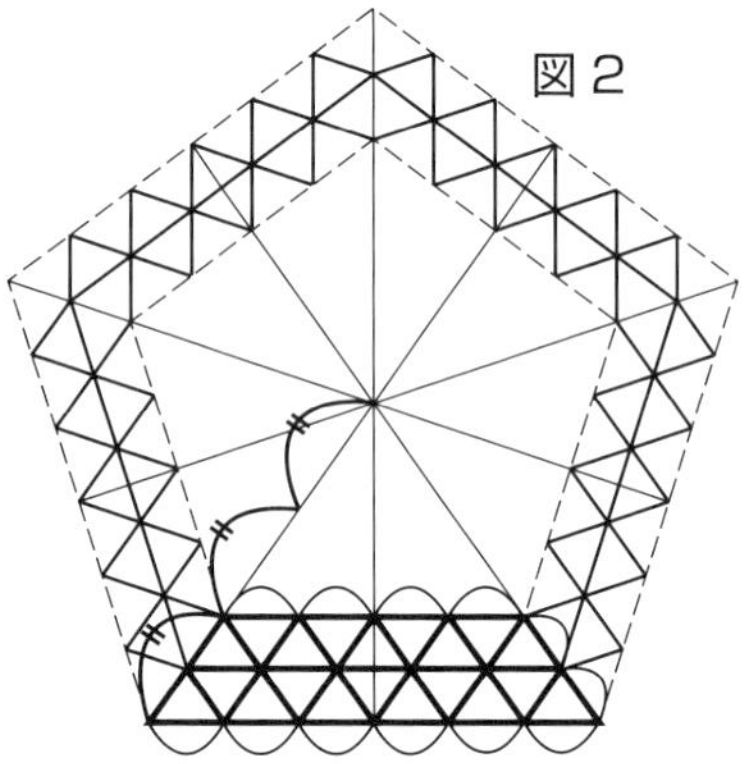

図3

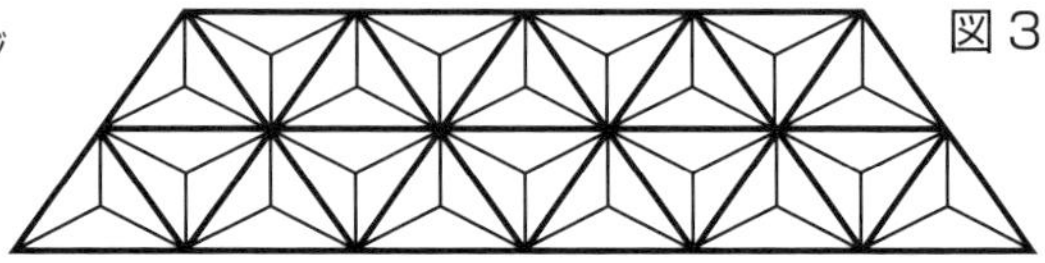

❖小紋篭目に梅鉢・口絵2ページ

■材料
土台まり　円周40cm
地巻き糸　紫
地割り糸　紫細糸
かがり糸　てまり糸
赤　橙　ピンク　青
黄緑　灰　肌　緑

■作り方／中級（10等分の組み合わせ）

① 五角の中心間を3等分して32面体の補助線を入れます（図1）。

② 補助線の平行線の中の菱形5か所にピンク1本どりで横8本、斜め16本の篭目を組みます（図2）。

③ 平行線6か所に6色でかがります。

④ 縁取り線を緑2段でかがります。

⑤ 五角の中に赤で梅鉢をかがります。

制作／酒井禮子

図1

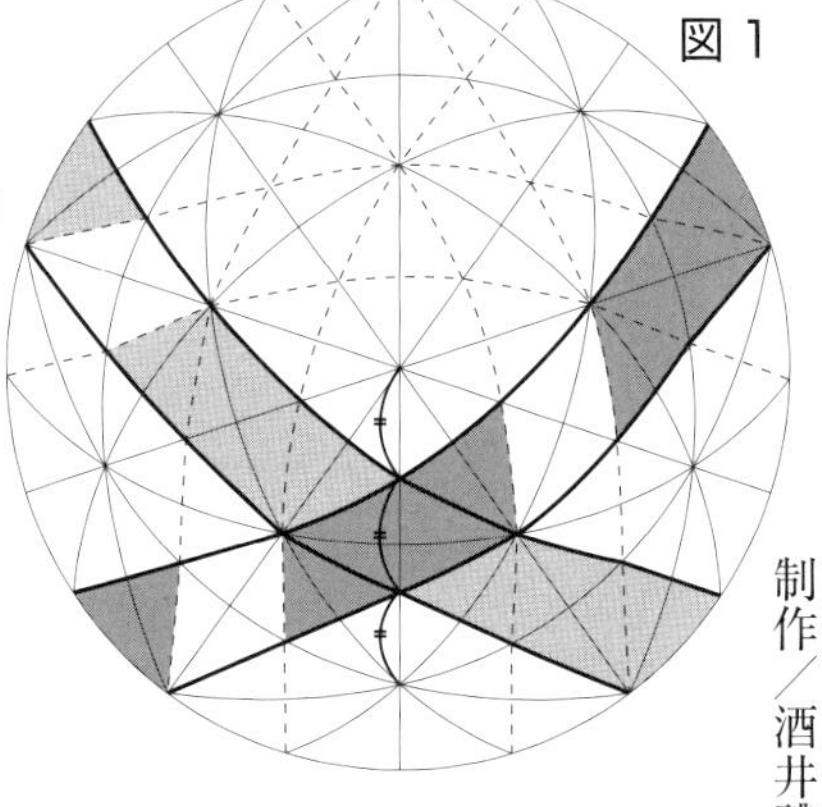

図2

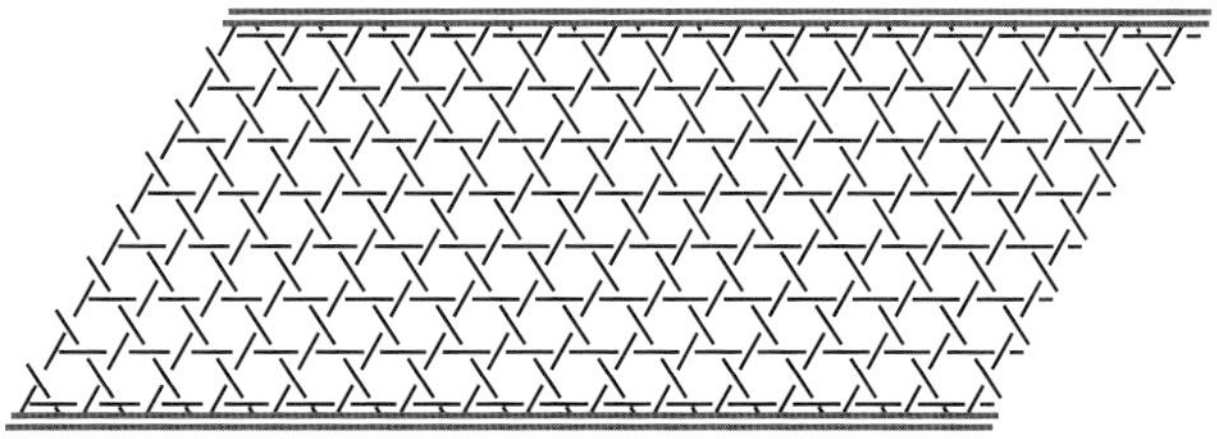

❖ 麻の葉に梅鉢2・口絵3ページ

■材料

土台まり　円周35cm

地巻き糸　黒

地割り糸　黒細糸

かがり糸　てまり糸

薄紫　青　黄緑　薄

茶　黄　橙　黒

■作り方／中級（10等分の組み合わせ）

① 五角の中心から$\frac{1}{3}$強の五角の補助線を入れます（図1）。

② 三角の中にできた六角をてまり糸1本どりで3等分して小三角に区切り、麻の葉かがりをします（図2）。20か所の六角に4か所ずつ同色にして5色でかがります。

③ 六角の周囲を黒2本どりで縁取りをします。

④ 五角の中に薄紫で梅鉢をかがります。

制作／松下良子

図2

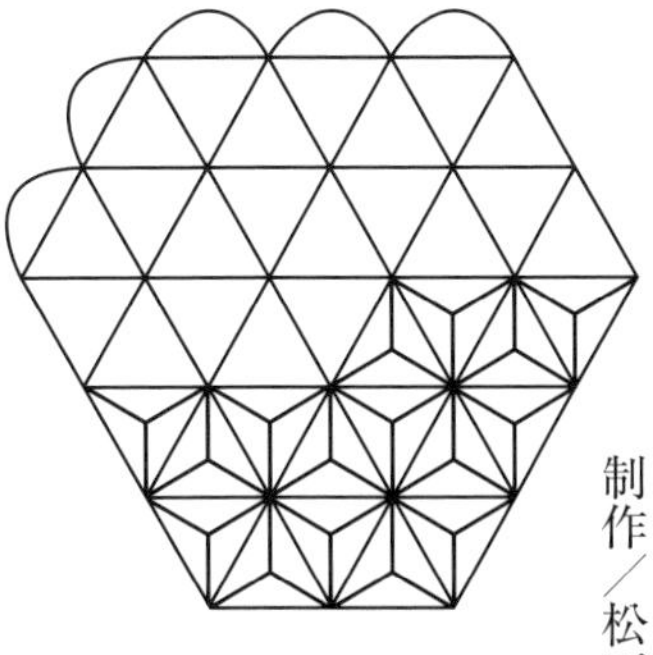

図1

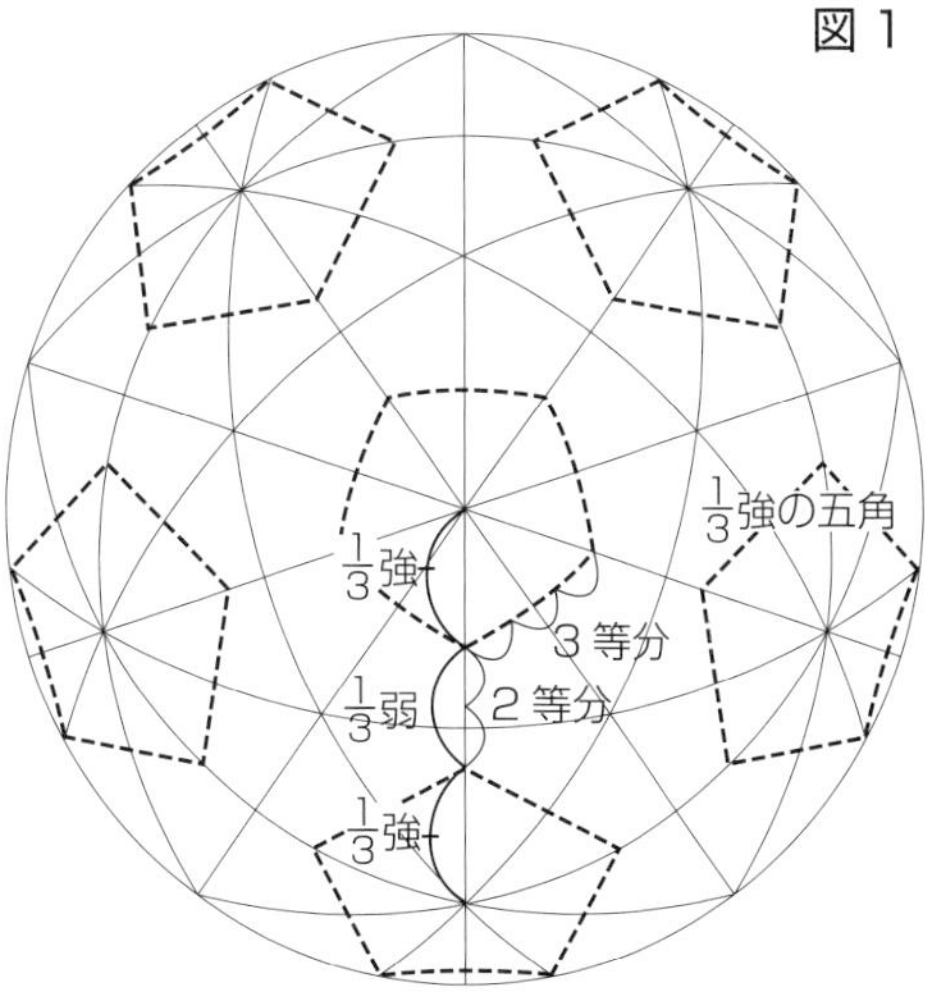

❖ 篭目に梅鉢・口絵3ページ

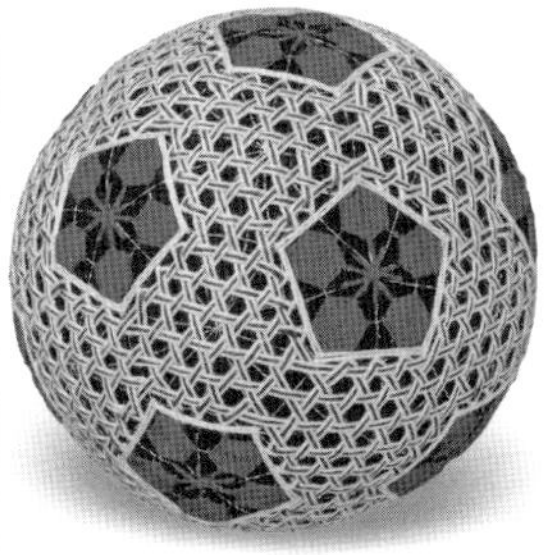

■材料

土台まり　円周38cm

地巻き糸　黒

地割り糸　ラメ糸

かがり糸　花糸　赤

黄土　茶

■作り方／中級（10等分の組み合わせ）

① 五角の中心と中心の間に$\frac{1}{3}$の五角の補助線を入れます（図1）。

② 補助線の五角の中の三角を2等分する補助線を入れます。赤糸で六角を5個かがります。六角をつなぐ松葉かがりを入れます（図2）。

③ 黄土と茶の3本で菱の中心を通る線上と両側の3か所を通る篭目を巻きます（図3）。

④ 補助線の六角の中に篭目を組みます（図4）。

制作／松下良子

図3

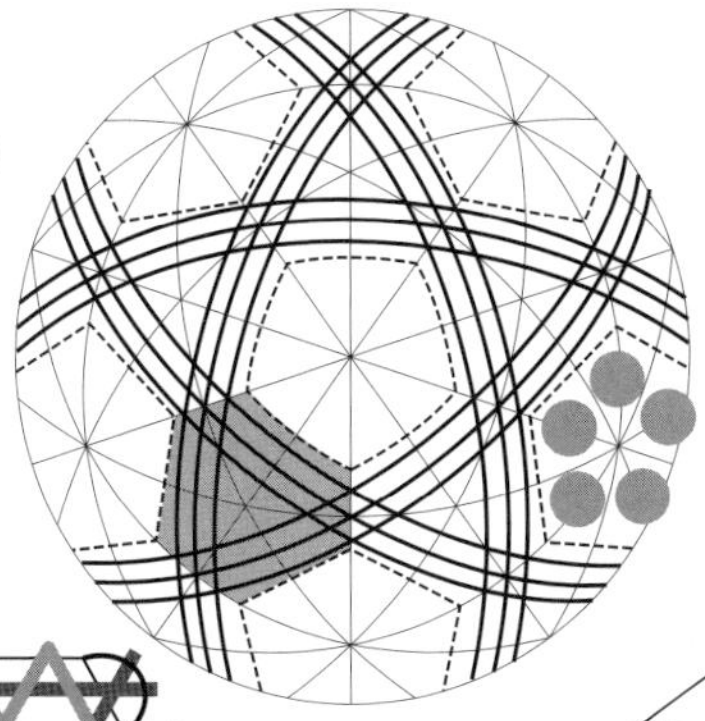

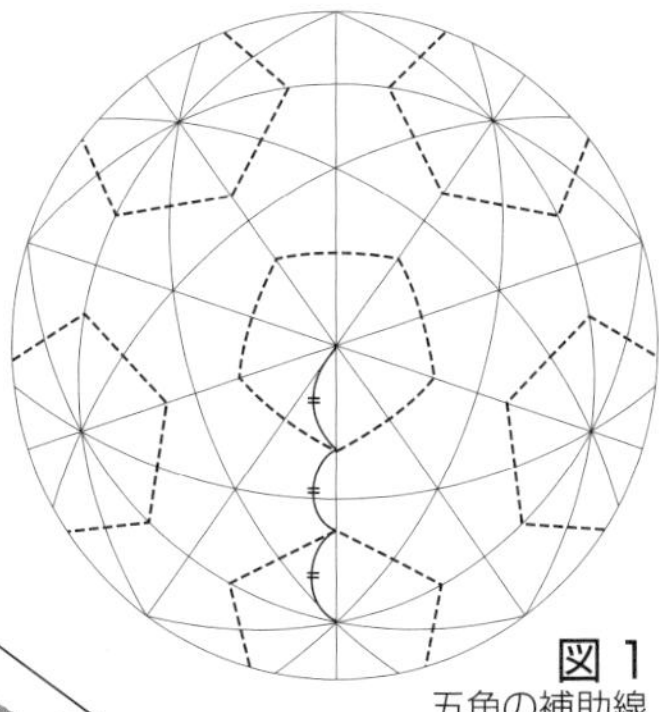

図1
五角の補助線

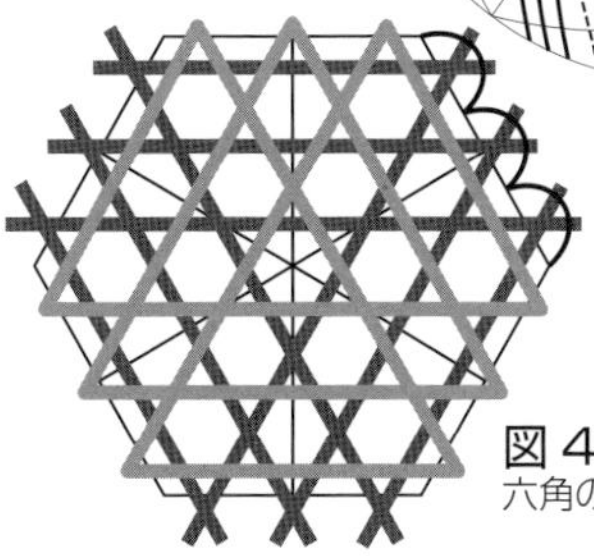

図4
六角の中の篭目

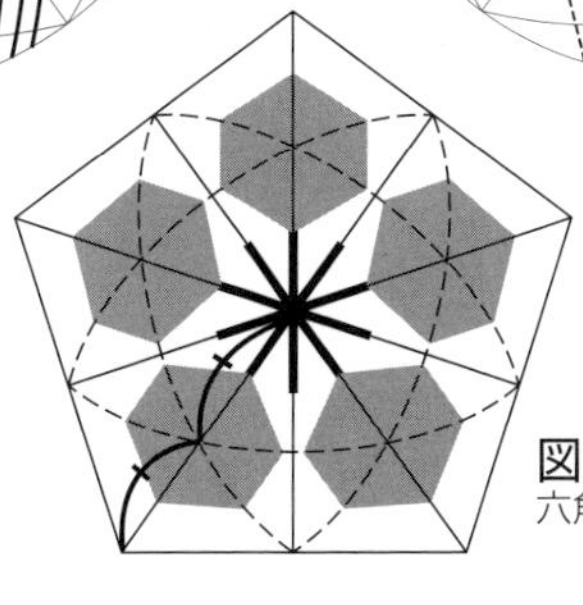

図2
六角をかがる

麻の葉に梅鉢1・口絵3ページ

■材料
土台まり　円周40cm
地巻き糸　黒
地割り糸　ラメ糸
かがり糸　25番刺繍糸
緑　赤　橙　紫
ピンク　水　黄

■作り方／中級（10等分の組み合わせ）

① 五角の中心から長い線に$2/3$の五角を25番刺繍糸緑2本どりでかがります。その外側に$1/2$の五角もかがり、二重の五角になります（図1）。

② 隣の五角と接した六角を4等分して小三角に区切ります。緑1本どりで麻の葉かがりをします（図2）。

③ 12か所の五角の中に6色で梅鉢をかがります（裏表2か所ずつ同色にかがる）。

制作／丸田幸子

図1

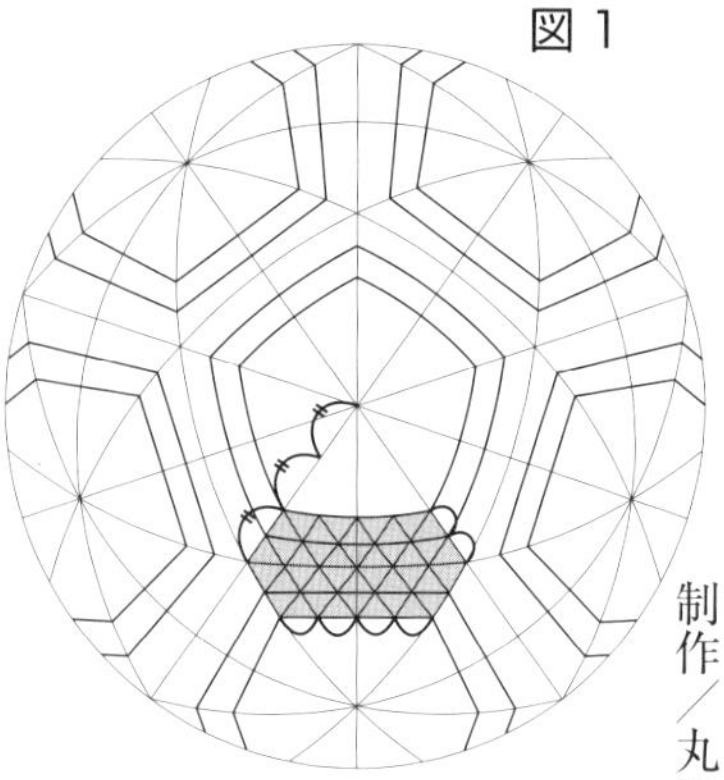

図2

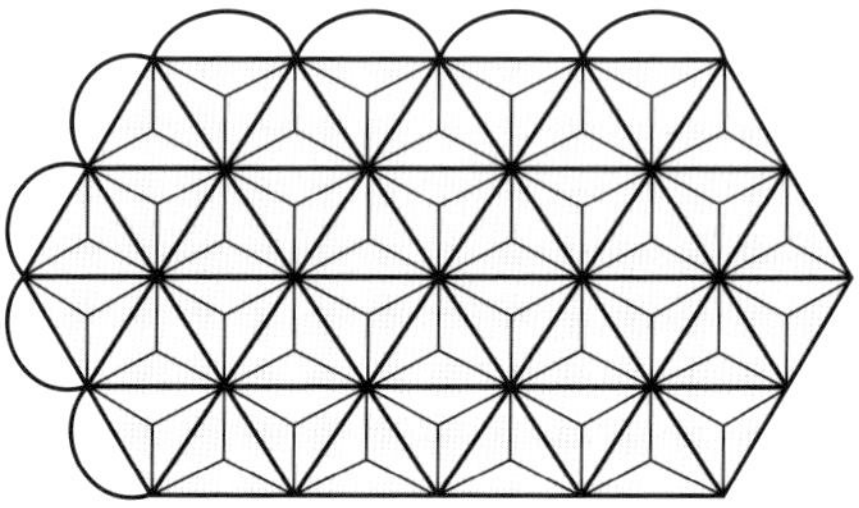

小紋麻の葉に梅鉢・口絵2ページ

■材料
土台まり　円周33cm
地巻き糸　黒
地割り糸　細ラメ糸
かがり糸　てまり糸
赤　オーロララメ糸

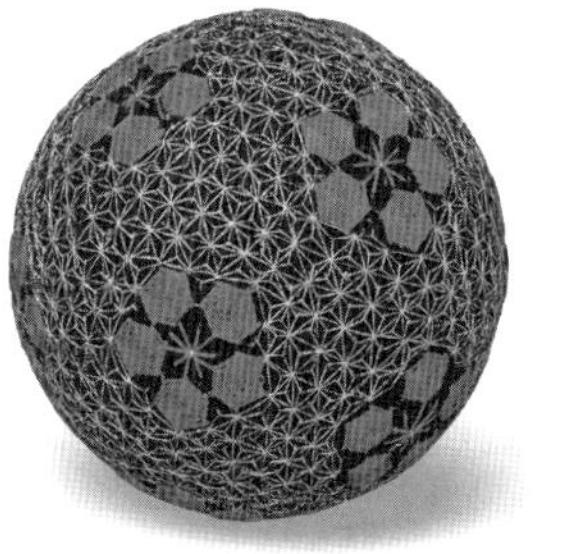

■作り方／中級（32面体）

① オーロララメ糸（スパークルラメ糸）で五角の中心の間を3等分して32面体にします。五角12個と六角20個ができます（図1）。

② 五角に一辺の$1/3$をとって補助線を入れ、赤1本どりで六角の梅鉢をかがります。中心に松葉かがりを入れます（図2）。

③ 六角の一辺を3等分する線を32面体の線に平行にオーロララメ糸で巻きます（図1）。

④ 六角の中を小三角になるようにかがり、麻の葉かがりをします（図3）。

図1

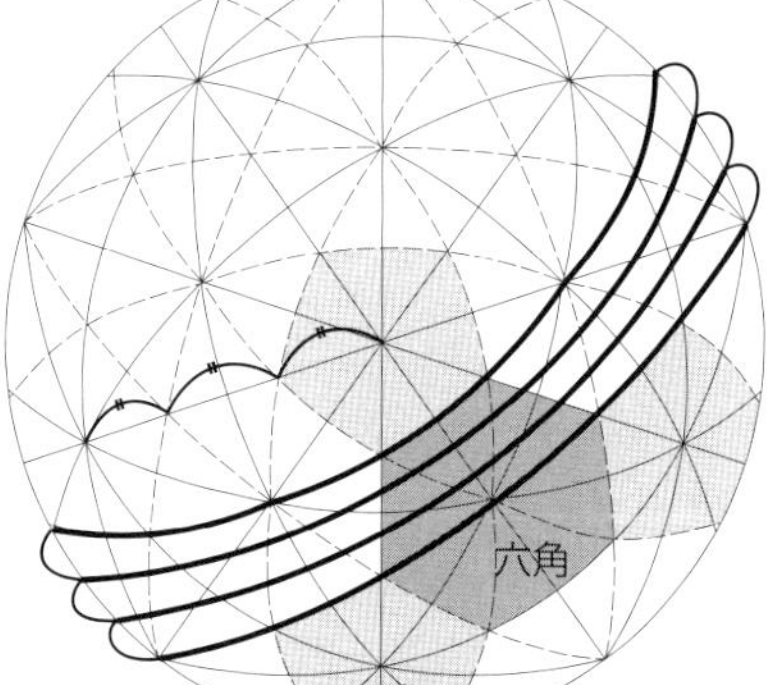

図2

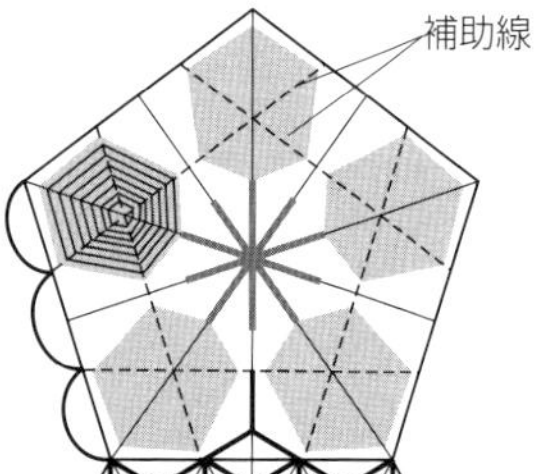

図3

加賀梅鉢・口絵2ページ

■材料

土台まり　円周36㎝

地巻き糸　生成り

地割り糸　金ラメ糸

かがり糸　京てまり

糸　赤　白

■作り方／上級（10等分の組み合わせ）

① 梅になる色（白）で三角を2本どりで5段（0.7㎝幅）20か所にかがります（図1）。間を1本どりで3本分（0.2㎝幅）中心の松葉かがりを入れるところをあけておきます。

② 周囲の色の赤2本どりで五角の中心から5段かがります（図2）。

③ 梅花はグラフのように1本どりにして梅が丸く出るようにくぐらせて五角を続けてかがります（図2・3）。

④ ①の三角の残り（0.2㎝幅）を松葉かがり3本で剣先分も出してかがり埋めます（図3・4）。

⑤ 残りの五角を白の縞2本入れてかがり埋めます。

図1

図3

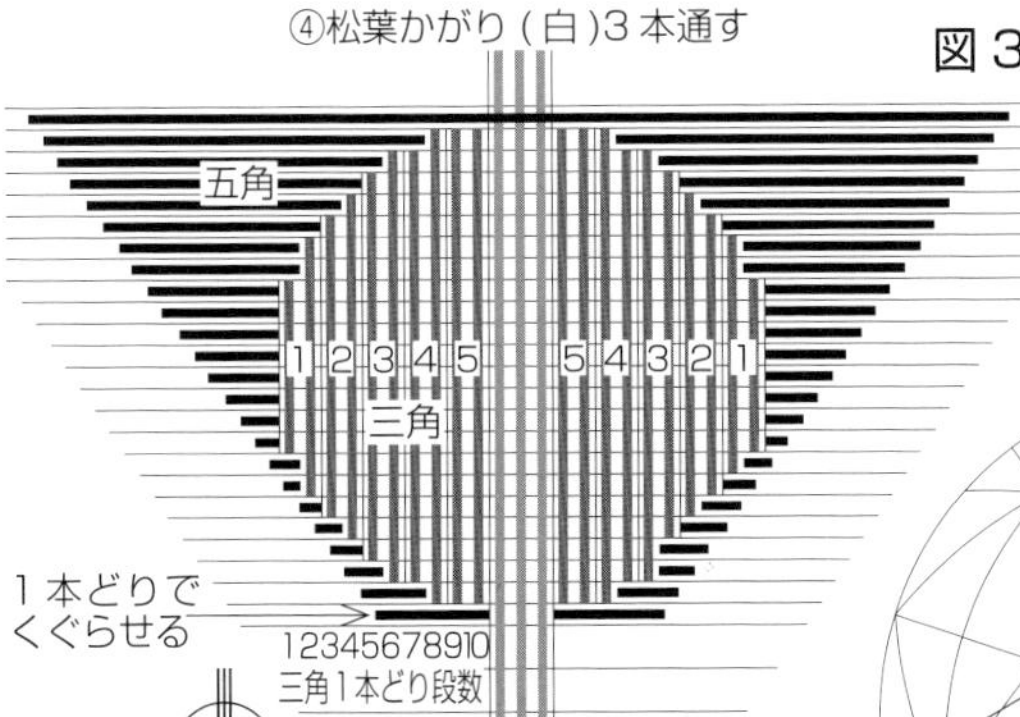

図2

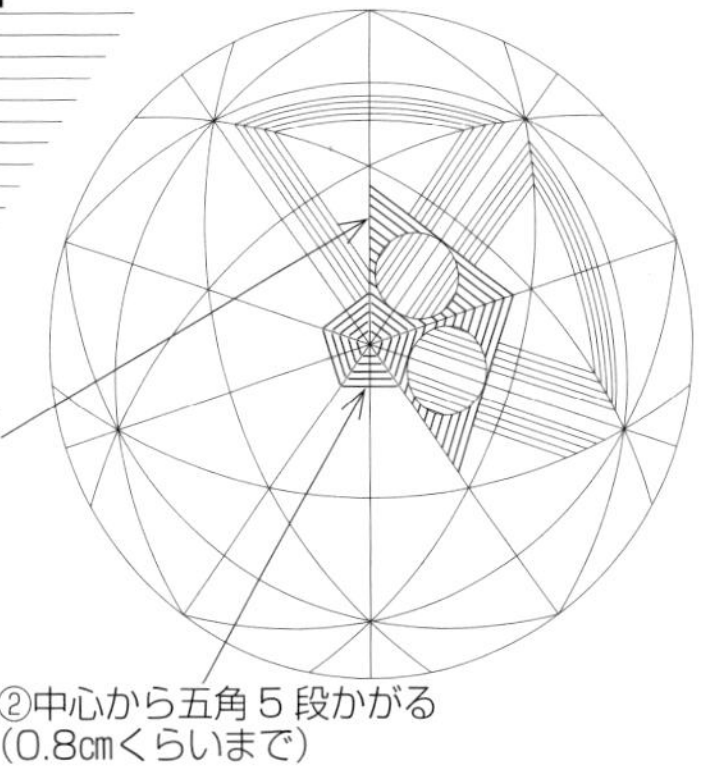
③五角１本どりに
替えてくぐらせる

図4

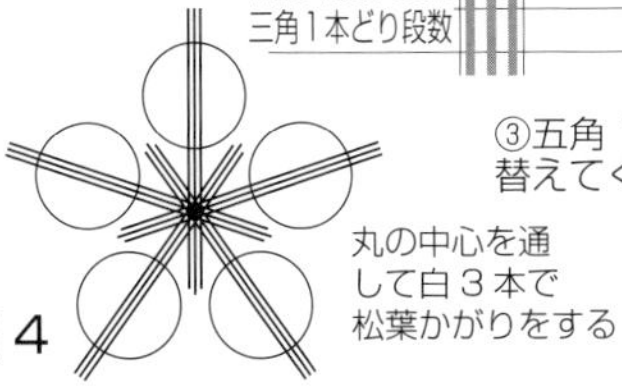

梅鉢と白梅・口絵2ページ

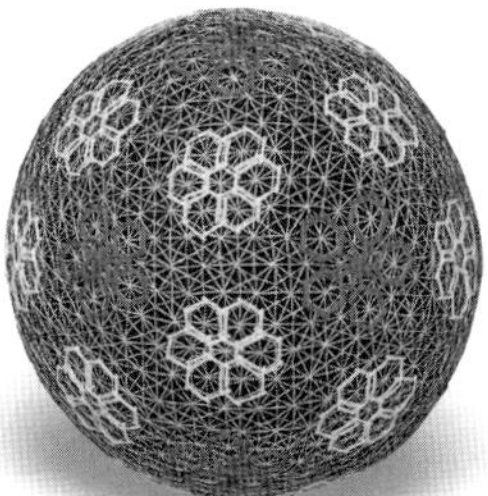

■材料

土台まり　円周40㎝

地巻き糸　黒

地割り糸　ラメ糸

かがり糸　銀ラメ糸

白ラメ糸　てまり糸　赤

■作り方／上級（10等分の組み合わせ）

① 銀ラメ糸で五角の中心間を9等分して272面体になる補助線を入れます。さらに小三角を垂直に分ける補助線を入れて、812面体にします。

② てまり糸赤１本どりで812面体の小六角の外側を小五角の周囲に5個かがります。中心に花芯の松葉かがりを入れます。

③ 10等分組み合わせの三角の中心に白ラメ糸で周囲の小六角6個をかがります。

制作／松下良子

図3

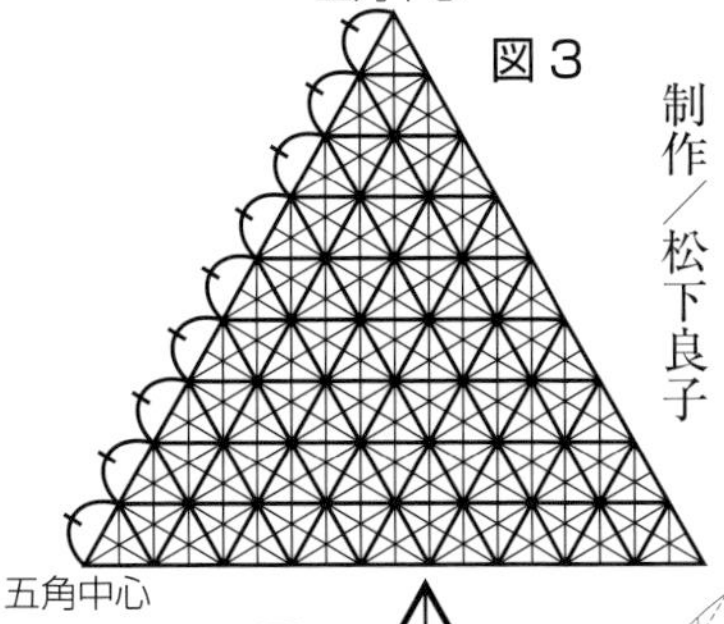

図4

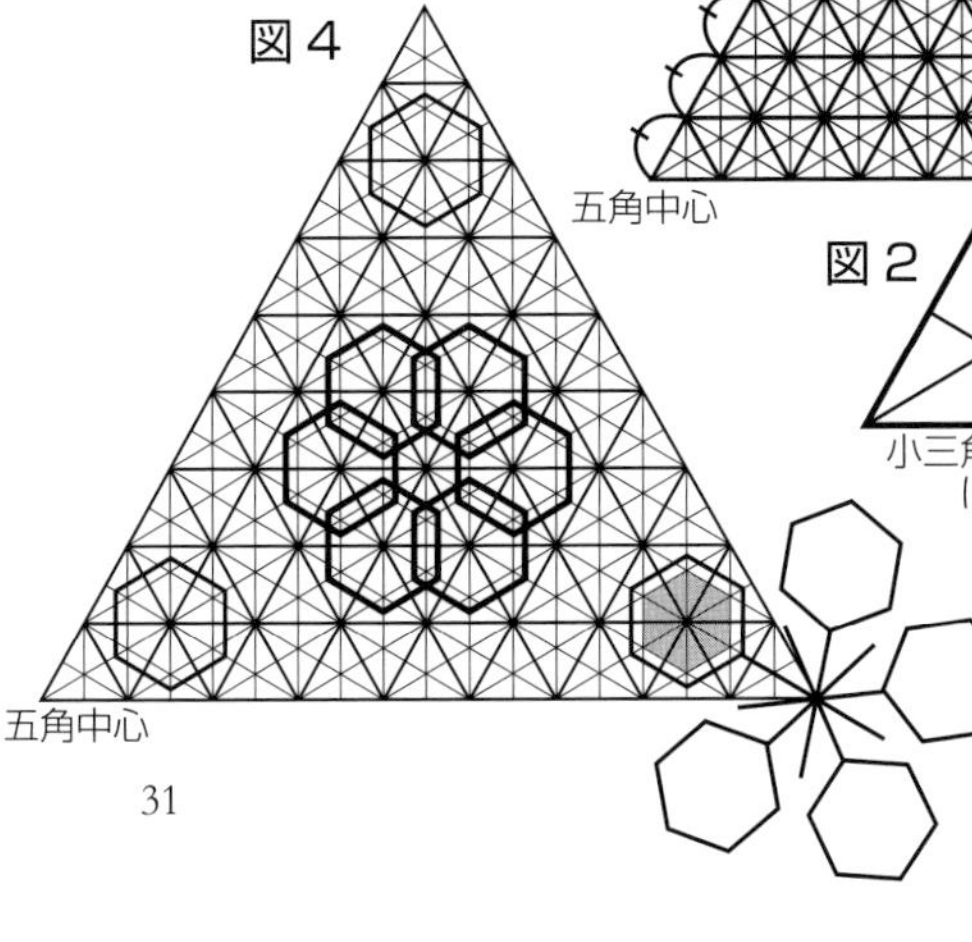

図2

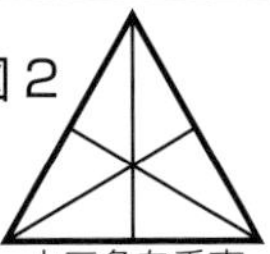

小三角を垂直
に分ける

図1

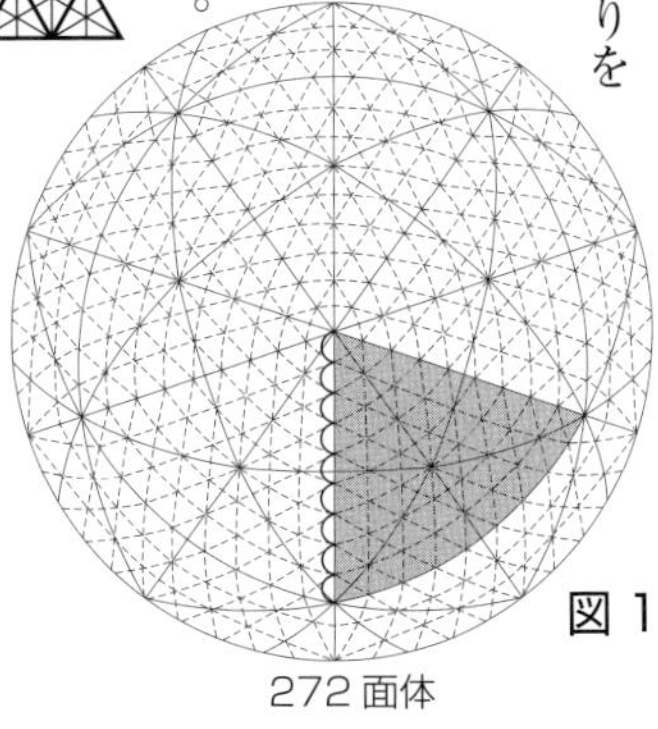

272面体

❖三角卍1・口絵13ページ

■材料

土台まり　円周16cm
地巻き糸　白
地割り糸　ラメ糸
かがり糸　花糸　紺
　　　　　ピンク　薄紫

■作り方／初級（8等分の組み合わせ）

①　四角の外側に紺1段の縁取りを入れてピンク7段を4か所、薄紫2か所かがります。三角の中心で三つ巴にくぐらせます。

②　①でかがったピンク4か所に続けて薄紫を7段かがります。薄紫2か所にも続けてピンクを6段くぐらせてかがります。

③　②でかがった薄紫4か所の間に紺1段の縁取りをして、残りをピンクで2か所巻き埋めます。②でかがったピンク2か所の間に紺1段の縁取りをして、残りを薄紫で1か所巻き埋めます。ピンクを2か所くぐらせます。紺の縁取りを入れるくぐりが三つ巴になるようにかがります。

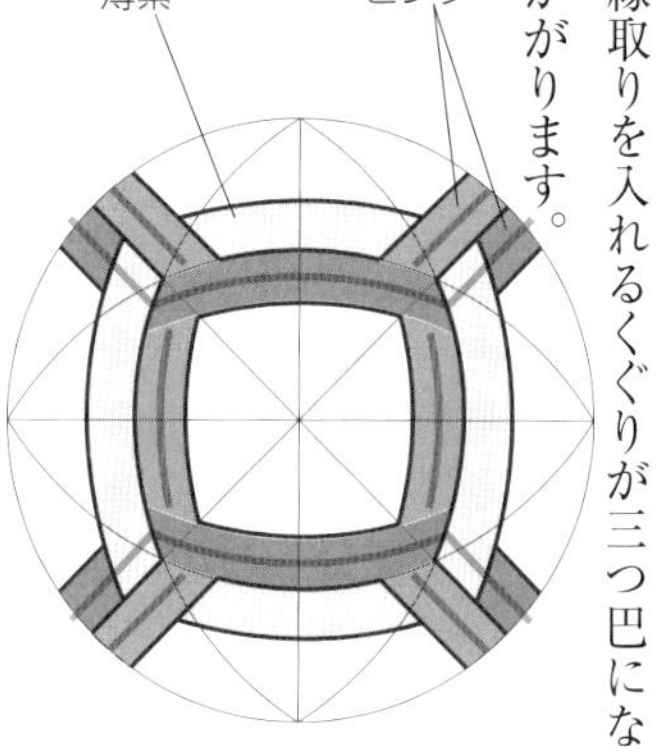

❖三角雷紋1・口絵13ページ

■材料

土台まり　円周28cm
地巻き糸　白
地割り糸　ラメ糸
かがり糸　花糸　紺
　　　　　黄土　緑

■作り方／初級（8等分の組み合わせ）

①　四角の外側に黄土10段を4か所かがります。四角の1/7の幅ずつかがります（図1）。緑も2か所にかがります。緑をかがるとき三角の中心で三つ巴にくぐらせます（図2）。

②　①でかがった黄土4か所に緑を10段巻きかがります。緑の2か所は黄土で巻きかがります。緑をくぐらせます（図3）。

③　②でかがった色を取り替えて黄土を10段巻きかがります。緑で2か所を巻きかがるときは黄土をくぐらせます。

④　色を取り替えて巻き埋めます。同色がつながるようにくぐらせます。

⑤　緑と黄土の色の境目に紺1本の縁取り線を渦巻きになるように、くぐらせてかがります。

制作／宮本美智江

※雷紋、卍模様の縁取り線は、かがり終わってからくぐらせて入れても良い。

図1

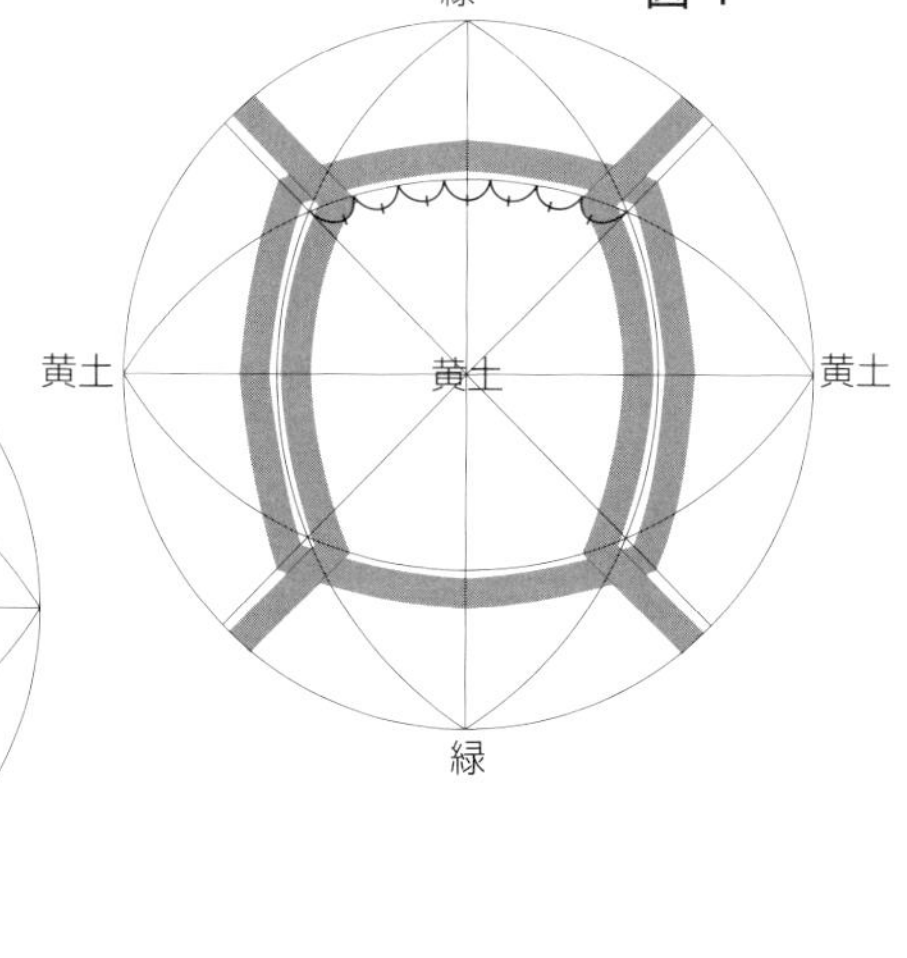

図2

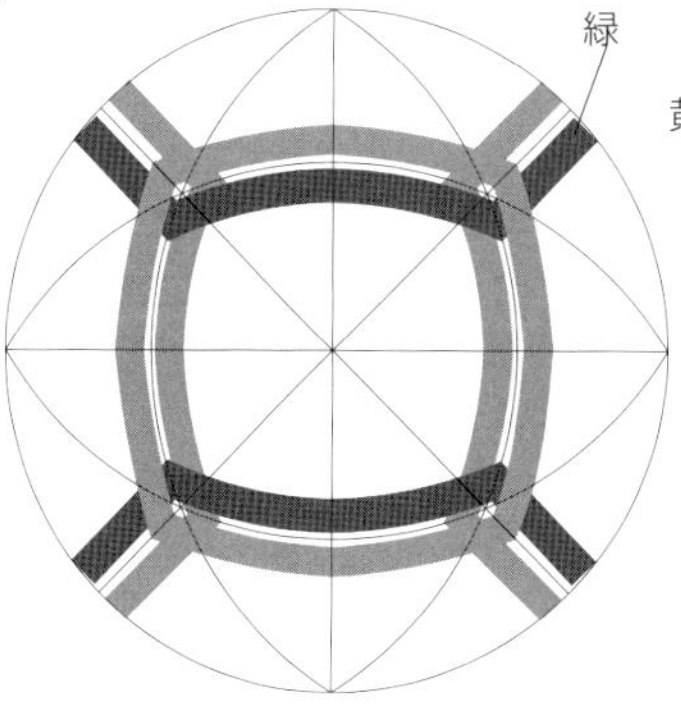

図3

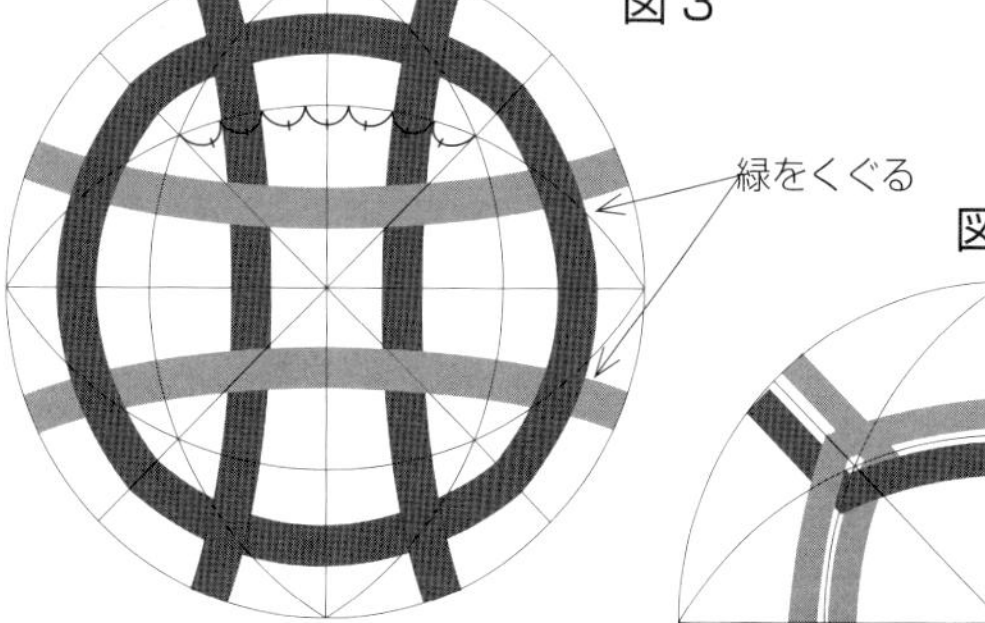

❖ 三角雷紋2・口絵12ページ

■材料

土台まり　円周36cm
地巻き糸　生成り
地割り糸　ラメ糸
かがり糸　花糸　茶
ピンク　紺

■作り方／中級（8等分の組み合わせ）

※大三角8か所と四角6か所の色を取り替えて交互にかがる。

四角をかがるとき片側をくぐらせる。
紺の線は同色の上にならないように注意する。

① 大三角は紺1本を8か所かがって茶5本をかがります。
四角は紺1本、赤5本かがります（片側くぐる）。

② 大三角は紺1本かがり（片側の赤と紺〈四角〉の下をくぐる）、赤を5本かがります（上に乗る）。
四角は紺1本かがり（片側全て下）、茶を5本かがります（片側全て下）。

③ 大三角は紺を1本かがり（茶と紺の下）、茶を5本かがります（上に乗る）。
四角は紺を1本かがり（赤の下くぐる）、赤を5本かがります（2か所茶の下をくぐる）。

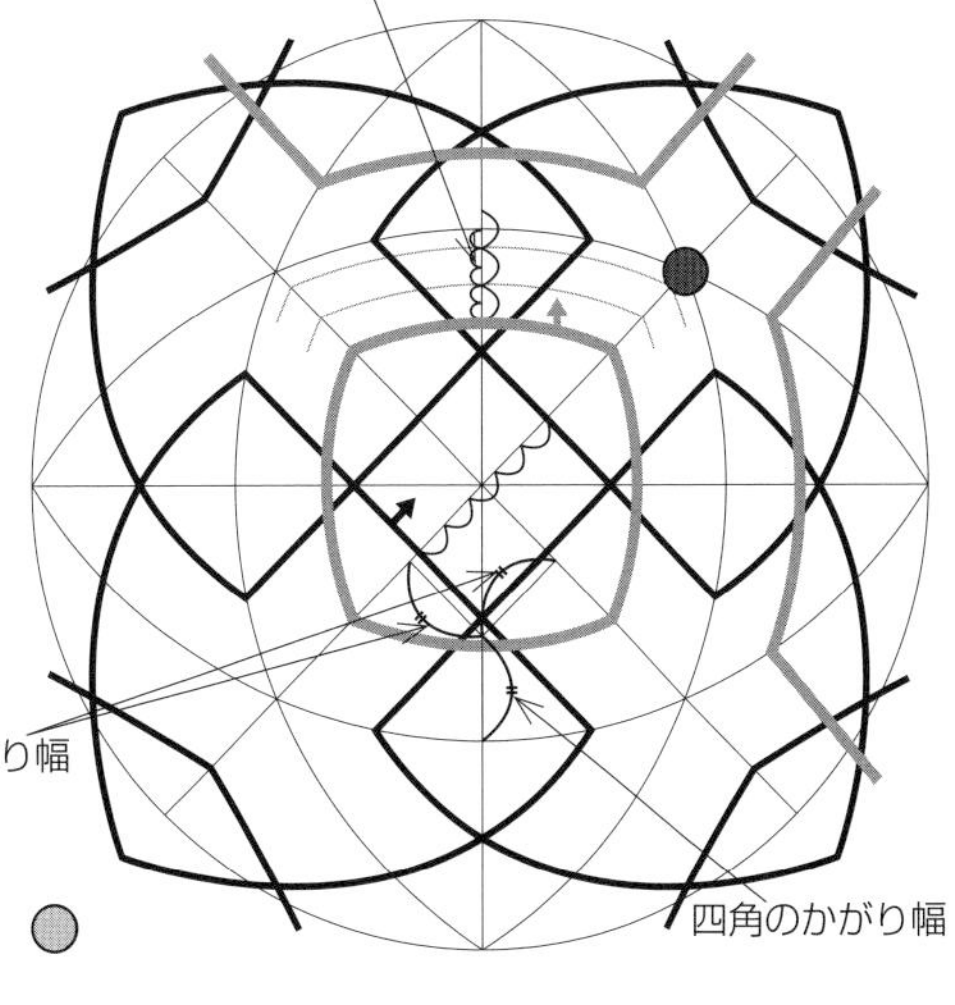

❖ 五角卍・口絵12ページ

■材料

土台まり　円周33cm
地巻き糸　生成り
地割り糸　ラメ糸
かがり糸　てまり糸
えんじ（1本どり）
薄茶　緑（2本どり）

■作り方／中級（10等分の組み合わせ）

① えんじ1本どりで1.2cm幅の三角を20か所かがります。続けて薄茶2本どりで3段とえんじ1本で三角をかがります。

② えんじ1本どりで1.2cm幅の五角を12か所かがり、緑2本どりで3段の五角を三角の片方をくぐらせてかがります。

③ 三角の続きを色を替えて緑で三段かがり、えんじも1本かがります。（くぐらない）

④ 五角にえんじを1本かがります。三角の片方を2縞全部くぐります。色を替えて薄茶で五角を3段（6本）かがります。三角③の緑の縞の片方をくぐります。

⑤ 1色目の色薄茶で三角を埋めます。

⑥ えんじで五角の線を緑の三角1縞の片方をくぐらせてかがります。緑で五角を埋めます（くぐりなし）。

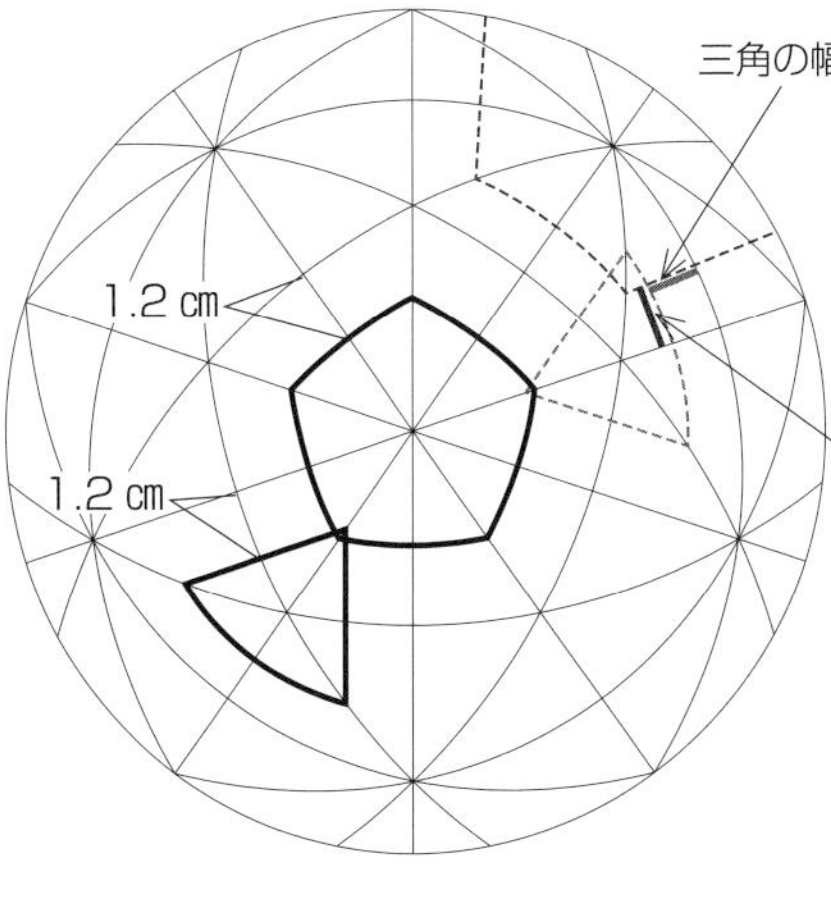

❖菱形卍・口絵12ページ

■材料
土台まり　円周30cm
地巻き糸　生成り
地割り糸　ラメ糸
かがり糸　花糸　白
　赤　紫

■作り方／中級（8等分の組み合わせ）

① 三角の中心に4か所ずつ赤と青の2色の待ち針を打ちます。

② 赤待ち針から三角4個と青待ち針から三角4個を色を取り替えて交互にかがります（図1）。三角をかがる幅は菱の短い線の2/5ずつかがり、3回目の最後は残り1/5かがります（図2）。青待ち針からかがるときは片側をくぐらせます（図3点線の3か所）。白線は同じ色の上に乗らないよう注意します。

図1

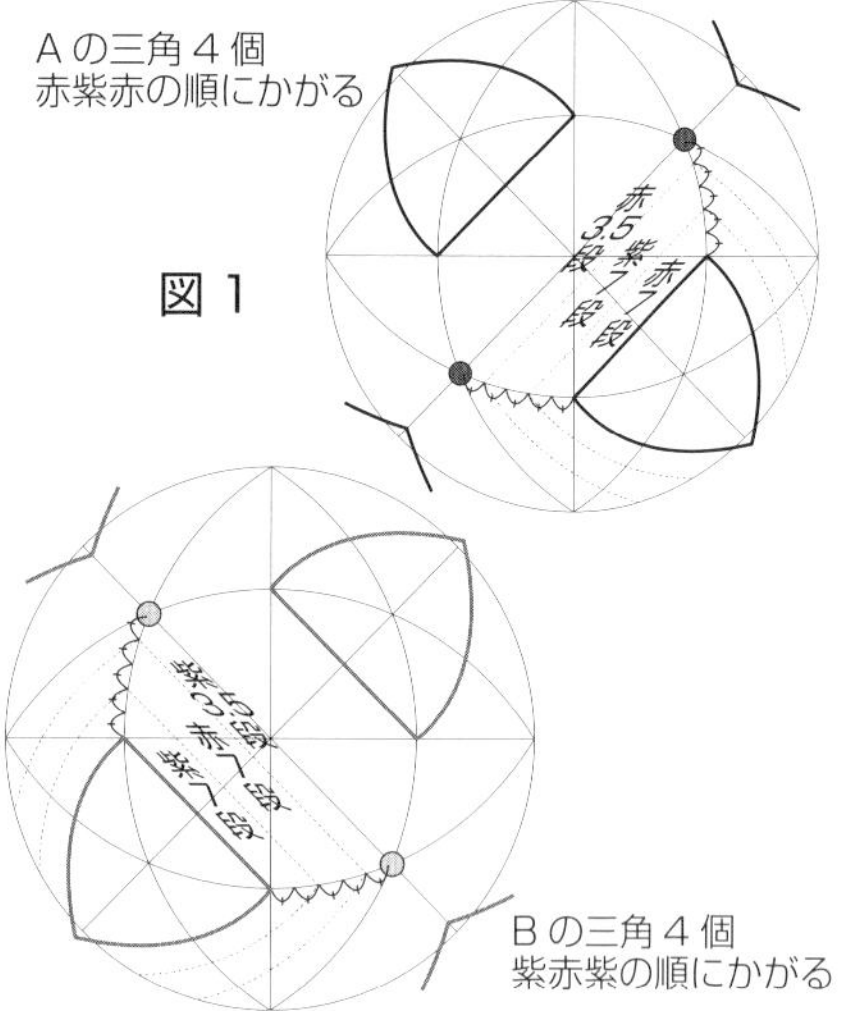

図2

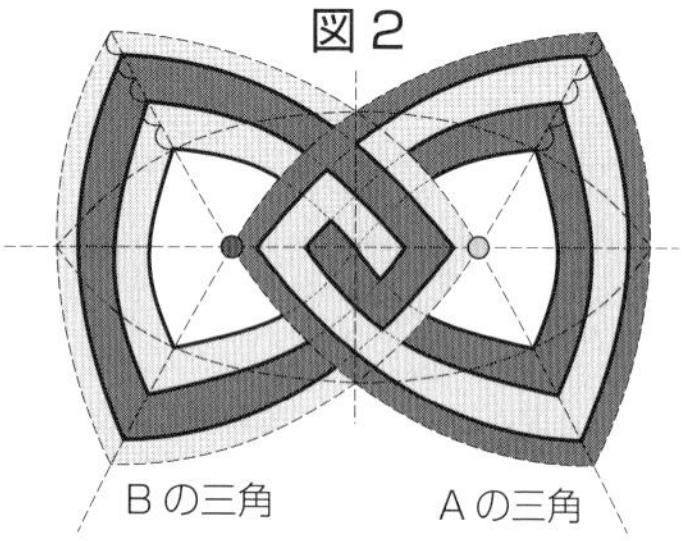

図3

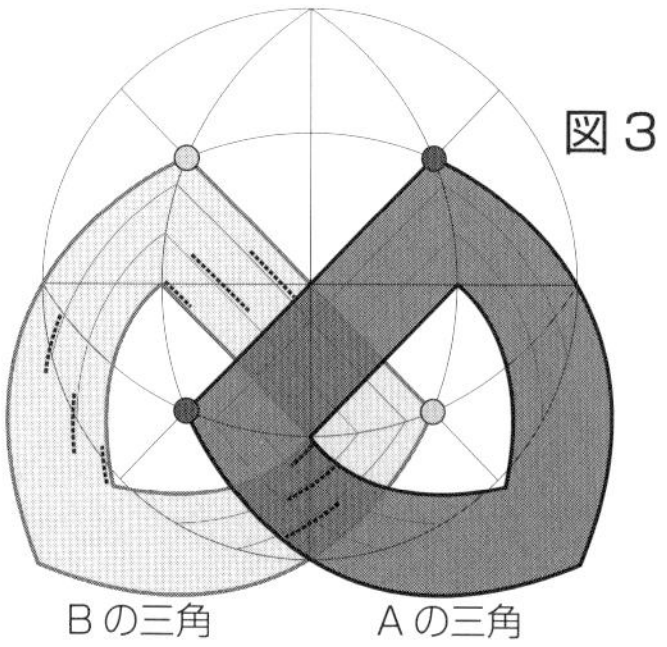

	赤待ち針から三角を4個		青待ち針から三角を4個
A1回目	白と赤7段と白かがる	B1回目	白と紫7段は片側くぐる
A2回目	紫7段はくぐらない	B2回目	白は片側全てくぐる 赤7段は白と青くぐる
A3回目	白は赤と白くぐる 赤3.5段はくぐらない	B3回目	白はくぐる 紫3.5段は赤くぐる

❖三色雷紋・口絵13ページ

■材料
土台まり　円周27cm
地巻き糸　生成り
地割り糸　ラメ糸
かがり糸　花糸　白
　赤　紫　緑

■作り方／中級（8等分）

※三角の中心に赤と青の待ち針を打って目印にする。赤待ち針から大三角4個、青待ち針から大三角4個をかがり、四角6個で三つ巴に組む。

① 赤待ち針から大三角4個を白1本、赤5本、白1本でかがります。青待ち針から大三角4個を白1本、紫5本でかがります。四角6個を白1本、緑5本でかがります（三つ巴にくぐる）。

② 赤待ち針から大三角4個を紫5本でかがります（乗る）。青待ち針から大三角4個を白1本でかがり（四角の線くぐる）、緑で5本かがります。四角6個を白1本で片側全て（赤と紫）くぐらせてかがり、赤5本でかがります（紫と白くぐる）。

③ 赤待ち針から大三角4個を白1本、緑5本でかがります。青待ち針から大三角4個を白1本、赤5本、白1本、紫5本でかがります（三つ巴にくぐる）。

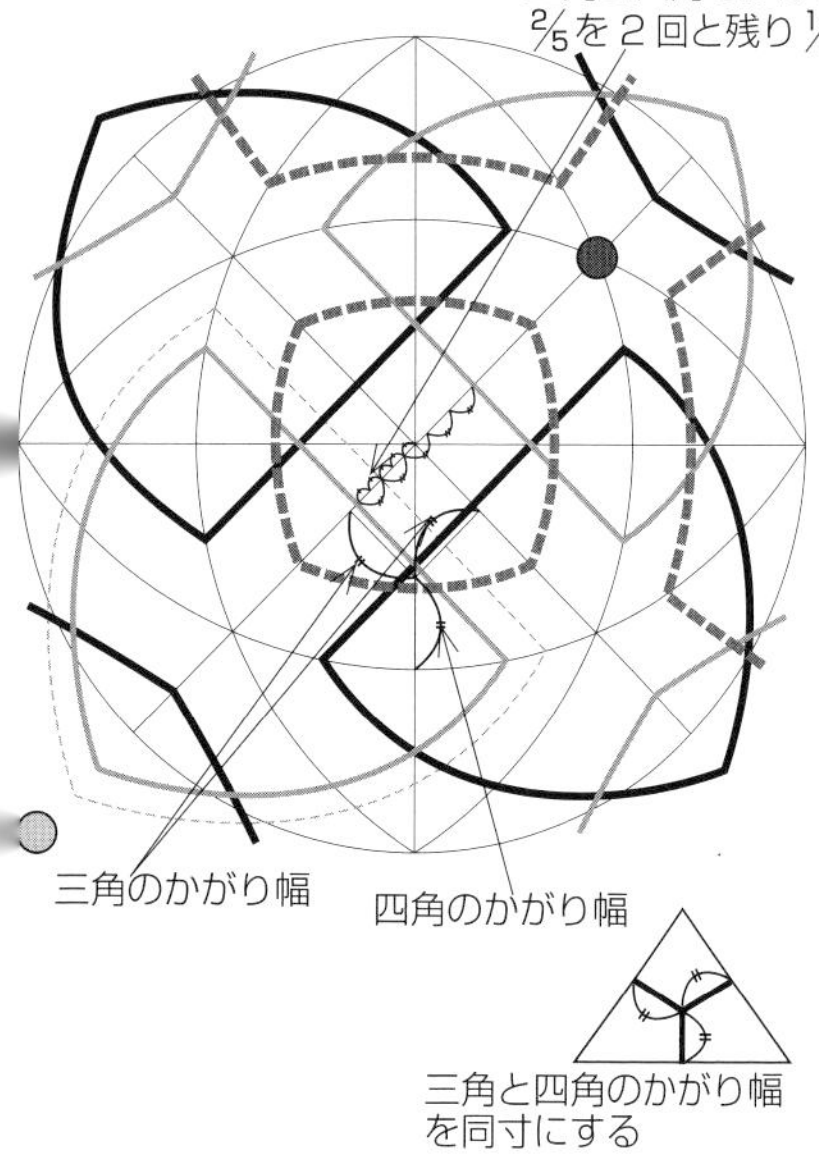
三角と四角をかがる幅の
2/5を2回と残り1/5をかがる

❖ 菱形雷紋・口絵13ページ

■材料
土台まり　円周36cm
地巻き糸　生成り
地割り糸　ラメ糸
かがり糸　花糸　白　赤　緑

■作り方／上級（10等分の組み合わせ）

① 白1本、赤2本どり4段、白1本の六角を8か所にかがります（図1）。

② 白1本緑2本どり4段の六角を12か所にかがります。印を付けた菱形にかかるところはかがらないようにします。①の赤の六角の片方をくぐらせます（図2）。

③ ①の赤の六角に続けて緑を4段かがります（くぐらない）。

④ ②の菱ぬき六角（菱形にかかる六角）に続けて白1本、赤4段かがり、片方をくぐらせます。

⑤ ③に続けて白1本と赤で六角を埋めます。

⑥ ④に続けて白1本と緑で埋め、⑤の赤をくぐらせます。

⑦ 印を付けた菱形を赤でかがり埋めます。その上に白1本どりで巴の線をかがります（図3）。

図1

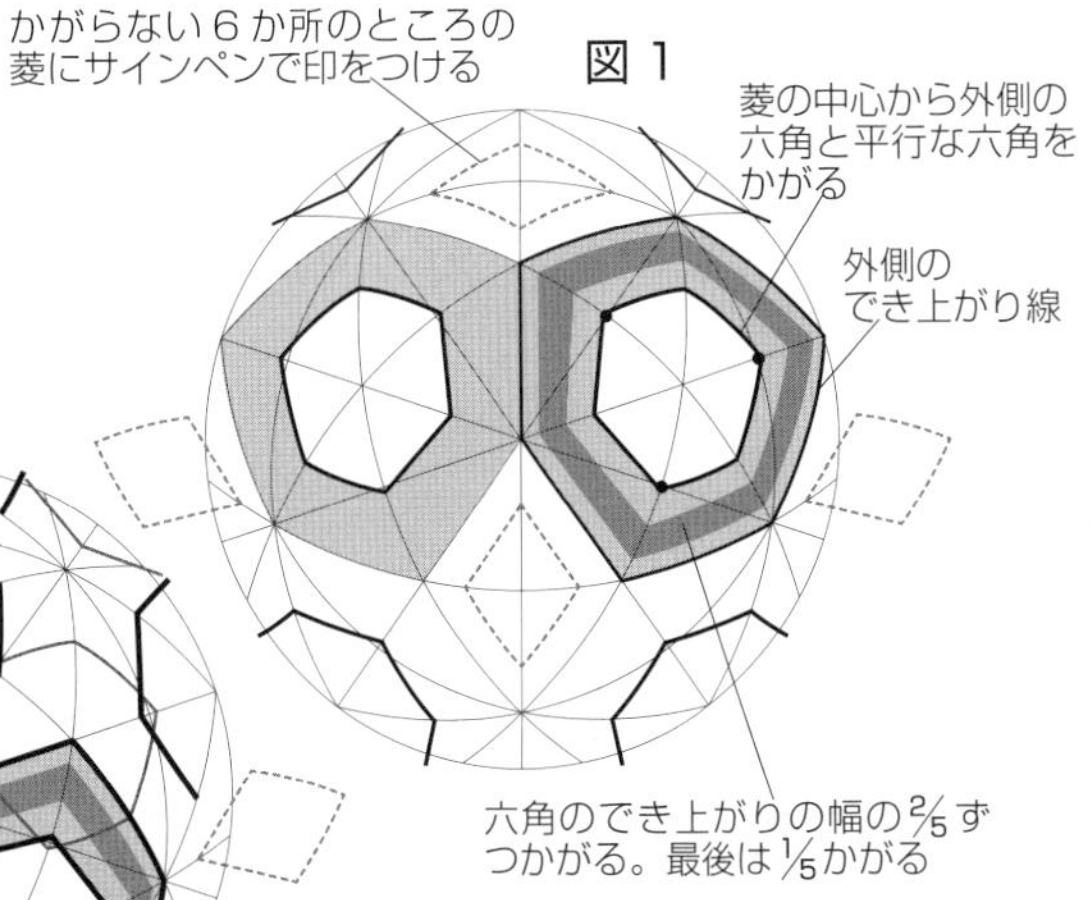
かがらない6か所のところの菱にサインペンで印をつける
菱の中心から外側の六角と平行な六角をかがる
外側のでき上がり線
六角のでき上がりの幅の2/5ずつかがる。最後は1/5かがる

図2

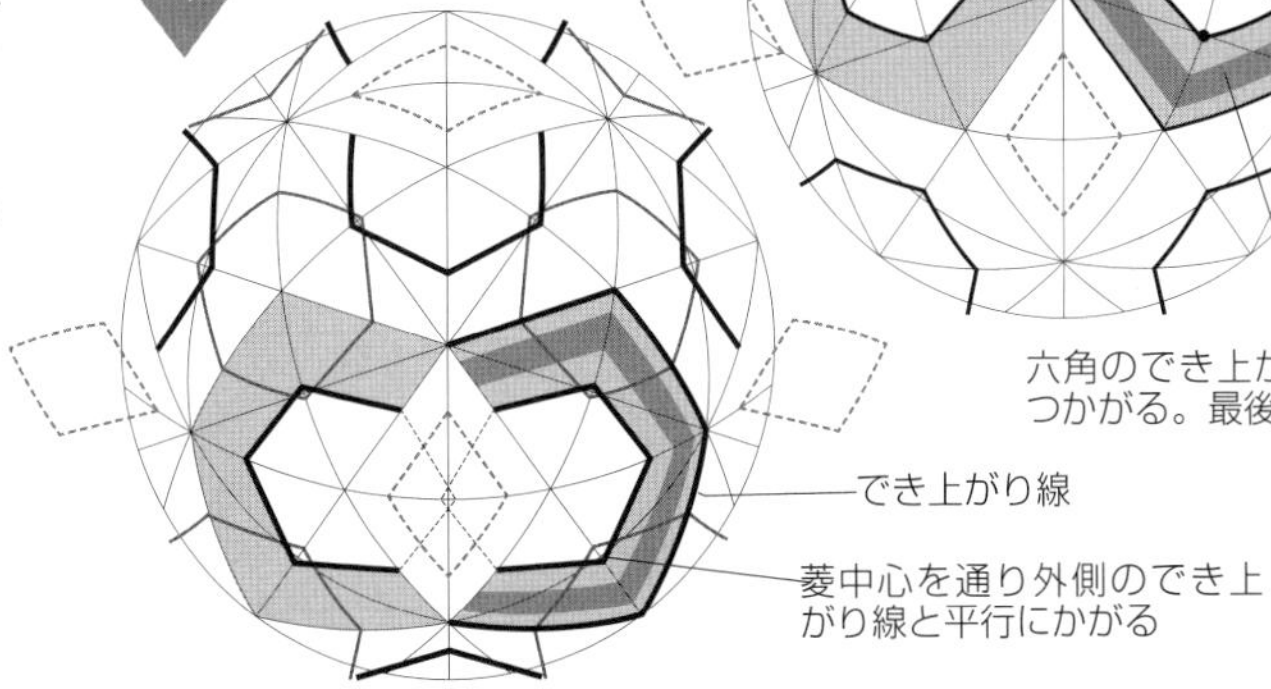
でき上がり線
菱中心を通り外側のでき上がり線と平行にかがる

図3

❖ 三角雷紋3・口絵12ページ

■材料
土台まり　円周33cm
地巻きり糸　白
地割り糸　ラメ糸
かがり糸　てまり糸　赤　緑　紫

■作り方／上級（10等分の組み合わせ）

※菱形と五角のかがる幅を同寸に決め、1本どりでかがる。菱形と五角をかがる幅の1/3ずつ色を取り替えて交互にかがる。五角をかがるとき片側をくぐらせる。

① 菱形30か所は紫1段、緑4段、紫1段かがります（六角で20個でもかがれる）。五角12か所は紫1段、赤4段で、菱の片側をくぐらせてかがります。

② 菱形は赤4段、紫1段でかがり、五角は紫1段、緑4段で、菱の片側をくぐらせてかがります。

③ 菱形は緑4段でかがり、五角は紫1段、赤4段で菱の片側をくぐらせてかがります。

④ 最後に菱形紫1段、五角紫1段かがります。

図1

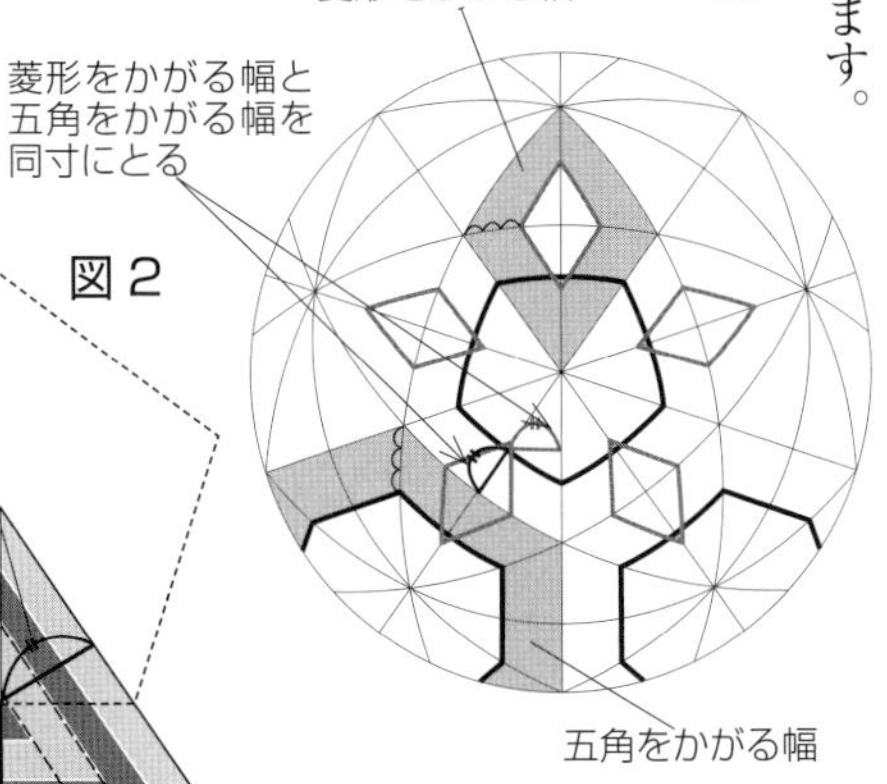
菱形をかがる幅
菱形をかがる幅と五角をかがる幅を同寸にとる
五角をかがる幅

図2

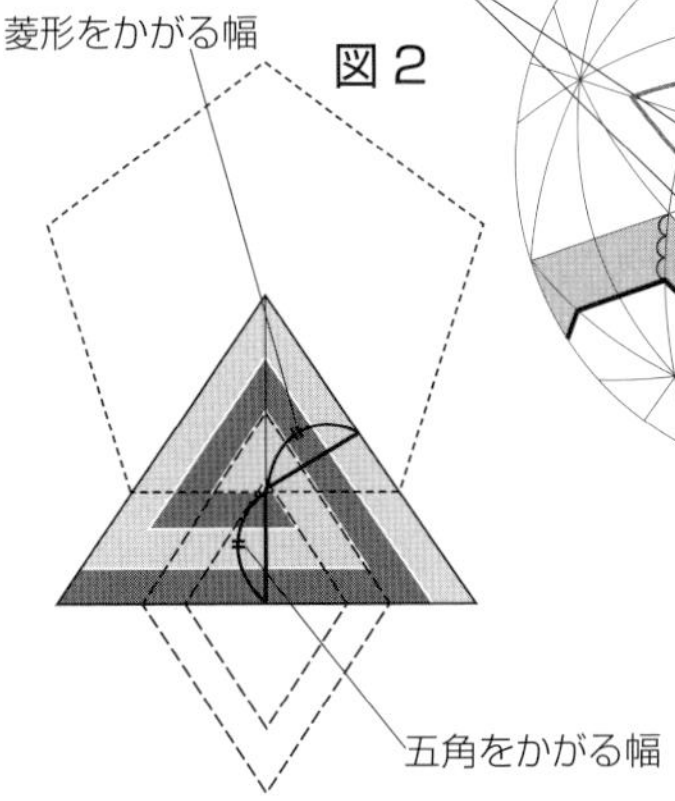
菱形をかがる幅
五角をかがる幅

❖八重ダリア・口絵7ページ

■材料
土台まり　円周27cm
地巻き糸　黒
地割り糸　細ラメ糸
かがり糸　都てまり糸　ピンク濃淡4色
緑濃淡3色　茶　紺
ラメ糸

■作り方／初級（16等分）

① 赤道から2.5cmと北極から1.5cmを取って、ピンクの濃い色から2本どりで上掛けの花をかがります。柱2本おきのスタートは4か所になります。

② 北極から1.5cmに待ち針を打ち、糸がずれないようにして北極と赤道に向かってかがります。

③ 赤道に茶で帯を巻き、千鳥かがりで止めます。花の中心には紺ラメ糸で松葉かがりをします。

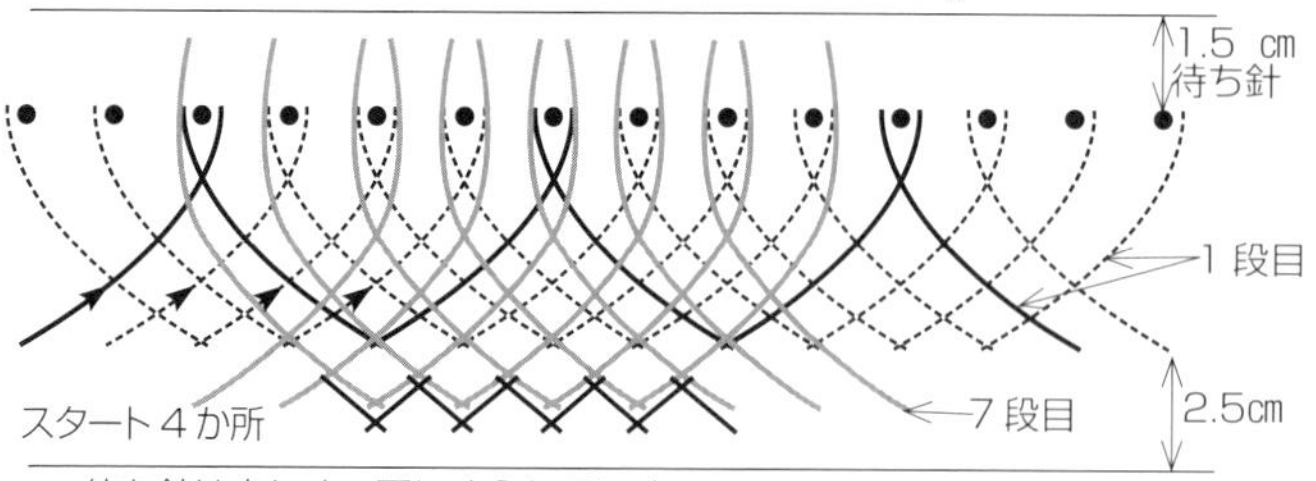

待ち針は少しずつ下にずらしていく
花を濃色から２本どりで７段、緑も濃色から２本どりで４段かがる

❖三色花菱・口絵7ページ

■材料
土台まり　円周27cm
地巻き糸　白
地割り糸　ラメ糸
かがり糸　てまり糸
（2本どり）青　水
赤　ピンク　薄黄　金ラメ糸

■作り方／初級（8等分の組み合わせ）

① 青で四角の1/3から3段かがります。四角の6か所にかがります。

② 四角の中を通して1/3の幅で平行の2本同色にして3か所に赤、ピンク、薄黄を巻きます。

③ ①、②を交互にかがります（グラフ参照）。四角は青と水色で1段ごとの縞にします。花をかがり終わったら青だけでかがり埋めます。

④ 花の中心に、金ラメ糸で松葉かがりをします。

制作／大橋外美江

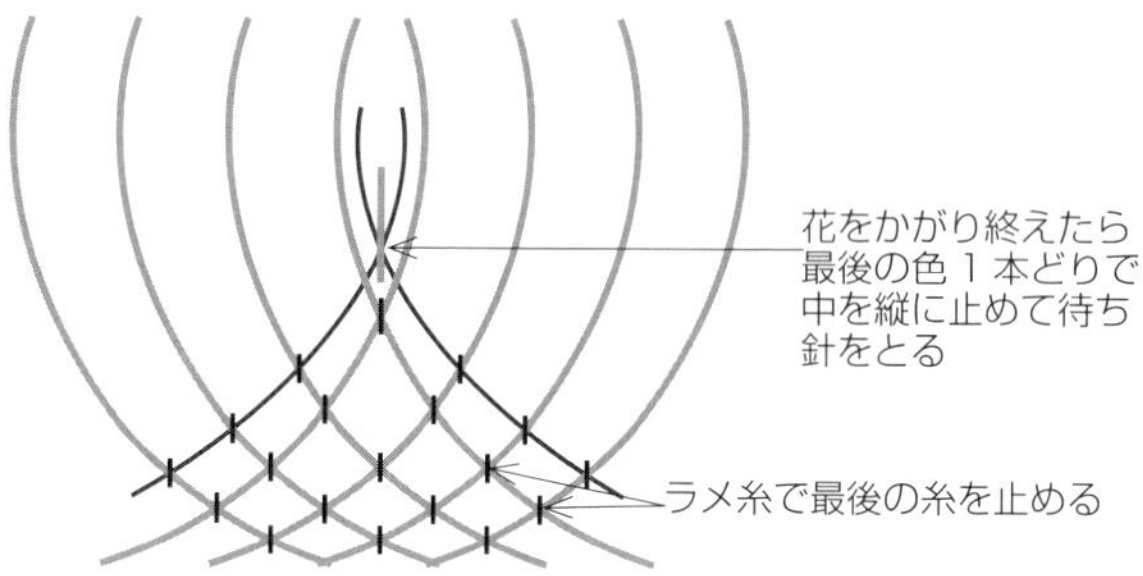

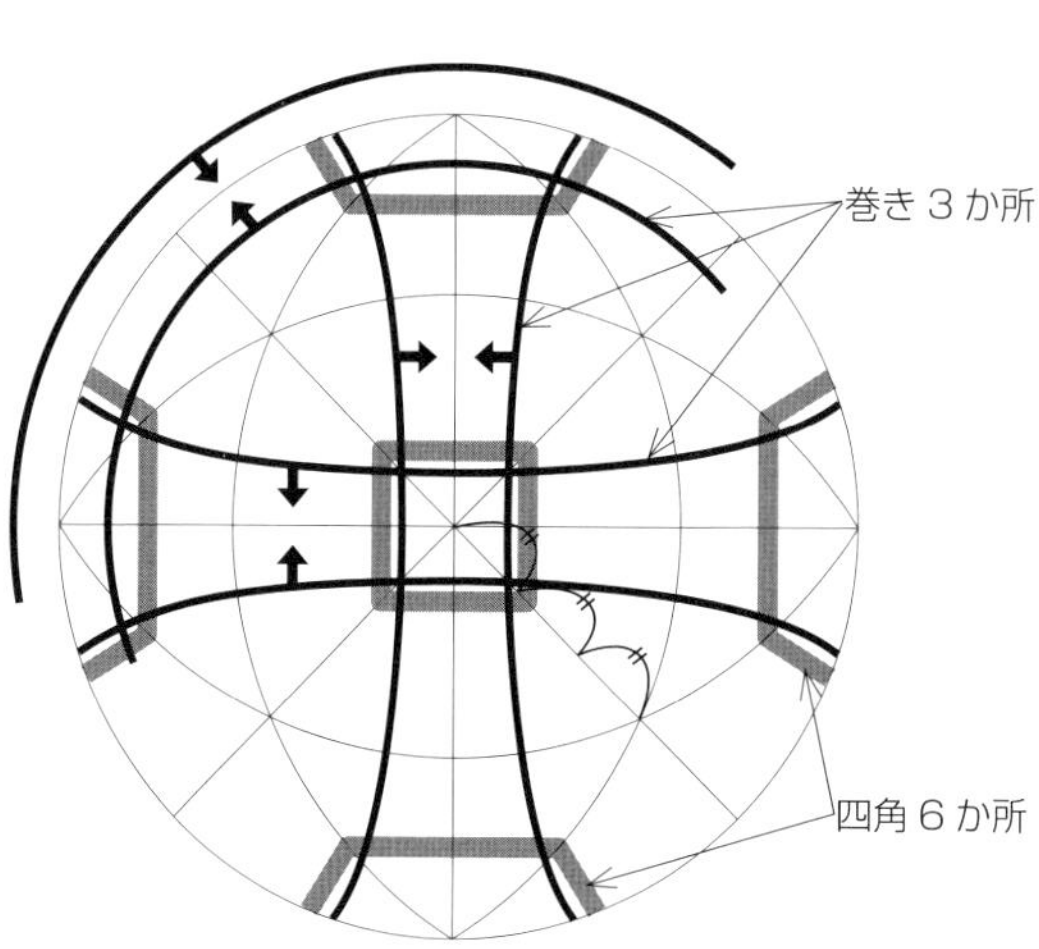

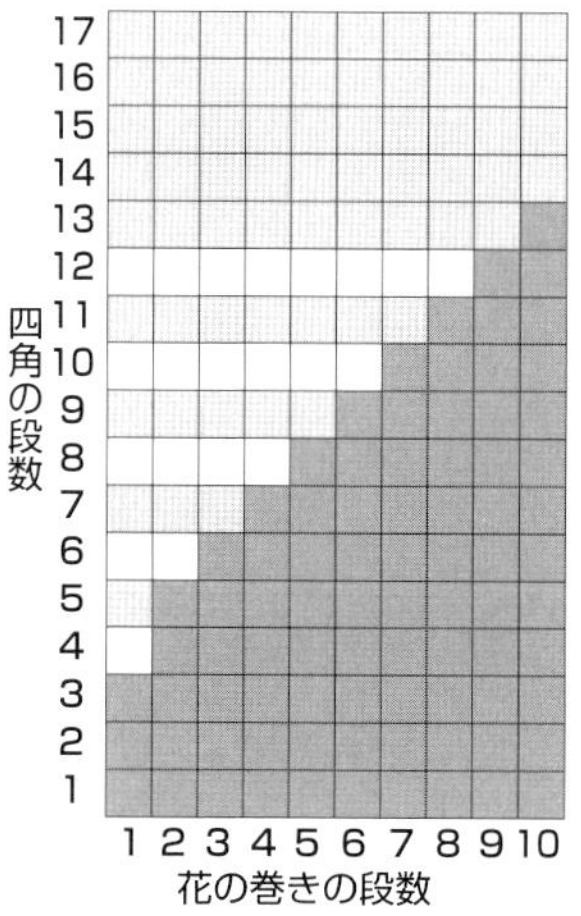

❖洋蘭と鷺草・口絵6ページ

■材料
土台まり　円周33cm
地巻き糸　緑
地割り糸　ラメ糸
かがり糸　木綿てまり糸　紺　黄　えんじ　赤濃淡4色　白　クリーム　緑　金ラメ糸

■**作り方**／初級（8等分の組み合わせ）

① 菱の中心を通る補助線を入れます。できた四角と三角に四角16等分と三角12等分にする補助線を入れます（図1）。
② 菱中心を通る補助線に沿って巻きかがります。紺3段、黄3段、えんじ2段、黄3段、紺3段の14段の配色で巻きます。
③ 四角16等分の中に赤1本どりで下掛けの花をかがります。赤5段、中赤5段、薄赤5段の配色で15段かがります。柱を変えて白1段、赤1段を上に重ねてかがります。花の中心にクリーム4本どりの松葉かがりを入れて赤で止めます。花びらに金ラメ糸をかがります。
④ 三角の中に6等分する松葉かがりをクリーム4本ずつと間に白2本どりの松葉かがりをかがります。中心に緑でフレンチナッツステッチを5個ずつかがります。

制作／前田範子

図1

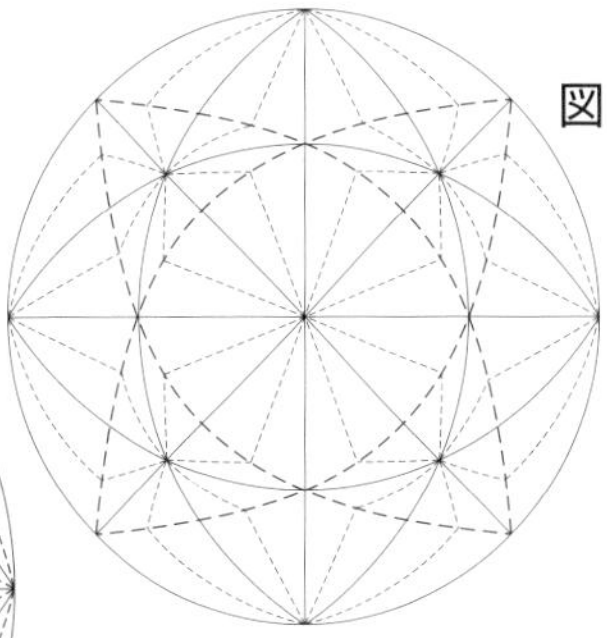

図2

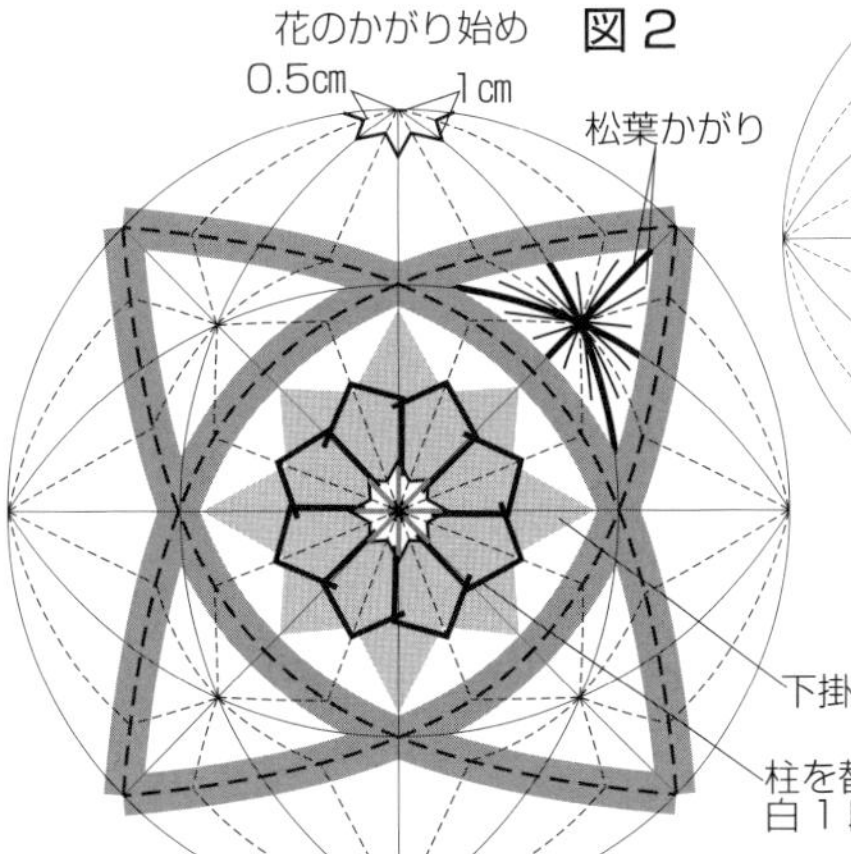

❖麻の葉に菊・口絵6ページ

■材料
土台まり　円周35cm
地巻き糸　黒
地割り糸　ラメ糸
かがり糸　てまり糸　緑　ピンク　紫　オリーブ各色濃淡　クリーム　黄　灰　金糸

■**作り方**／初級（6等分の組み合わせ）

① 4か所の三角6等分を12等分する補助線と小三角4か所の補助線も入れます（図1）。
② 4か所の六角に$\frac{1}{3}$の六角の補助線を入れます（図2）。
③ 六角12等分に上掛けの花を6段かがります。花の配色は2本どりで花の芯のクリーム1段、黄1段、濃緑1段、中緑1段、薄緑2段でかがります。周囲の麻の葉は濃緑1本どりでかがります。残り3か所も花と麻の葉をかがります。紫濃淡、オリーブ濃淡、ピンク濃淡でかがります。
④ 小三角にグレーで麻の葉かがりを入れます。
⑤ 花の中心に金ラメ糸で松葉かがりをします。

制作／阿部嘉世

図1

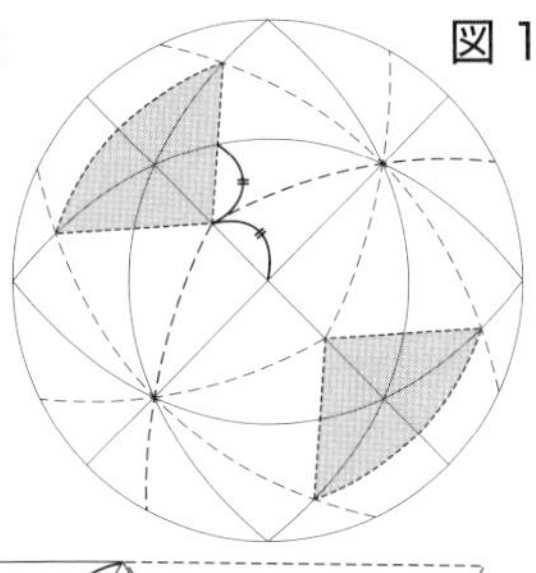

図2

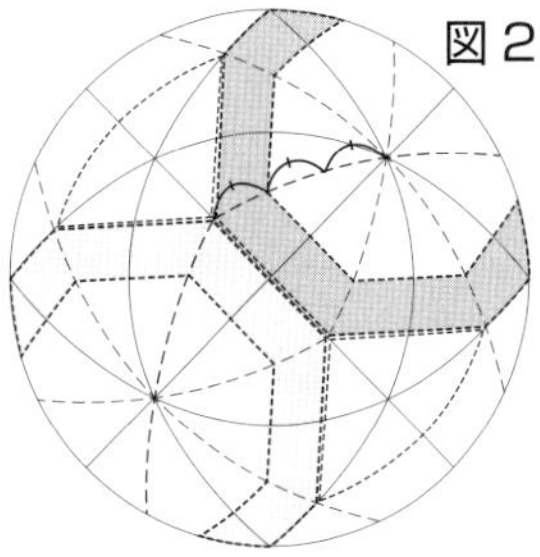

図3

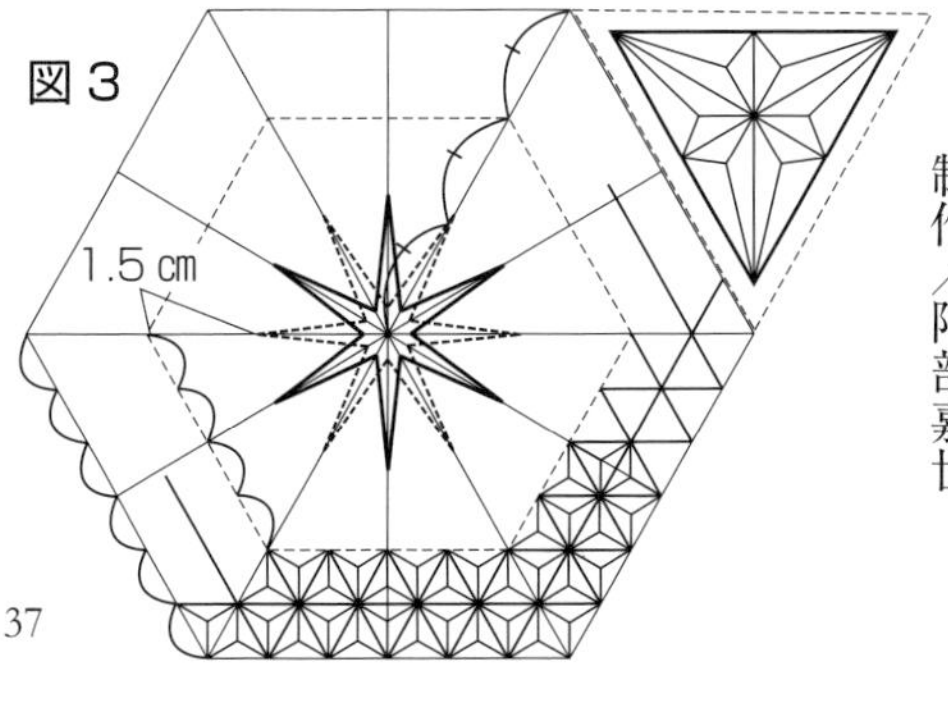

姫百合・口絵7ページ

■材料
土台まり　円周35cm
地巻き糸　生成り
地割り糸　ラメ糸
かがり糸　木綿てまり糸（1本どり）
緑濃中薄　ピンク濃中薄　金ラメ糸

■作り方／初級（8等分の組み合わせ）

① 四角6個、六角8個の14面体になる補助線を入れます。小四角と六角を作る待ち針を打ちます。ラメ糸でAとBから2巻きずつ補助線を巻きます（待ち針2本と三角中心を通して巻き、待ち針のところで返し針をして補助線の糸を止める図1）。AB裏のCDからも巻きます。

② 緑で六角の長い線の$\frac{1}{2}$から5段、四角の長い線の約$\frac{1}{2}$から3段かがります。六角の一辺と四角の一辺が同寸になる位置に四角をかがります（図2）。

③ ピンク濃色で四角の緑の内側に沿って4本を井桁に1段ずつ巻きます。イロハの3か所から巻きます（図2）。

④ ②③をグラフを参考にしてかがります。花は濃ピンク3段、中ピンク3段、残りの段を薄ピンクでかがります。六角と四角は緑で段々と色を薄くしてかがり埋めます。

⑤ 花の中心には、金ラメ糸で松葉かがりをします。

制作／佐野迪代

図1

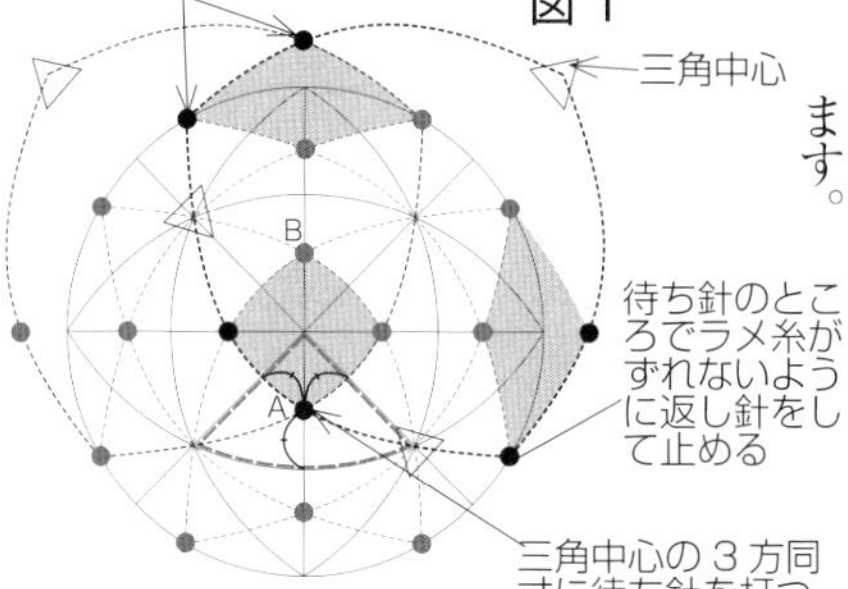

図2

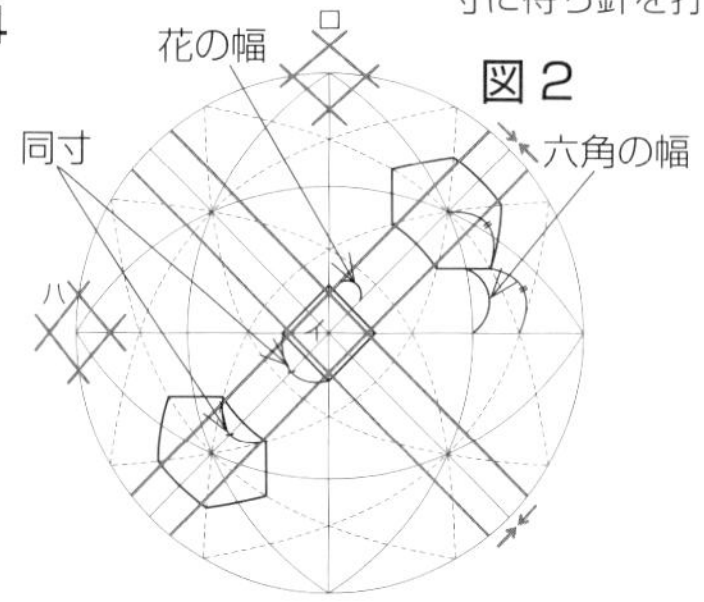

図3

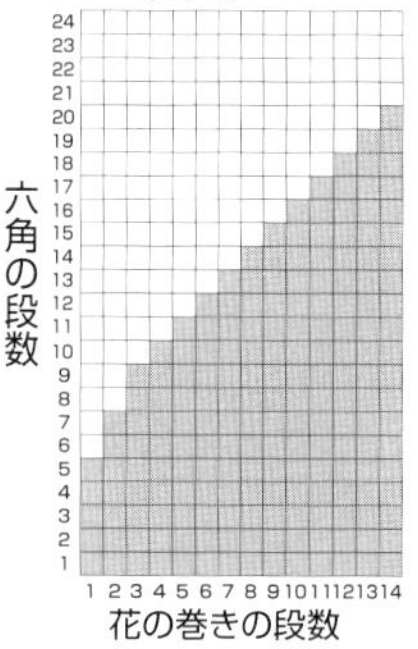

図4

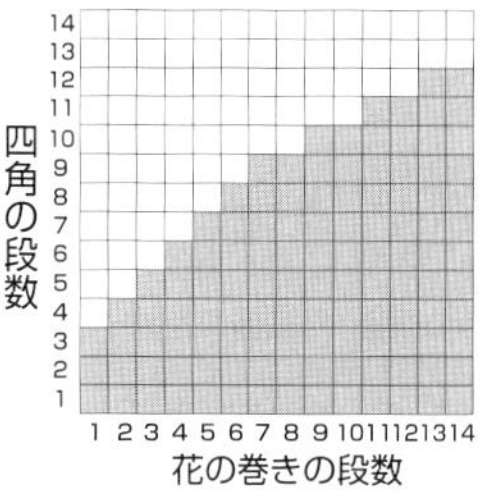

蝶々・口絵6ページ

■材料
土台まり　円周30cm
地巻き糸　白
地割り糸　ラメ糸
かがり糸　てまり糸
緑　黄緑　青緑　青
灰　白

■作り方／中級（10等分の組み合わせ）

① 緑と青系の5色で10等分の組み合わせの中心の周囲に六角を5か所1段ずつかがります。同色を4か所ずつかがり、全体で20か所になります。1段交互にかがり0.3cmほど残します。

② 0.5cmの幅で五角を1本どりで蝶の形になるように六角をくぐらせてかがり埋めます（グラフ参照）。

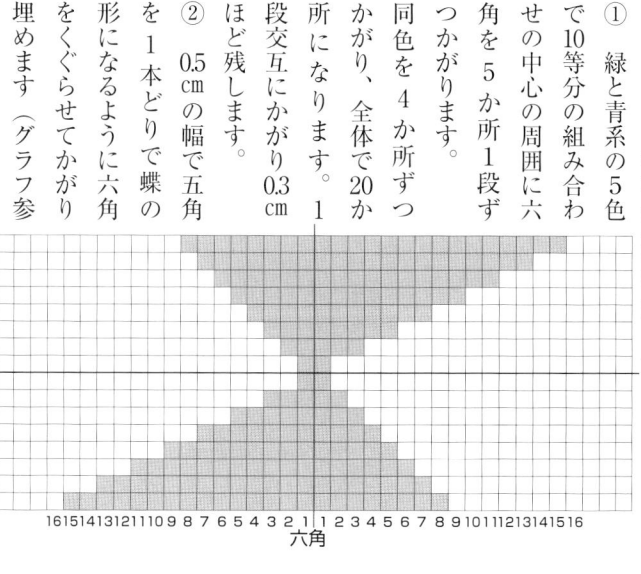

③ かがり残した六角をかがり埋めます。

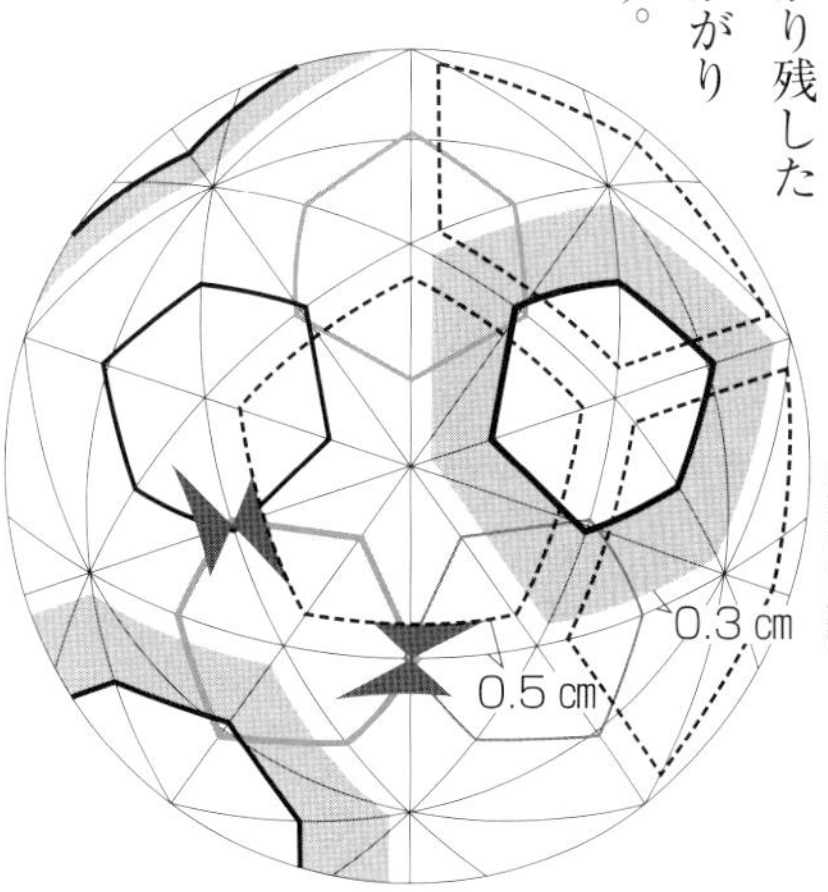

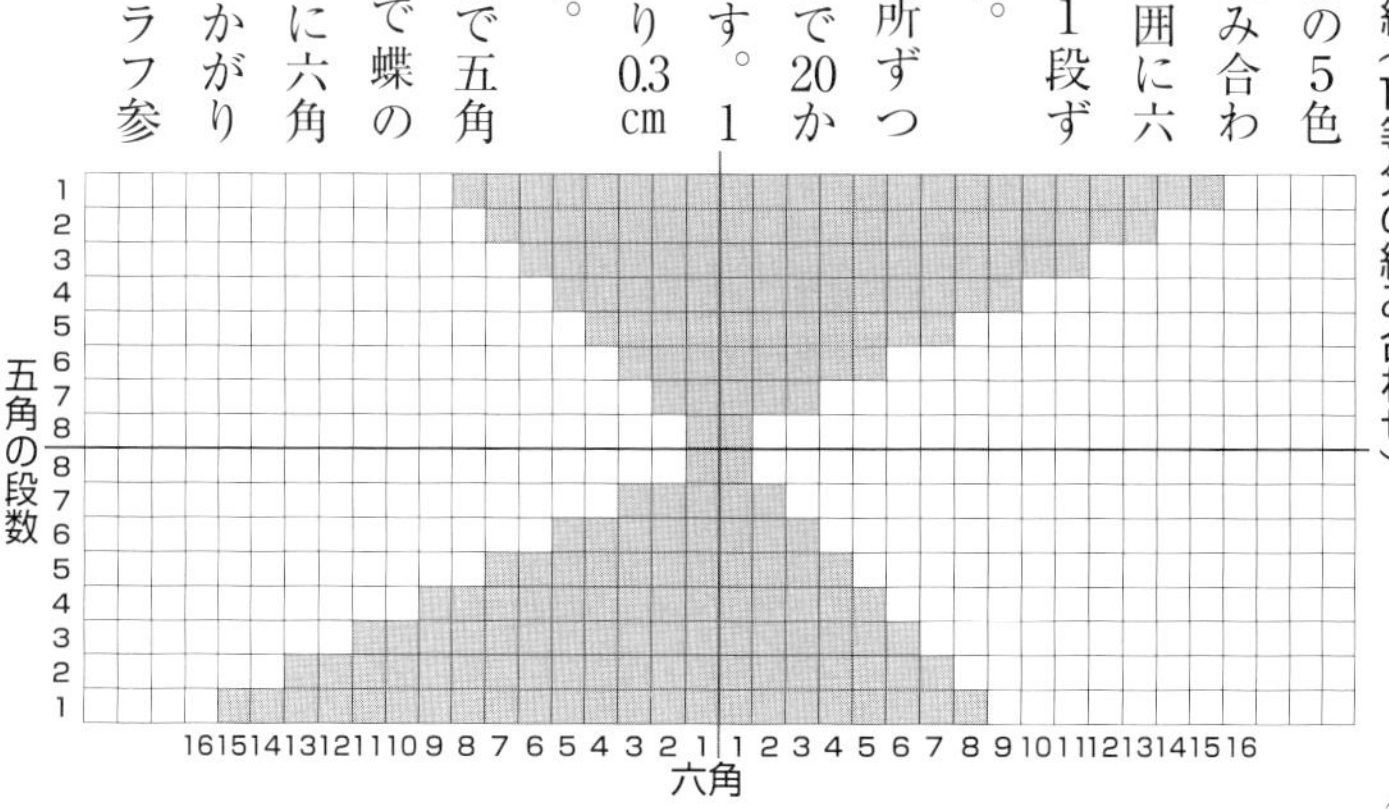

花影・口絵7ページ

■材料

土台まり　円周38cm
地巻き糸　白
地割り糸　ラメ糸
かがり糸　てまり糸
薄茶　ピンク　金ラメ糸

■作り方／中級（10等分の組み合わせ）

① 薄茶で五角9段とピンクで三角7.5段までのさくらをかがります。（グラフ参照）
② 薄茶の五角10段目から花のピンク両端1段目をくぐります。
③ 11段目はピンクを1、2段目をくぐります。
④ 12段目はピンクを2、3段目をくぐります。
⑤ 両端はピンク1本どりでアウトラインステッチをかがります。
⑥ 花の中心に、金ラメ糸で松葉かがりをします。

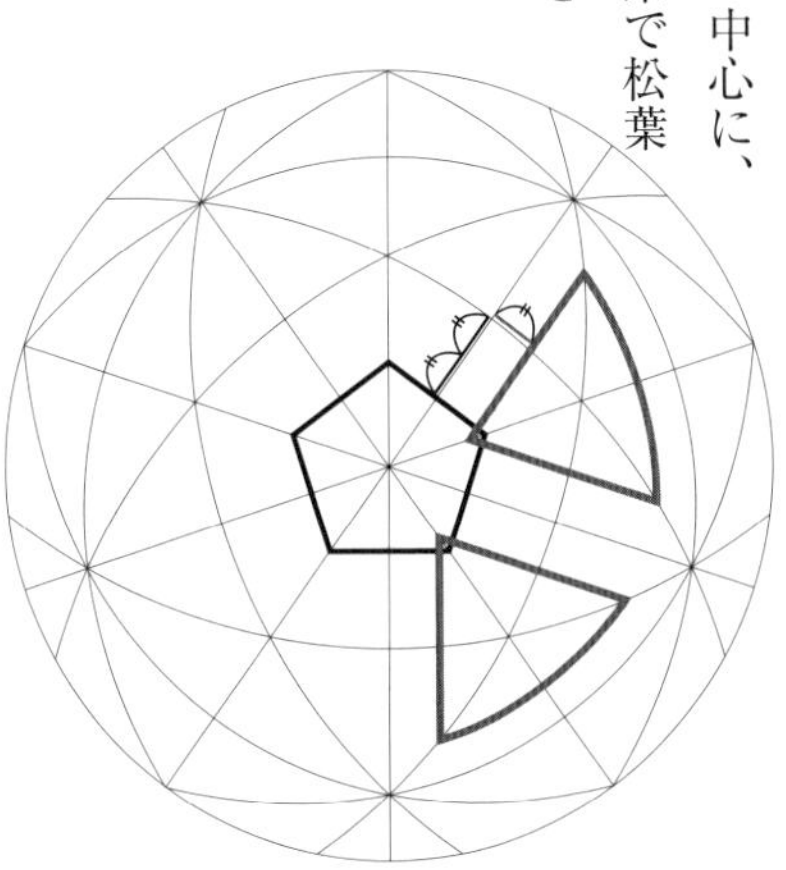

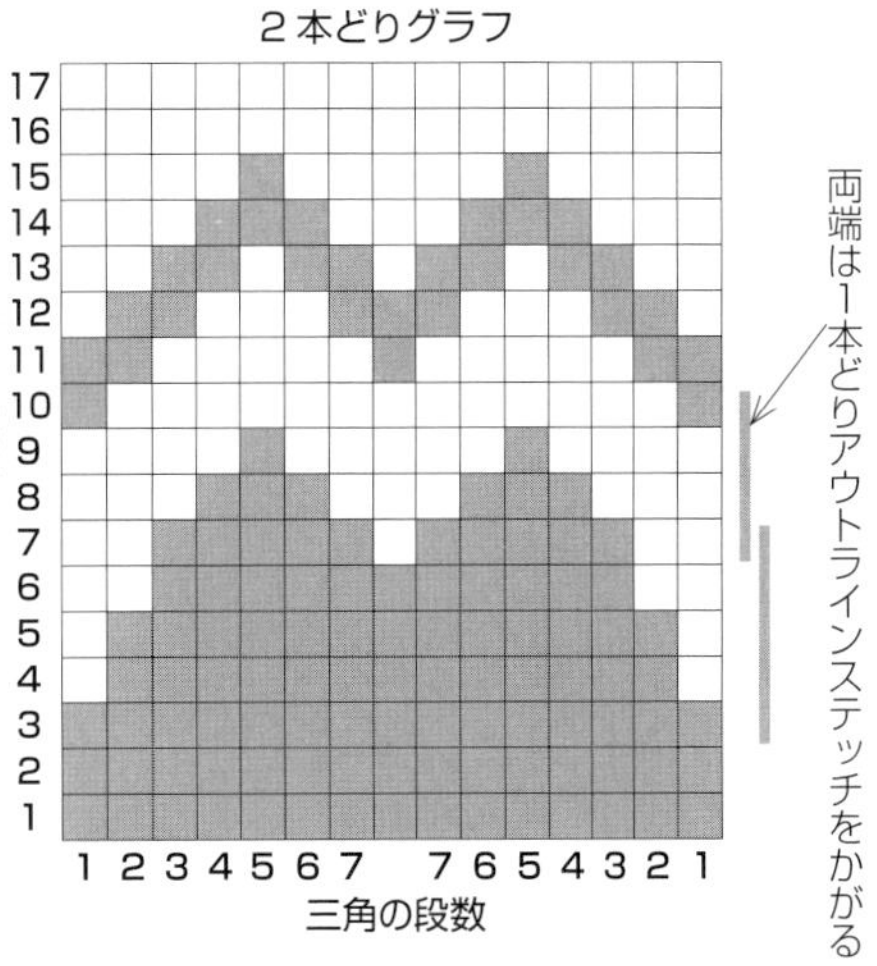

紅椿・口絵7ページ

■材料

土台まり　円周30cm
地巻き糸　緑
地割り糸　ラメ糸
かがり糸　てまり糸
（2本どり）　緑　ピンク　クリーム　黄

■作り方／中級（10等分の組み合わせ）

※五角長線に⅓、⅔の印を入れる。五角長線⅓と菱中心を通す補助線で三角を斜めにずらす。補助線の三角の中に花の三角をかがる補助線も入れる（図1）。

① 五角の⅓幅で、緑の五角を1段かがります（図2）。
② ピンクで緑に沿って⅓弱の幅で花の三角をかがります（図2）。五角と三角を交互にかがります。
③ 中心の小五角にクリームで花芯をかがり、周囲に黄でフレンチナッツステッチをかがります（図1）。

五角の段数	1	1	1	1	1	1	埋まるまで
三角の段数	1	1	1	2	2	埋まるまで	

図1

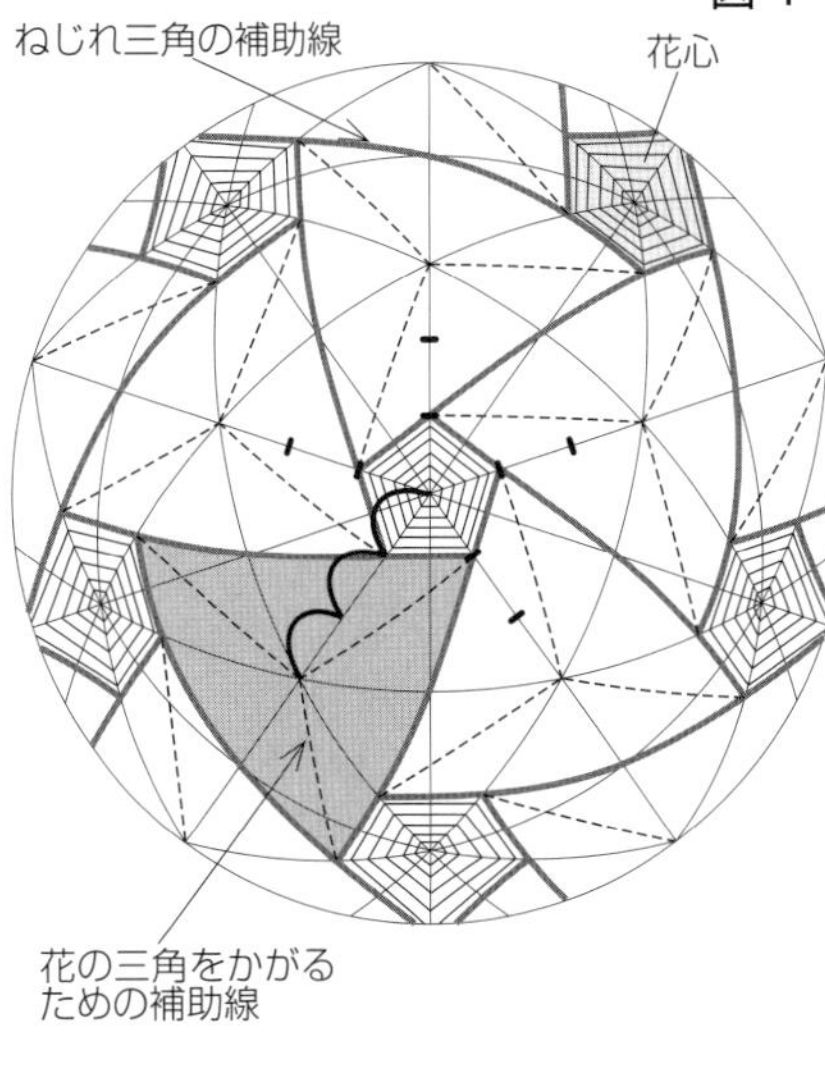

図2

❖紺絣に咲く緋花・口絵1ページ

■材料
土台まり　円周65cm
地巻き糸　白
地割り糸　ラメ糸
かがり糸　てまり糸
（2本どり）　青　紺
藍　紫　薄紫　赤　金糸　金ラメ糸

■作り方／中級（10等分の組み合わせ）

① 菱形を三角中心より3cmあけて6か所に同色でかがります。5色で6か所ずつ30か所に1段交互に絣がでるようにかがります（図1・2）。

② 三角の中心に金ラメ糸で6cm12等分の松葉かがりの補助線を入れます（図3）。

③ 三角の12等分の補助線に上掛けの花を濃赤3段、赤3段かがります。花の芯に金糸の松葉かがりと赤のフレンチナッツステッチをかがります（図3）。

図1

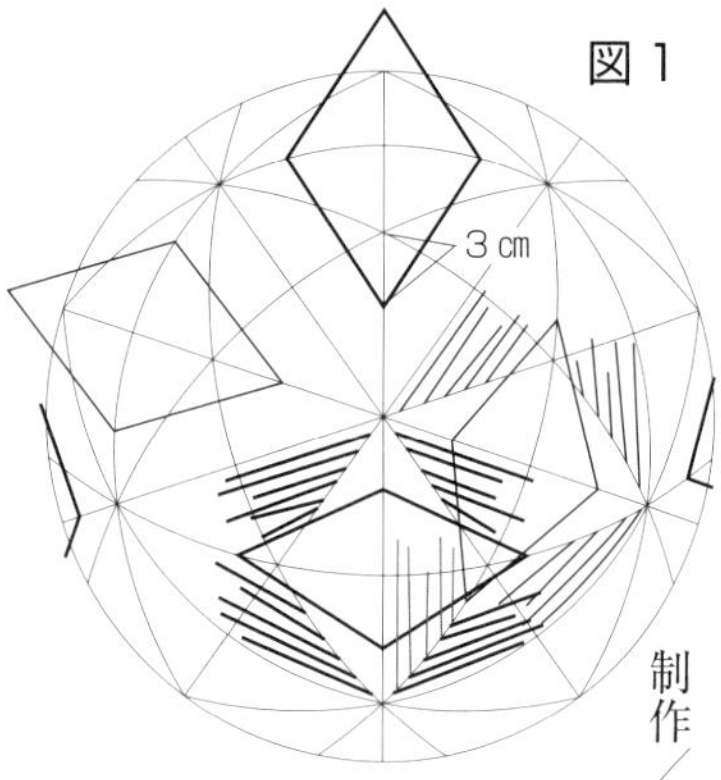

制作／松下良子

図2

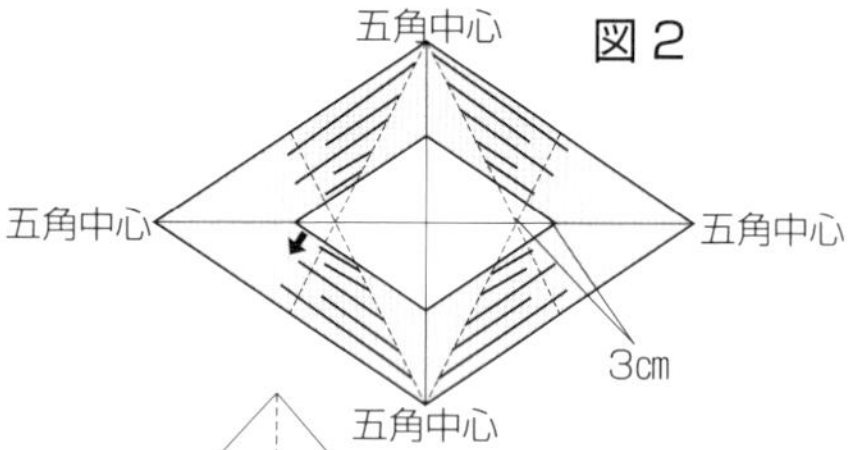

図3

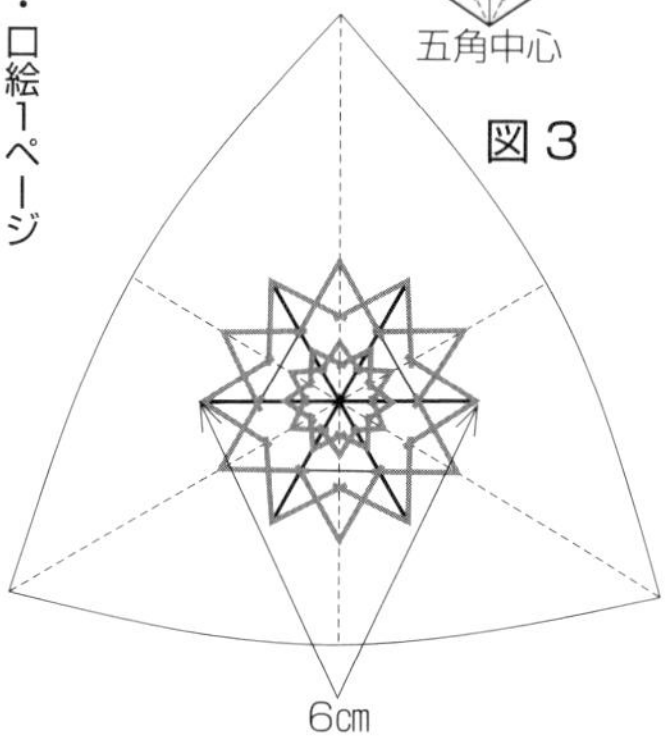

❖桜満開・口絵1ページ

■材料
土台まり　円周52cm
地巻き糸　白
地割り糸　ラメ糸
かがり糸　てまり糸
1本どり　ピンク
紫　灰　黄　茶　青　緑　黄緑　金糸

■作り方／上級（10等分の組み合わせ）

① 菱の中心を通る補助線を6本入れます。

② 菱形にピンクで0.8cm幅14段を30か所にかがります。中心に1本かがりピンクの花幅を両方で29段にします。

③ 黄緑で五角の中心からピンクをくぐらせて花弁になるようにかがります（グラフ五角の段数参照）。

④ 補助線の両側に6色で篭目を巻き、菱の中心の交差点は片側をくぐらせ組みます。5弁と3弁の花弁もくぐらせながら巻きます（グラフ巻き段数参照）。花のくぐりが終わったら残りを巻き埋めます。

⑤ 花の中心に金糸で松葉かがりします。

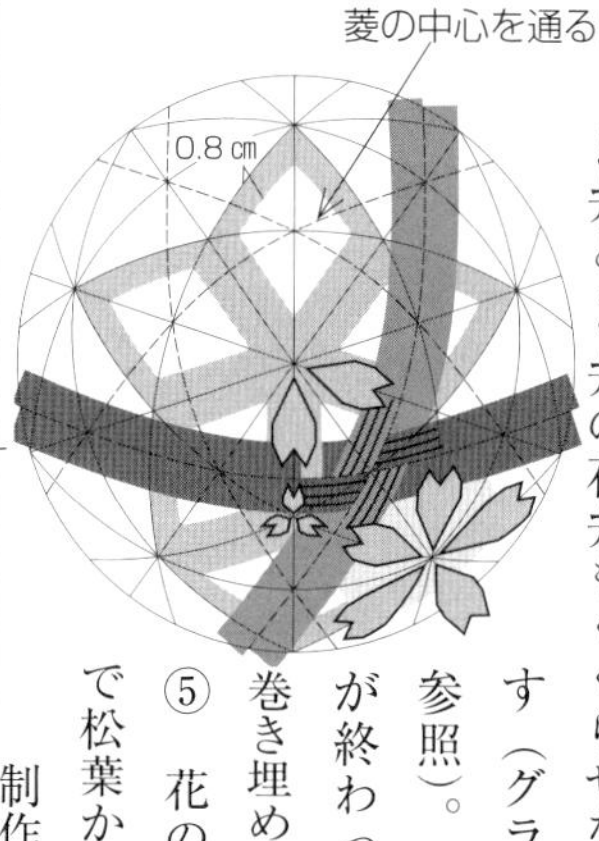

制作／酒井禮子

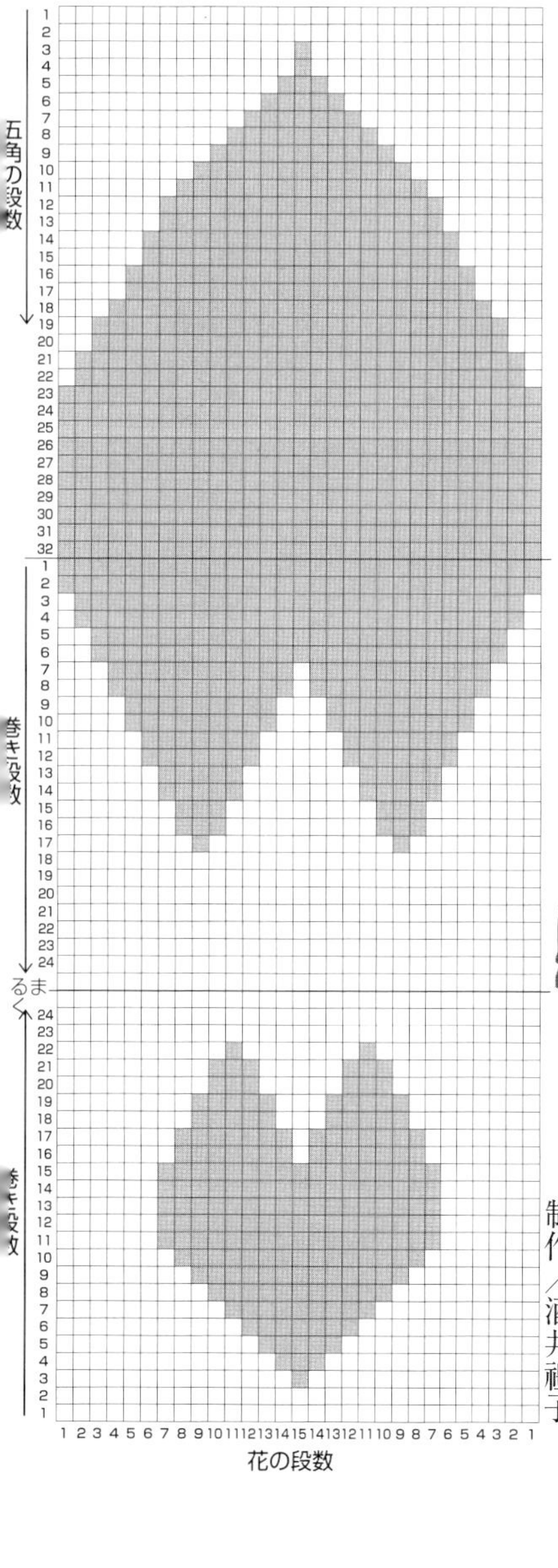

花吹雪・口絵6ページ

■材料

土台まり　円周36cm

地巻き糸　生成り

地割り糸　ラメ糸

かがり糸　てまり糸

ピンク　紫　薄灰

黄　茶　青　緑　黄緑　水　薄緑　山吹　黒

■作り方／上級（32面体）

① 32面体の補助線をかがります。

② 五角12か所と長六角30か所にピンク2本どり1段かがり、中心に1本かがります（ピンク花幅5本）（図1）。

③ 巻きかがりは両端から10色で1段交互に花をくぐらせて巻きます（図2・グラフ参照）。

④ 黒1本で五角、六角（32面体）の線をかがります（図3）。

⑤ 巻きの10色を使って六角の20か所をかがり埋めます。六角の中心をあけて、花をくぐらせてかがります。

⑥ 黒で五角をかがり埋めます。

図1

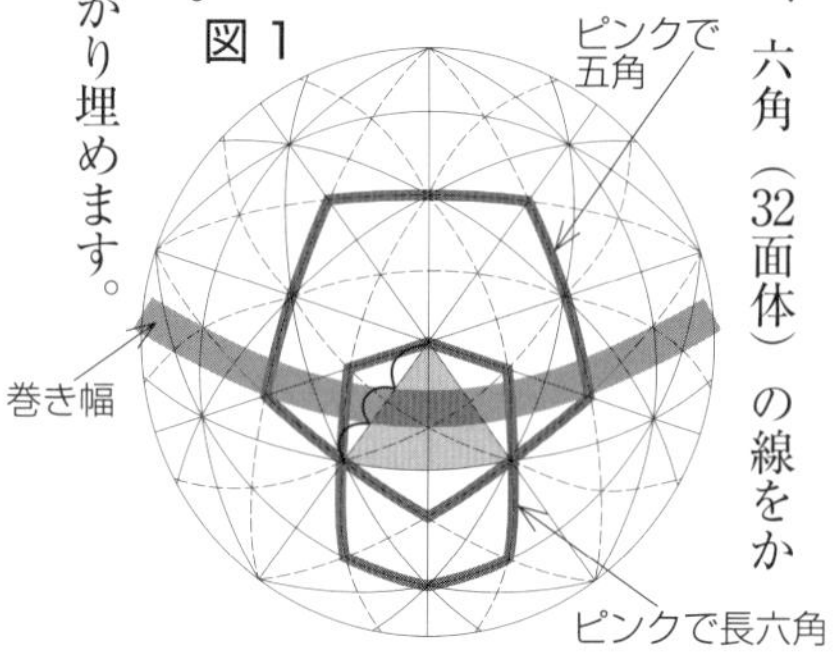

図2

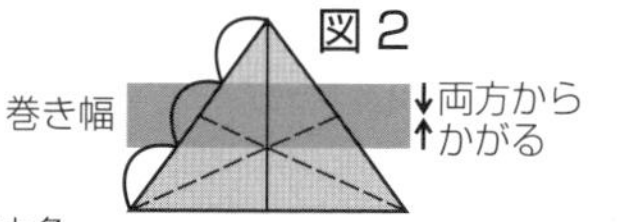

図4

図3

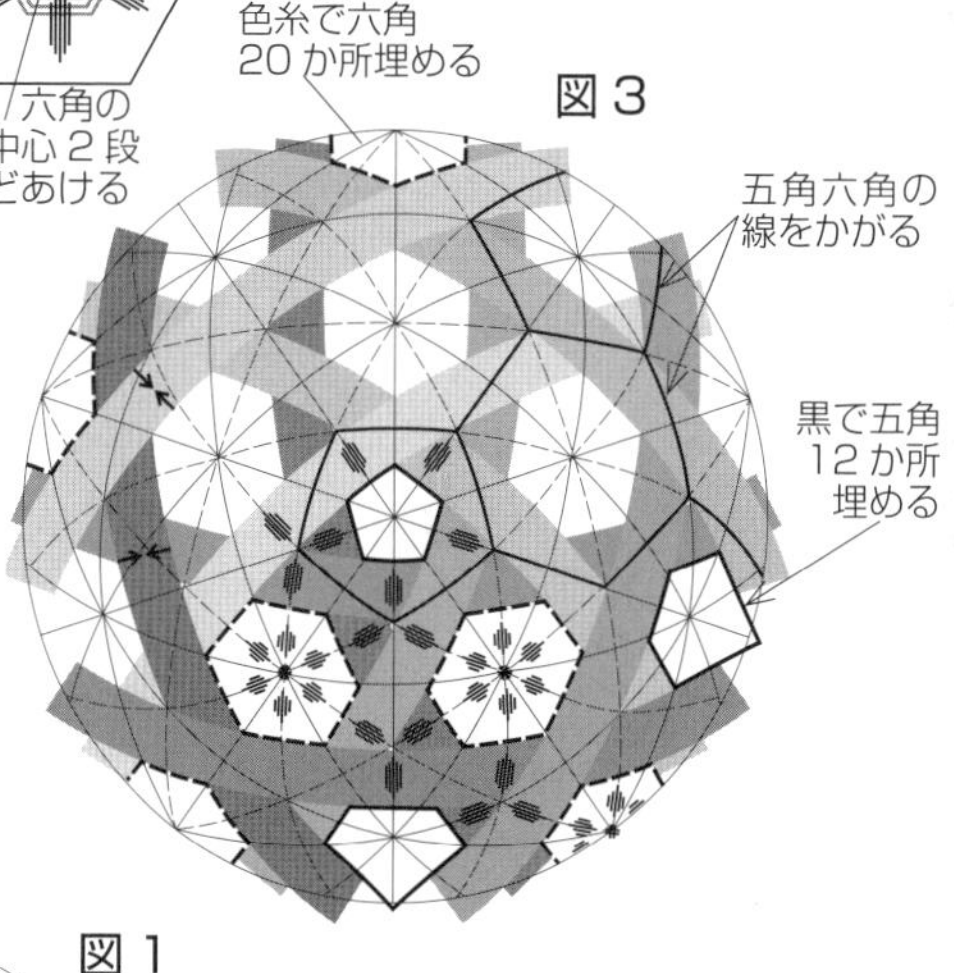

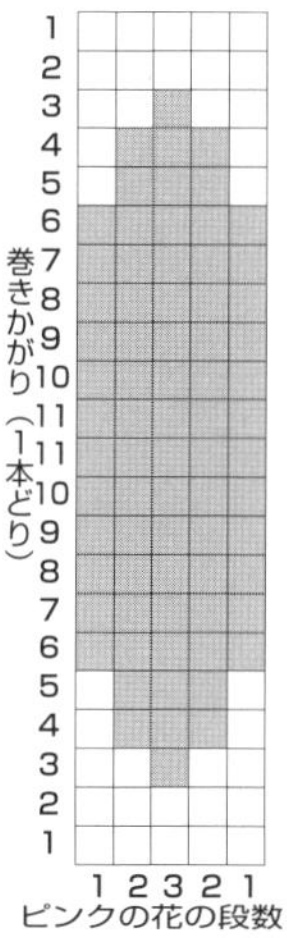

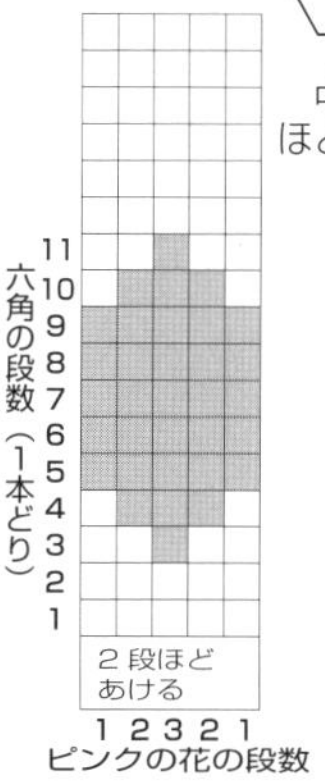

桜川・口絵7ページ

■材料

土台まり　円周36cm

地巻き糸　黒

地割り糸　ラメ糸

かがり糸　てまり糸

ピンク　紫　薄緑

金糸　金ラメ糸

■作り方／上級（10等分の組み合わせ）

① 三角½（1.8cm）から桜の色2本どりで三角を6段（12本）20か所にかがります（図1）。

② 篭目を2cm幅に33本ほど巻きます。縁取りに金糸を巻きます。花をくぐらせかがります。巻く数は花のくぐりが済んだ後で加減して埋めます（図2・3）。

③ 花の中心に金ラメ糸で松葉かがりをします。

図1

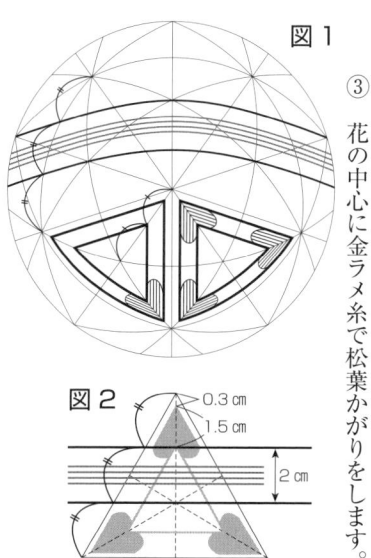

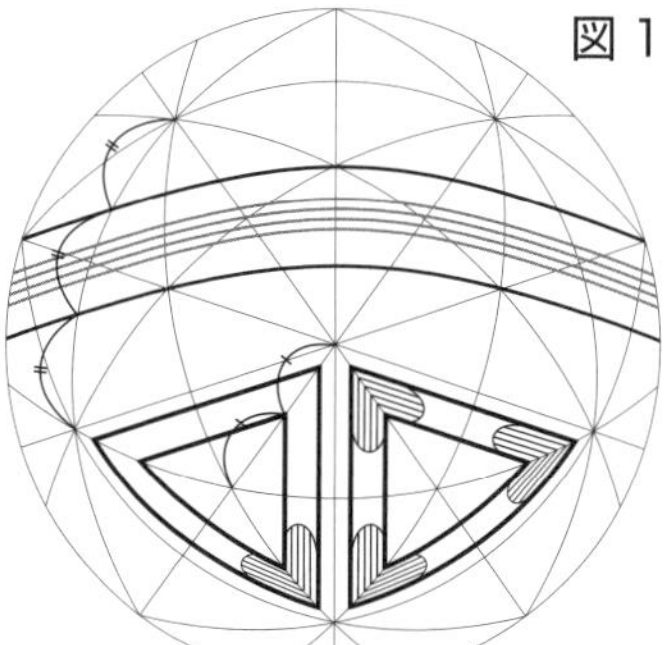

図2

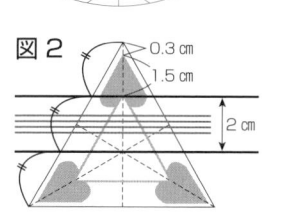

図3

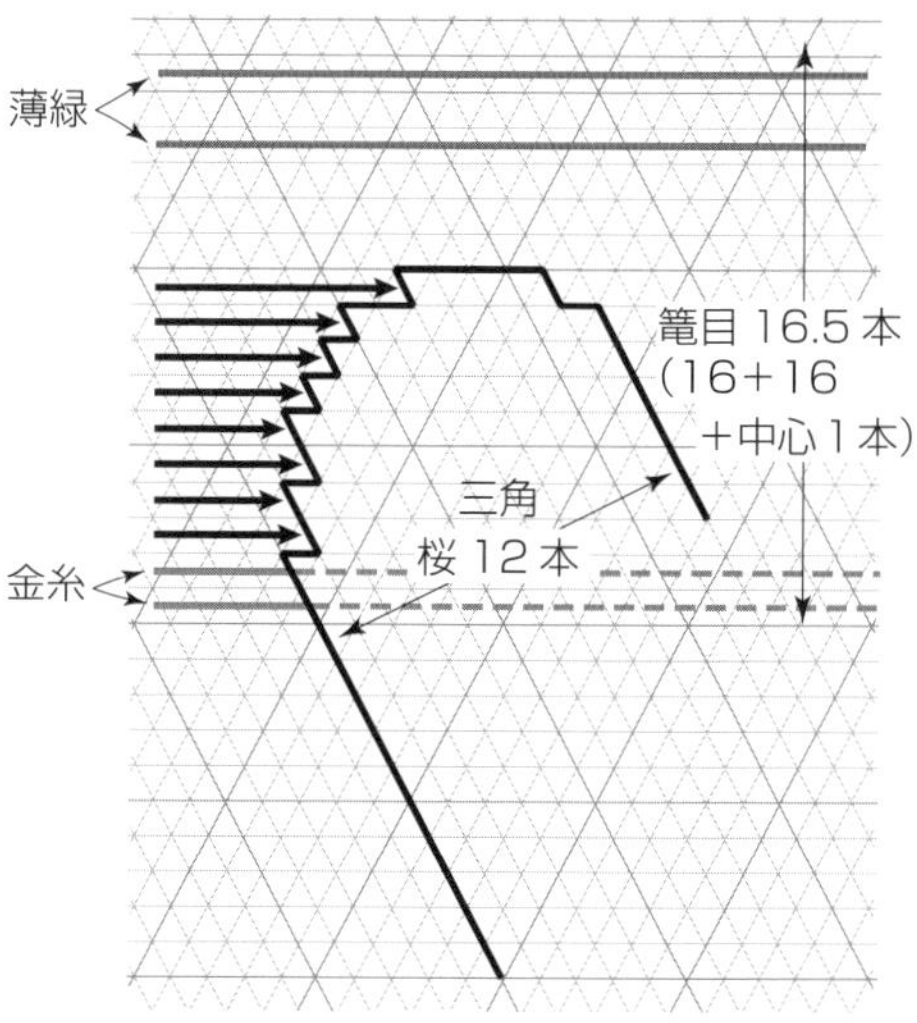

七宝・口絵10ページ

■材料
土台まり　円周40cm
地巻き糸　白
地割り糸　ラメ糸
かがり糸　25番刺繍糸2本どり　赤　灰　濃淡

■作り方／中級（10等分の組み合わせ）

① 122面体の補助線を入れます。

② 薄灰で五角中心から連続かがりを12か所0.5cmの幅でかがります。五角を12か所、六角を50か所も0.5cmの幅でかがります。薄灰、濃灰、薄灰の3段かがります。

③ 赤で0.25cmの幅で122面体の小五角を12か所、小六角を110か所にかがります。

④ ②の灰濃淡を2段、③の赤を1段かがります。

⑤ 残りは1段交互にかがり埋めます（グラフ参照）。

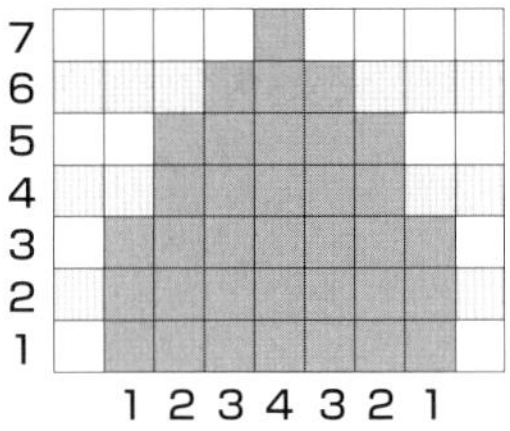

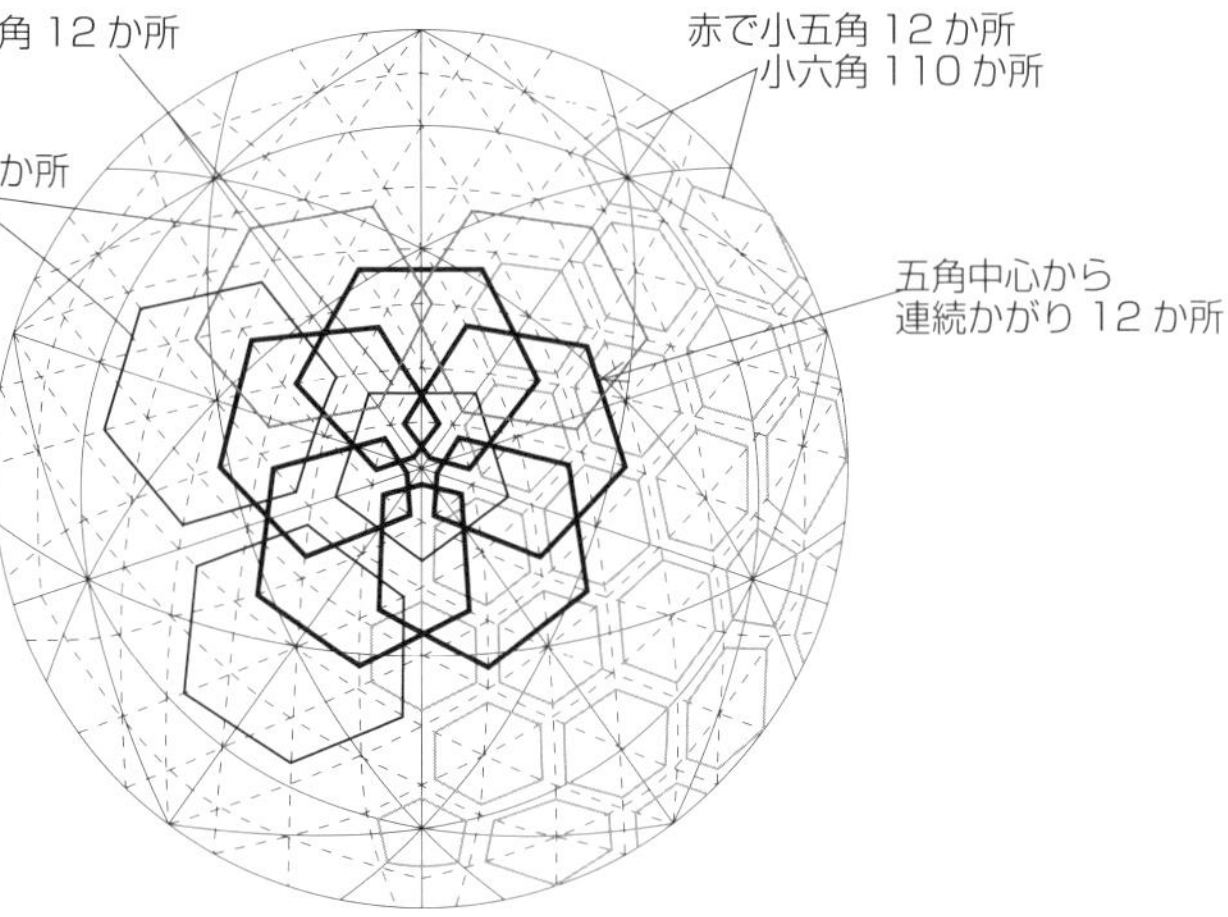

小紋花七宝・口絵10ページ

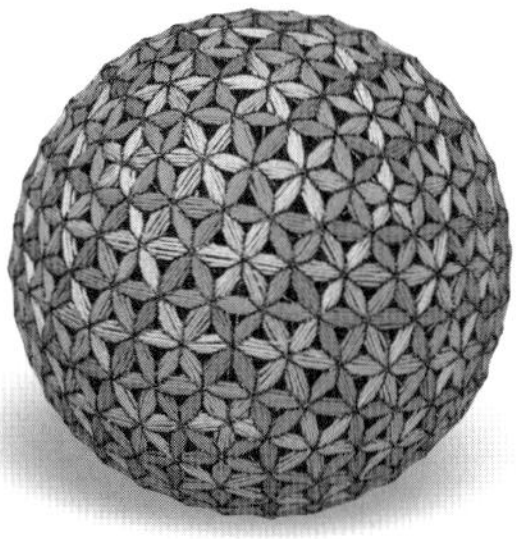

■材料
土台まり　円周38cm
地割り糸　ラメ糸
かがり糸　都てまり
花糸　ピンク　緑
黒ラメ糸

■作り方／中級（10等分の組み合わせ）

① 花の色で、10等分の組み合わせの中心から10等分の組み合わせの中心までの$\frac{1}{3}$を通して0.5cm幅で12か所に巻きます。

② 10等分の組み合わせの中心と10等分の組み合わせの中心をつなぐ線も0.5cmの幅でかがります（図1）。

③ 図1の花を巻いた$\frac{1}{2}$に緑で0.5cmの幅で巻きます（図2）。

④ 花と緑を1段交互に、0.5cmの幅を埋めていきます。

⑤ かがった糸の交差しているところを黒ラメ糸1本どりの松葉かがりで止めます。

図1

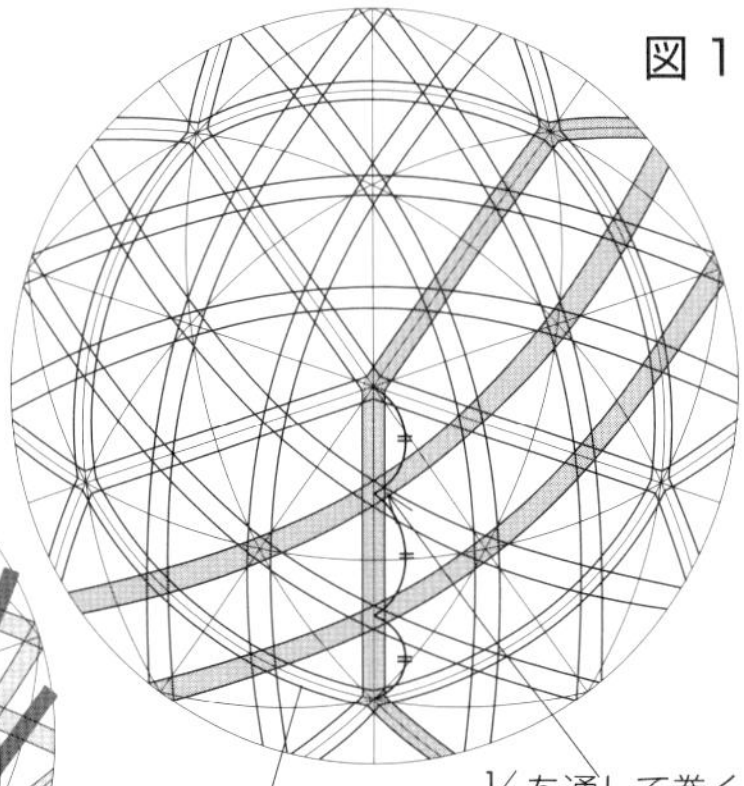

図2

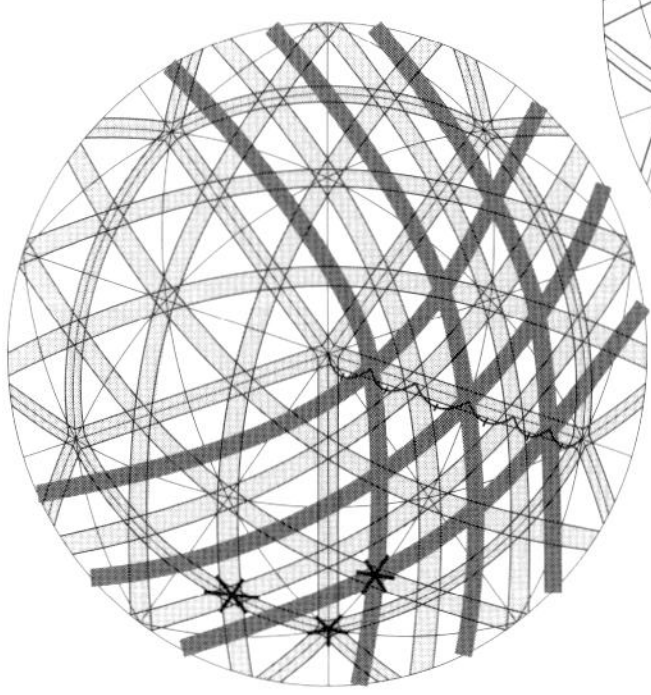

花七宝・口絵10ページ

■材料
土台まり　円周36cm
地巻き糸　生成り
地割り糸　細ラメ糸
かがり糸　都てまり
花糸1本どり　ピンク　緑　灰　白

■作り方／中級（42面体）

① 42面体の地割りをして、周囲の縞になる灰色を0.45cmの幅で変わり三羽根亀甲を20か所と五角を12か所かがります。

② 花色（緑）を0.4cmの幅で補助線の6か所に平行に巻きます。花色（ピンク）を0.4cmの幅で大五角を12か所かがります。

③ ①と②を1段交互に埋まるまでかがります。周囲の縞の色は灰色と白の1段ずつ交互の配色にします。

細ラメ糸で42面体の地割り

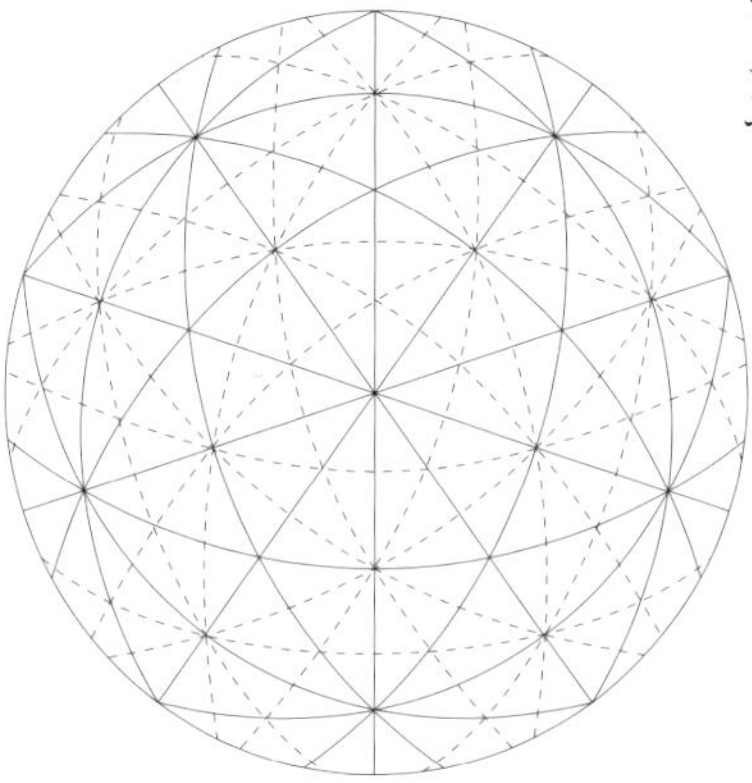

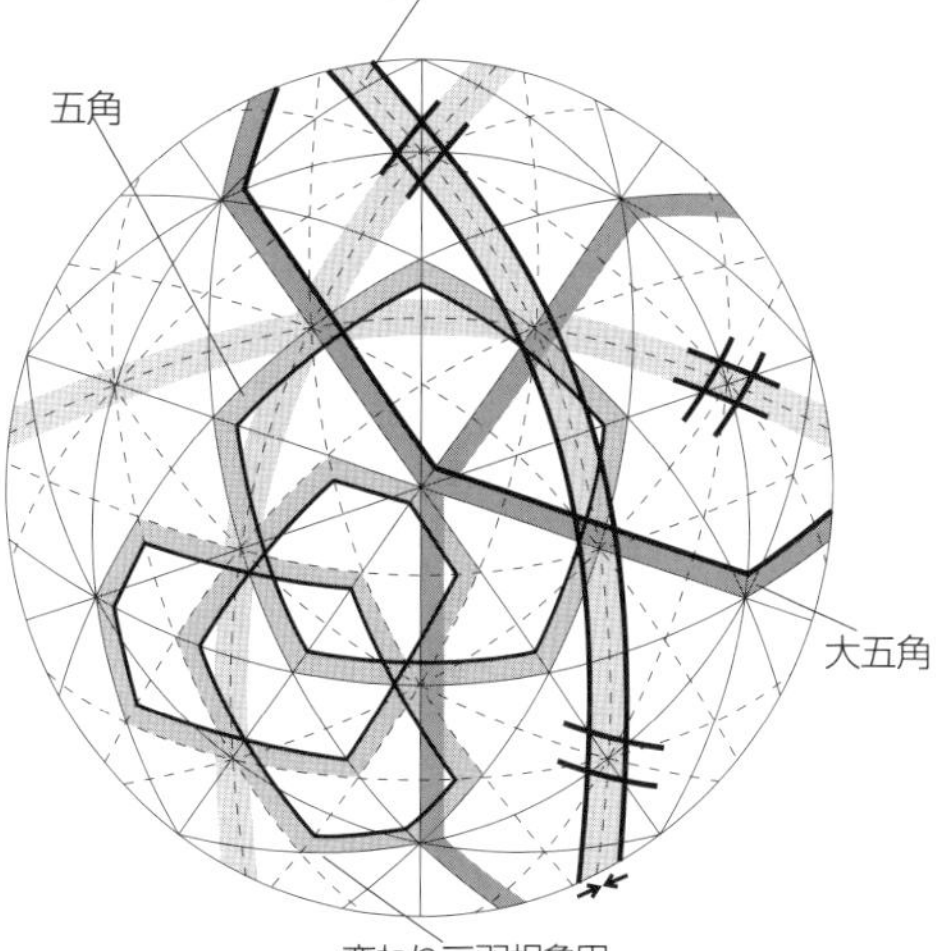

星付き七宝・口絵10ページ

■材料
土台まり　円周52cm
地巻き糸　白
地割り糸　ラメ糸
かがり糸　てまり糸
（2本どり）　緑
（1本どり）　えんじ　青　ピンク　黄　茶
薄灰　からし

■作り方／上級（8等分の組み合わせ）

① 8等分の組み合わせの四角の中を8等分します。

② 1/8の幅をえんじと青で20本ずつ交互に巻き埋めます。

③ ピンクと黄、茶と薄灰で残りの2方向から巻きます。七宝模様になるようにくぐらせて巻きます。（グラフ参照）

④ 緑2本どりで四角の縁取りを1段ずつかがり、中心にからし色を1段かがります。

制作／酒井禮子

図1

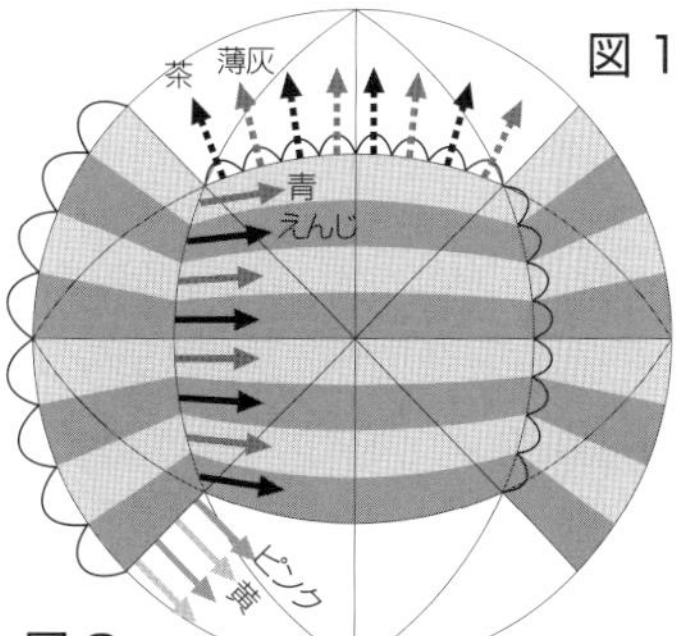

図2

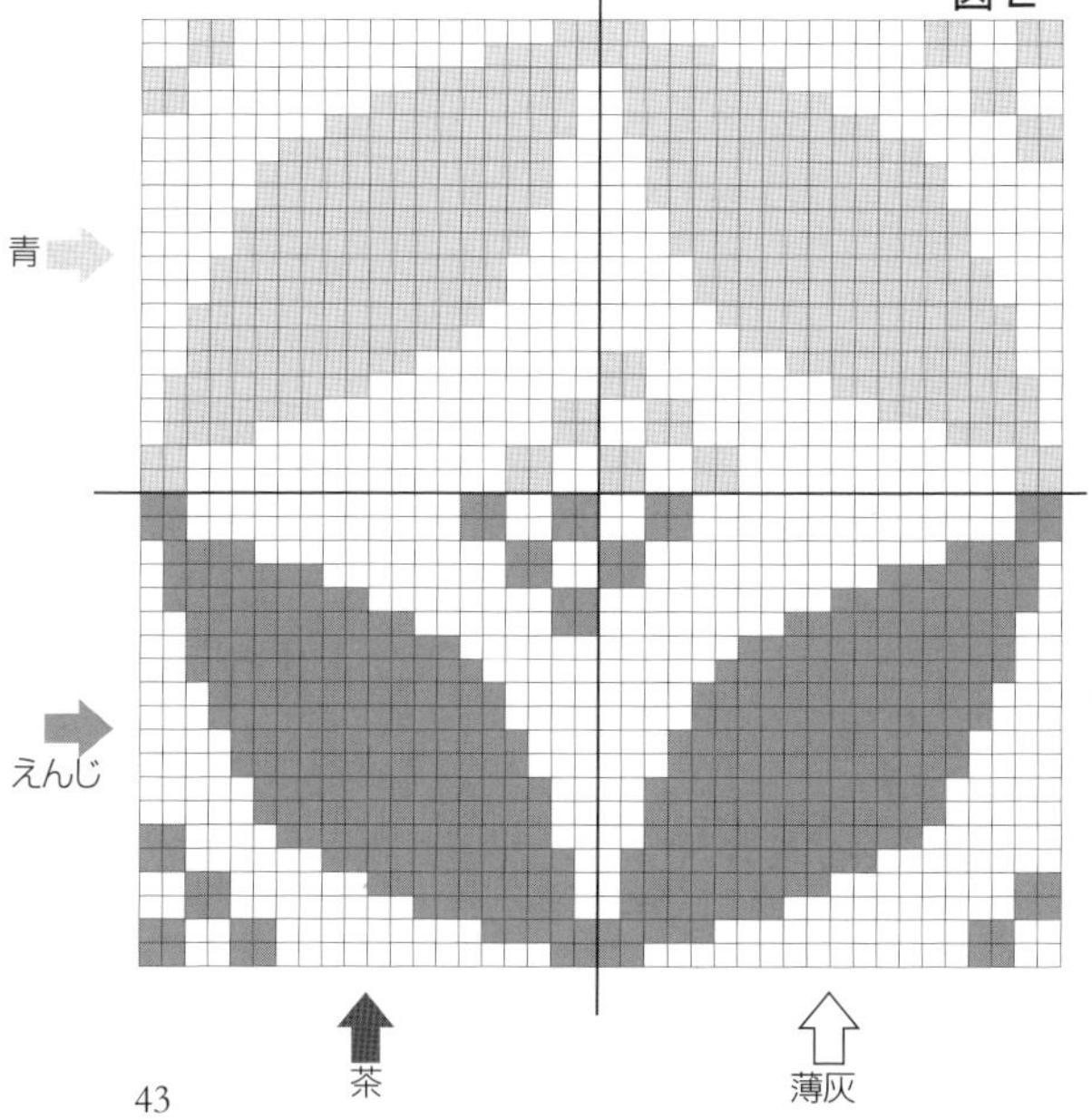

図3

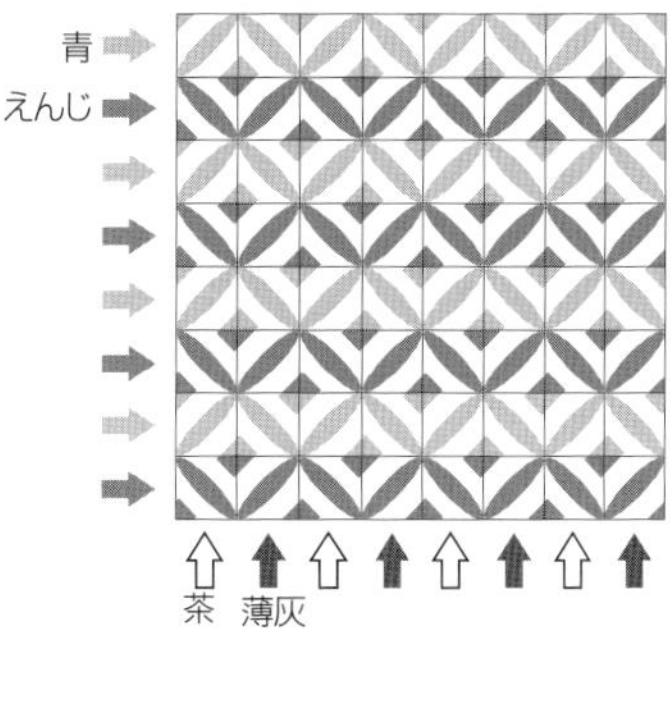

吉祥七宝紋1・口絵10ページ

■**材料**

土台まり　円周38cm
地巻き糸　白
地割り糸　ラメ糸
かがり糸　てまり糸
赤　茶　青グレー
薄紫　薄緑　紺

■**作り方**／上級（8等分の組み合わせ）

① 8等分の組み合わせの四角の⅔の幅で赤を両側に巻きます（45〜50本）。

② 青グレーと茶も方向を変えて巻きます。糸が交差するところは七宝と花模様になるようにくぐらせます（中心の花グラフ参照。七宝は**星付き七宝**43ページを参考にして描く）。

③ 四角の残り⅓をかがり埋め、⅔巻いてある片側をくぐらせます。薄紫、薄緑、紺の3色で裏表同色にします。

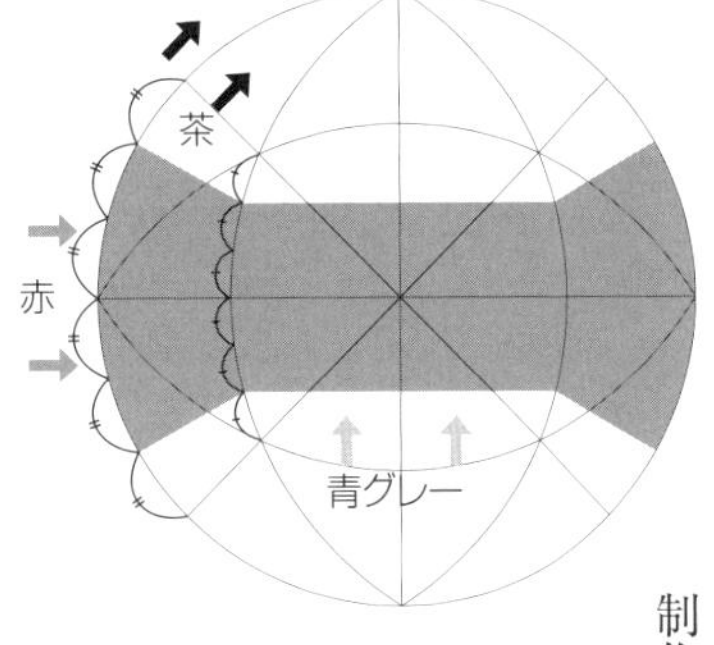

制作／酒井禮子

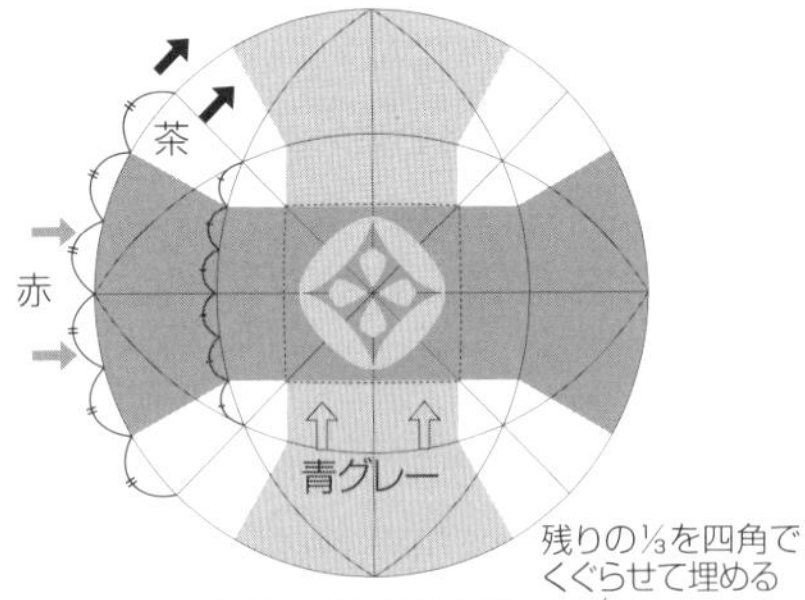

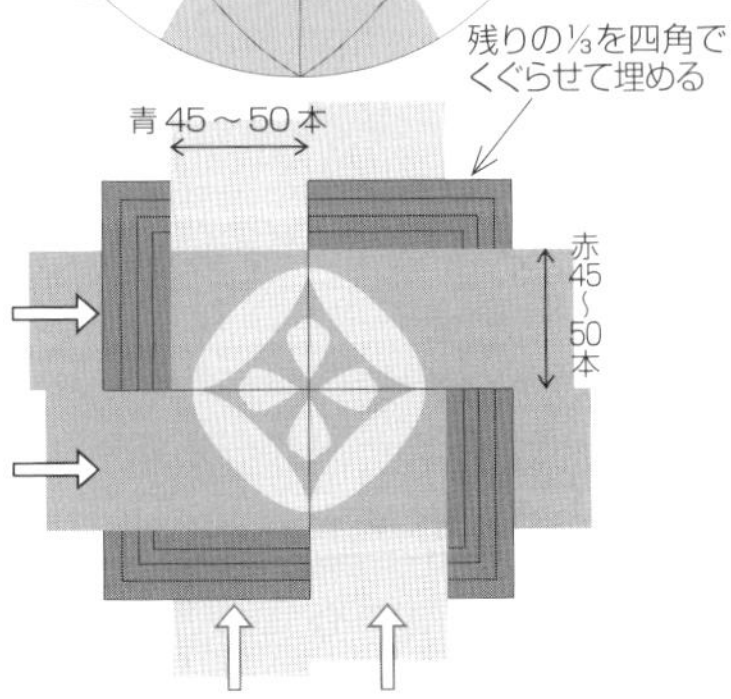

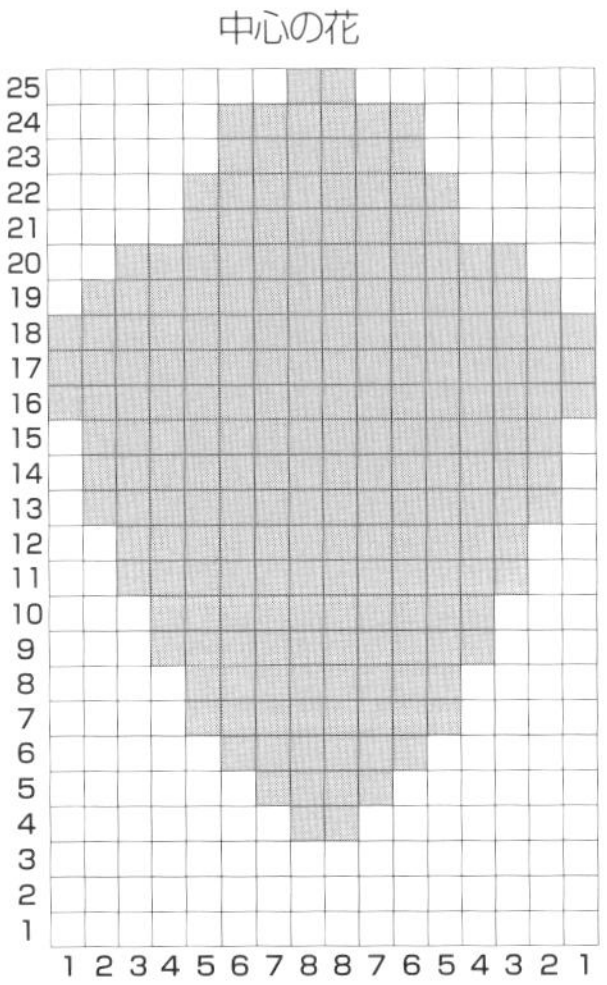

吉祥七宝紋2・口絵10ページ

■**材料**

土台まり　円周45cm
地巻き糸　白
地割り糸　ラメ糸
かがり糸　てまり糸
1本どり　紫　赤
黄土　青　薄緑　黄　ピンク　緑　灰　紺

■**作り方**／上級（8等分の組み合わせ）

① 8等分の組み合わせの四角を3等分して50本ずつ紫、赤、黄土の3色で巻きかがります。

② 青、薄緑、黄とピンク、緑、灰の各3色を組みにして2方向からグラフを参考にしてくぐらせて巻きます。

③ 紺で四角の縁取りを4段、中心に金糸1段をかがります。

制作／酒井禮子

1色分1本どりで50段のグラフ

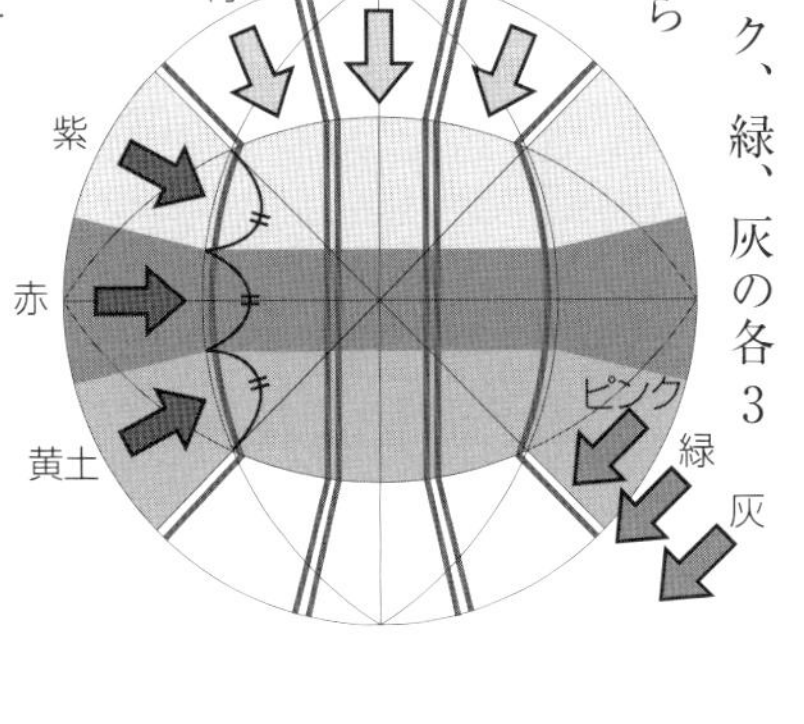

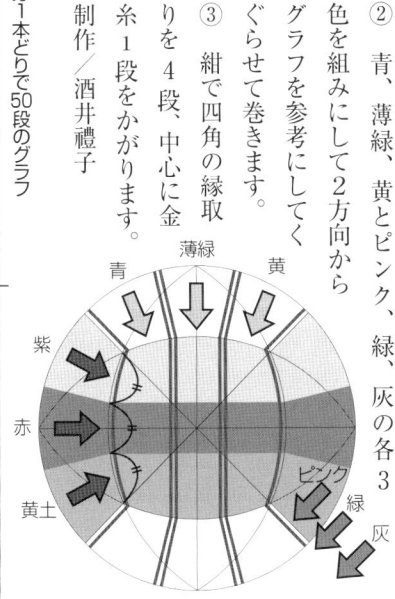

綾錦3・口絵14ページ

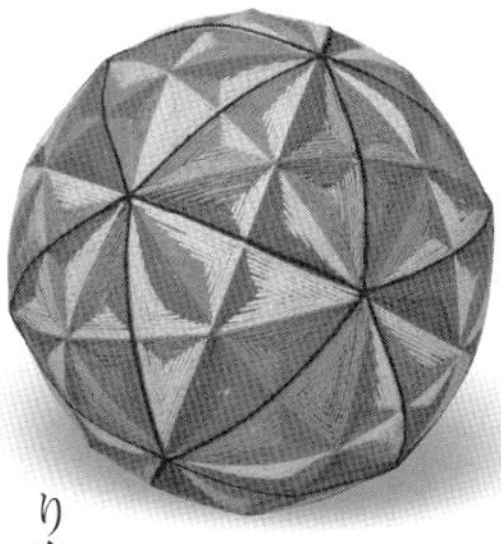

■材料

土台まり　円周33cm
地巻き糸　白
地割り糸　ラメ糸
かがり糸　木綿てまり糸1本どり　赤　橙　緑　黄緑　青濃淡　黄　黄土　ピンク濃淡　黒

■作り方／初級（10等分の組み合わせ）

① 6か所の菱の中に同系色が井桁になるように平行に0.8cm幅で巻きます（図1）。
② 5組の色で30か所の菱から巻きます（図2）。
③ 1段交互に巻き埋めます。
④ 黒1本どりで三角の線をかがります。

制作／松崎昭子

図1

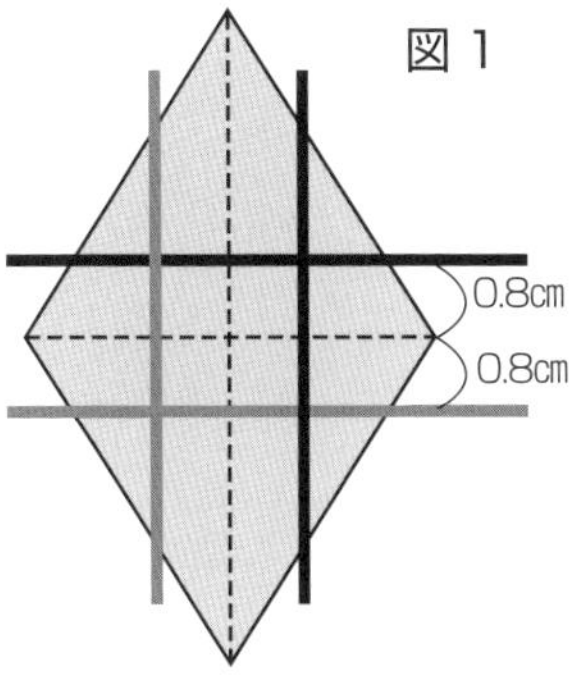

図2

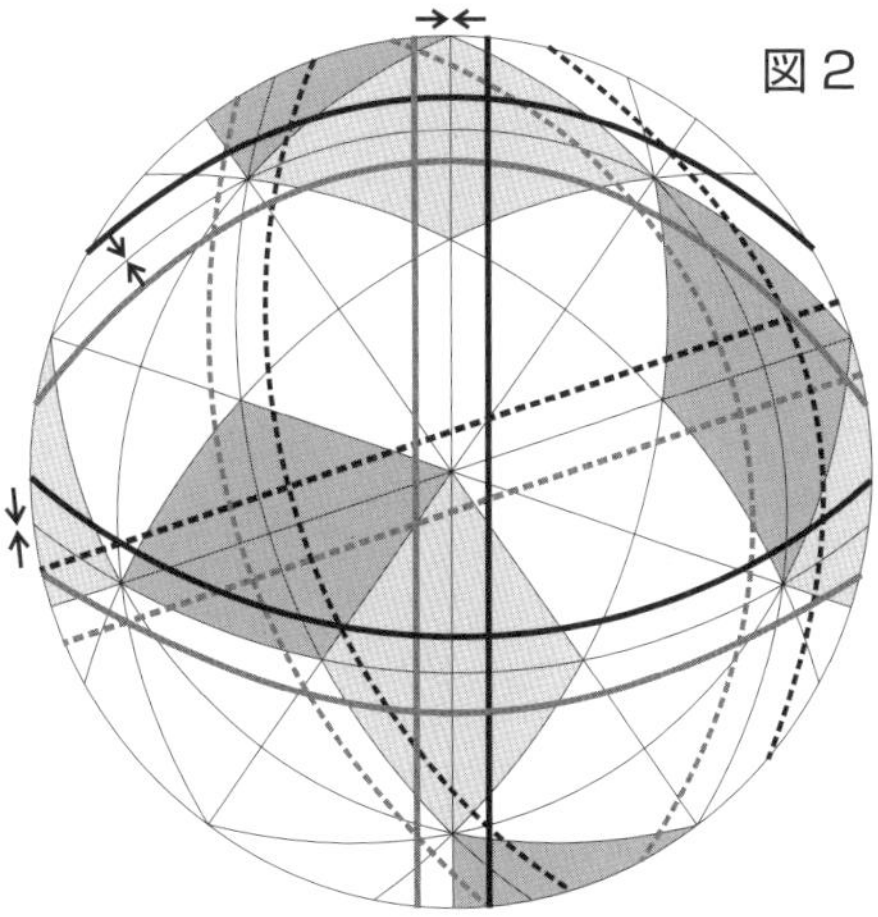

舞もみじ1・口絵14ページ

■材料

土台まり　円周30cm
地巻き糸　藍
地割り糸　ラメ糸
かがり糸　てまり糸　ピンク　橙　黄　灰　黄土　緑　黄緑　金ラメ糸

■作り方／初級（10等分の組み合わせ）

① 金ラメ糸で20か所の三角に12等分する長短の松葉かがりを入れます。
② 三角の中に上掛けの花を2本どりで緑、ピンク、黄の3色で3段かがります。周囲を灰で縁取りします（図1）。
③ 五角の中心に同じ色がくるように配色します（図2）。
④ 地割りの糸を取ります。

図2

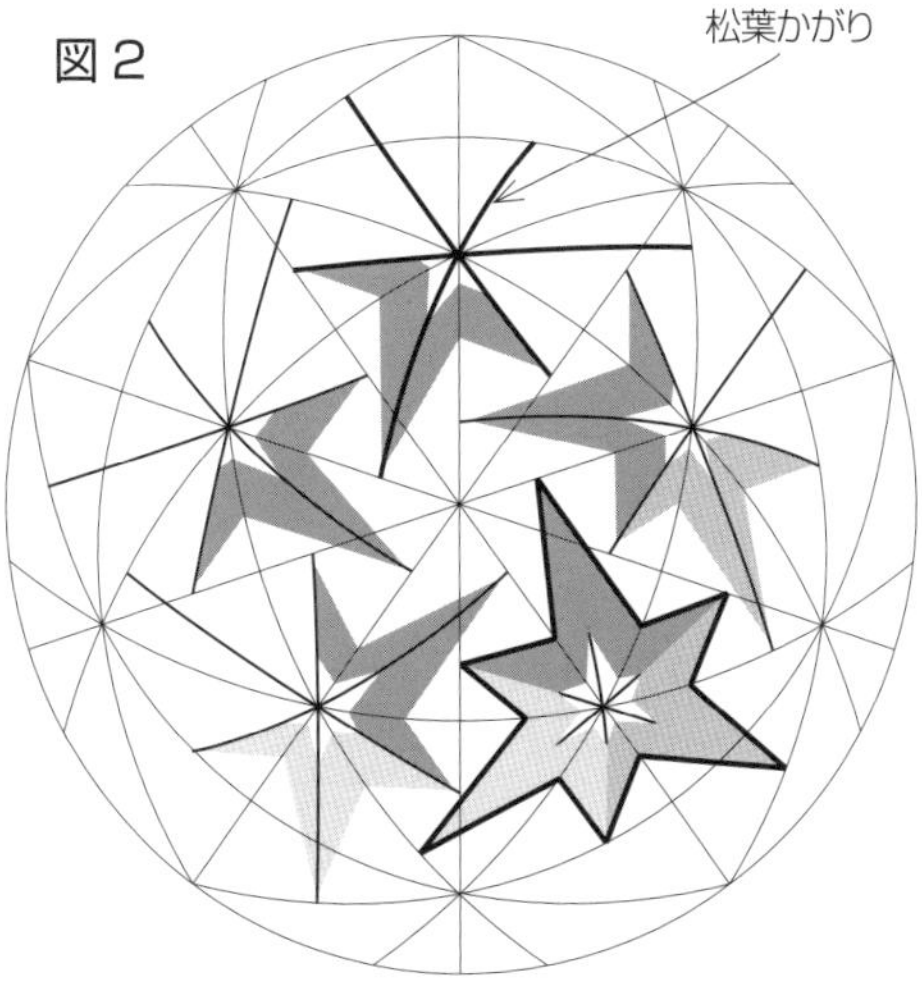

図1

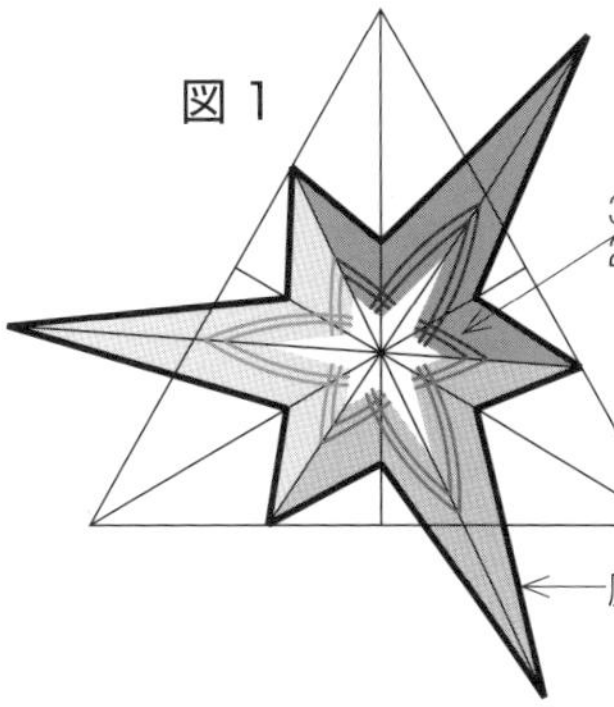

❖かえで・口絵14ページ

■**材料**

土台まり　円周33cm
地巻き糸　白
地割り糸　ラメ糸
かがり糸　木綿てまり糸2本どり　紺
緑　黄　赤　橙　ピンク　薄紫　金ラメ糸

■**作り方**／初級（8等分の組み合わせ）

① 菱中心に4本巻き、菱に六角12等分を作る補助線を入れます（図1）。
② 紺で四角を6か所に0.9cmの幅でかがります。
③ 紺で六角12か所に1.5cmの幅でかがります（図2）。
④ 菱中心を通る補助線に沿って両側に赤、橙、薄紫、ピンクを0.6cmの幅で4か所に巻きます。四角の中に井桁に3か所を黄で0.6cm幅で巻きます（図2）。
⑤ 四角、六角と花になる巻きかがりを交互にかがり埋めます（グラフ参照、段数は加減する）。
⑥ 紺で四角と六角の残りをかがり埋めて、緑の縁取り線をかがります。
⑦ 花の中心に金ラメ糸で松葉かがりを入れます。

制作／仲本みえの

図1

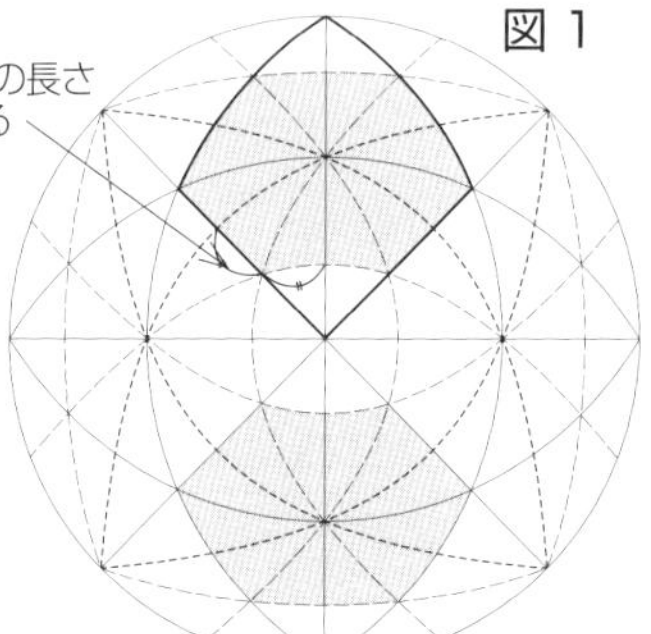
六角の各辺の長さを同じにとる

図2

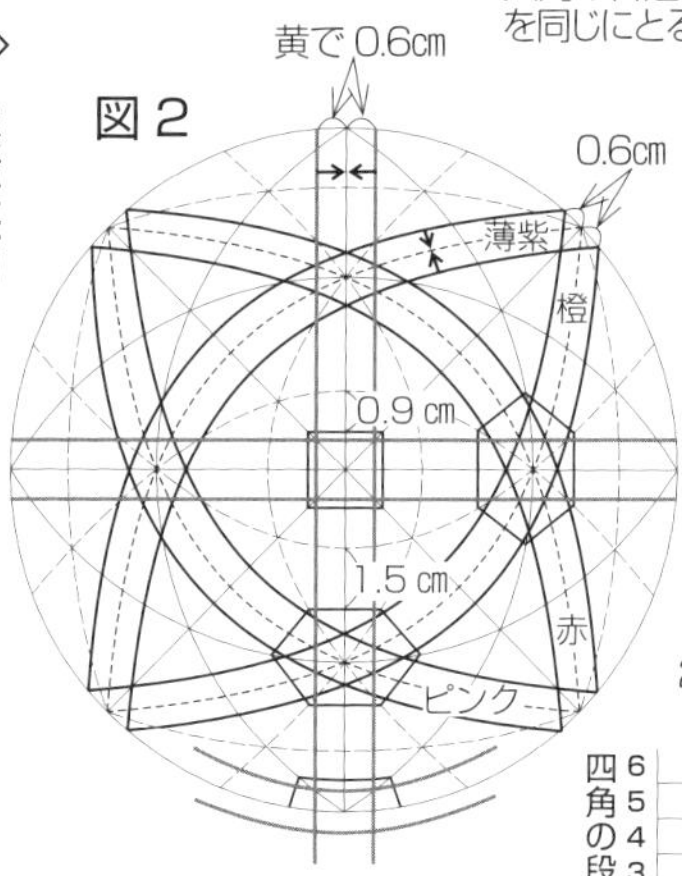

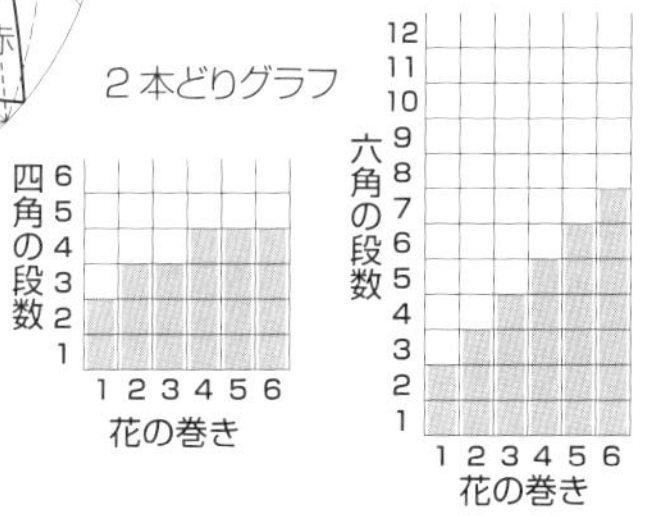

❖懸崖菊・口絵15ページ

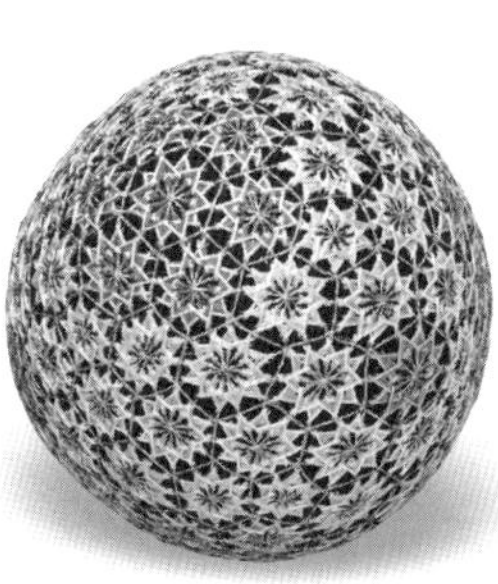

■**材料**

土台まり　円周40cm
地巻き糸　黒
地割り糸　金ラメ糸
かがり糸　てまり糸
ピンク濃淡　紫濃淡
赤濃淡　橙濃淡　緑濃淡　金ラメ糸

■**作り方**／初級（10等分の組み合わせ）

① 金ラメ糸で五角中心の間を6等分する補助線を入れて122面体にします（図1）。
② 10等分の組み合わせの三角の中心にできた小六角に濃緑2段、薄緑1段の花をかがります。その周囲の小六角6個に濃ピンク2段、薄ピンク1段の花をかがります。濃ピンクの外側の小六角、小五角の12個にピンク2段、薄ピンク1段の花をかがります（図2・3）。
③ ②と同じように橙濃淡、赤濃淡、紫濃淡でかがり、三角の中心の4か所に濃淡の花の輪ができます。
④ 残りを緑2段、薄緑1段の花をかがり、緑の花の中心の小六角にも濃緑2段、薄緑1段の花をかがります（図2・3）。

制作／木村正子

図3

上掛け3段の花

図1

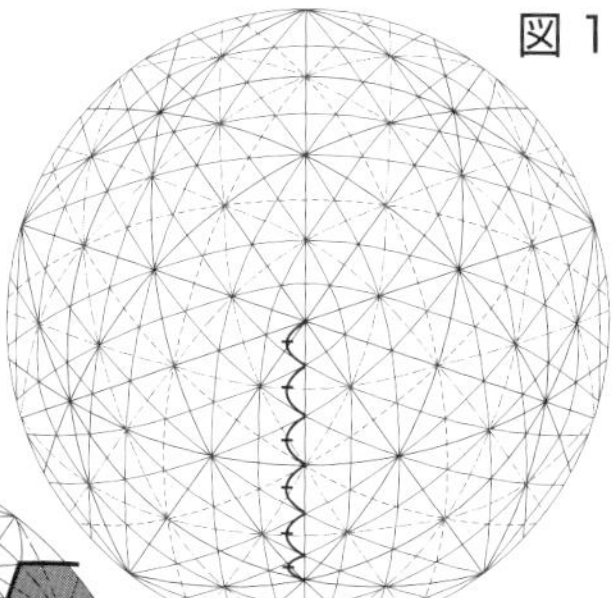

図2

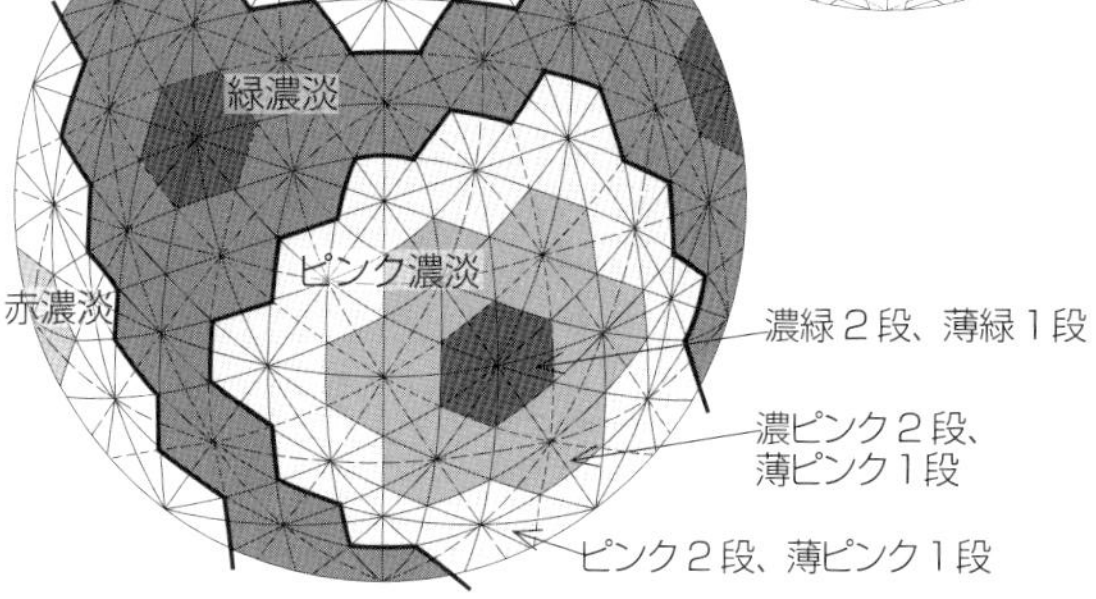
橙濃淡

綾錦1・口絵14ページ

■材料
土台まり　円周36cm
地巻き糸　白
地割り糸　ラメ糸
かがり糸　木綿てまり糸1本どり　黒
えんじ　薄橙　橙
ベージュ　ピンク　生成り

■作り方／初級（10等分の組み合わせ）

① 黒で三角20か所に2段ずつかがります。

② 星形12か所を橙系6色で1段ずつかがります。裏表2か所同色にします。

③ ①の三角と②の星形を1本どりで1段交互にかがり埋めます。

制作／宮本真智子

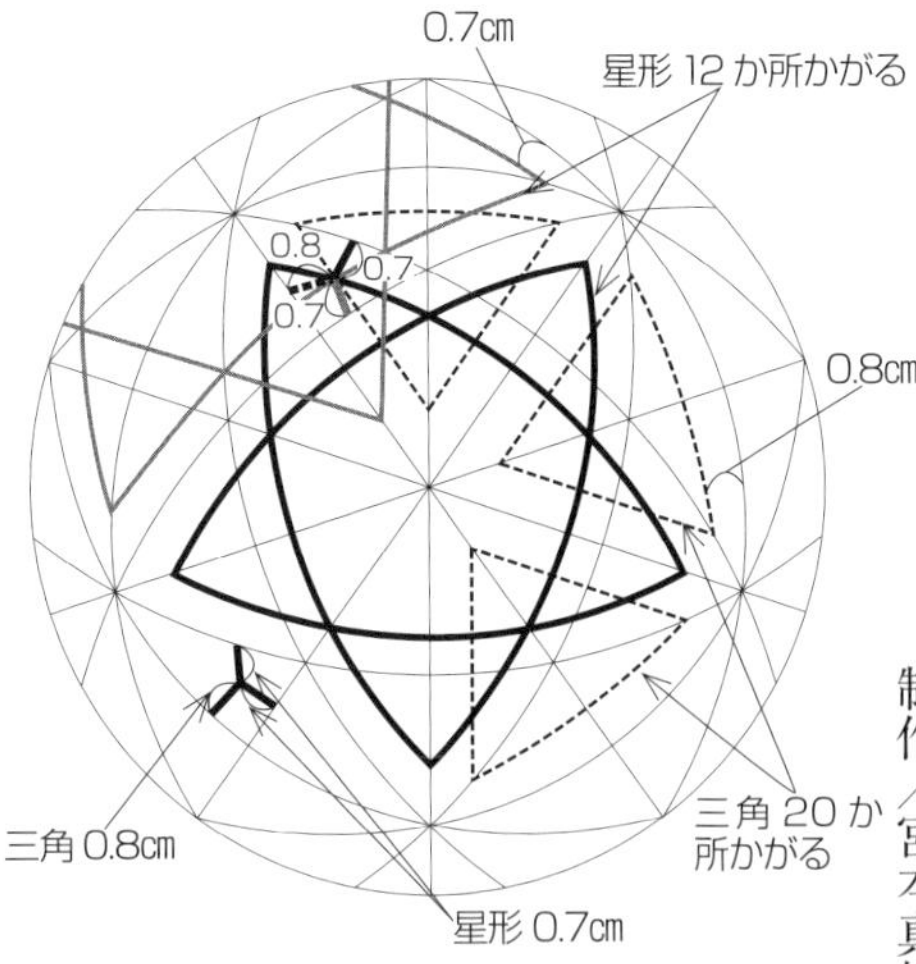

渡り鳥1・口絵15ページ

■材料
土台まり　円周33cm
地巻き糸　白
地割り糸　ラメ糸
かがり糸　木綿てまり糸　紺　緑　黄土
ピンク　薄ピンク　クリーム

■作り方／中級（三角20面体）

① 三角20面体を3等分する補助線を入れます。五角の中心から中心までの線を6か所しつけ糸で印を付けます（図1）。

② 補助線の小三角の1/4をたどって鳥をかがります。外側から内側に緑と黄土でそれぞれ交互に、同色が接しないようにかがり埋めます（図2）。

③ しつけ糸で印を入れた線上の3羽のところはピンク、薄ピンク、クリームでかがります。

④ 紺1本どりで縁取り線をかがります（図3）。

制作／鳥谷部可也子

しつけ糸の配置

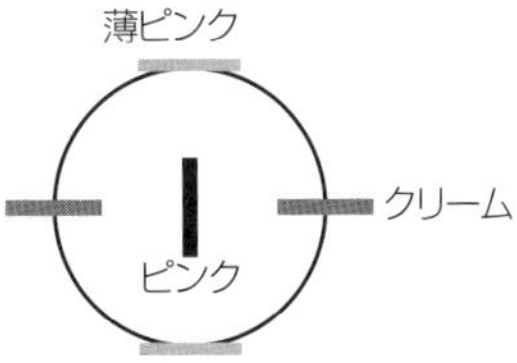

図3

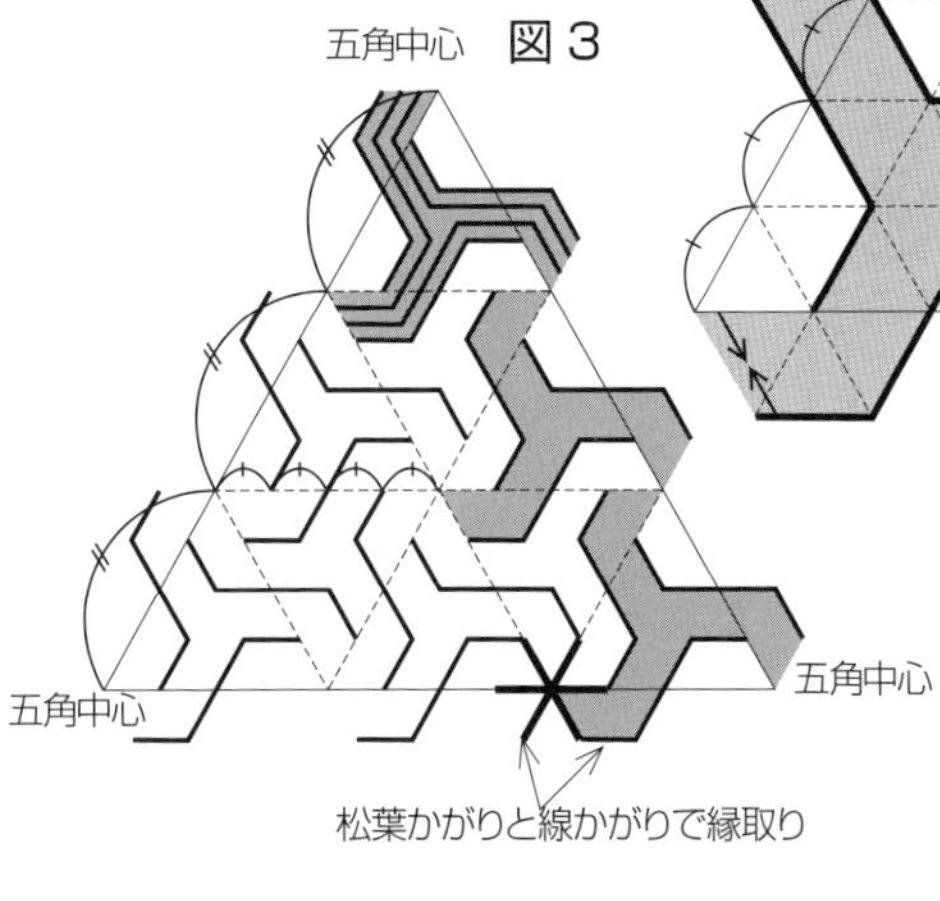

図2

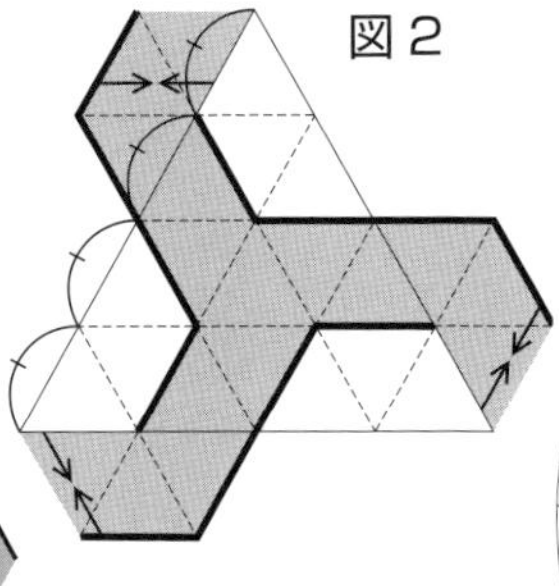

図1

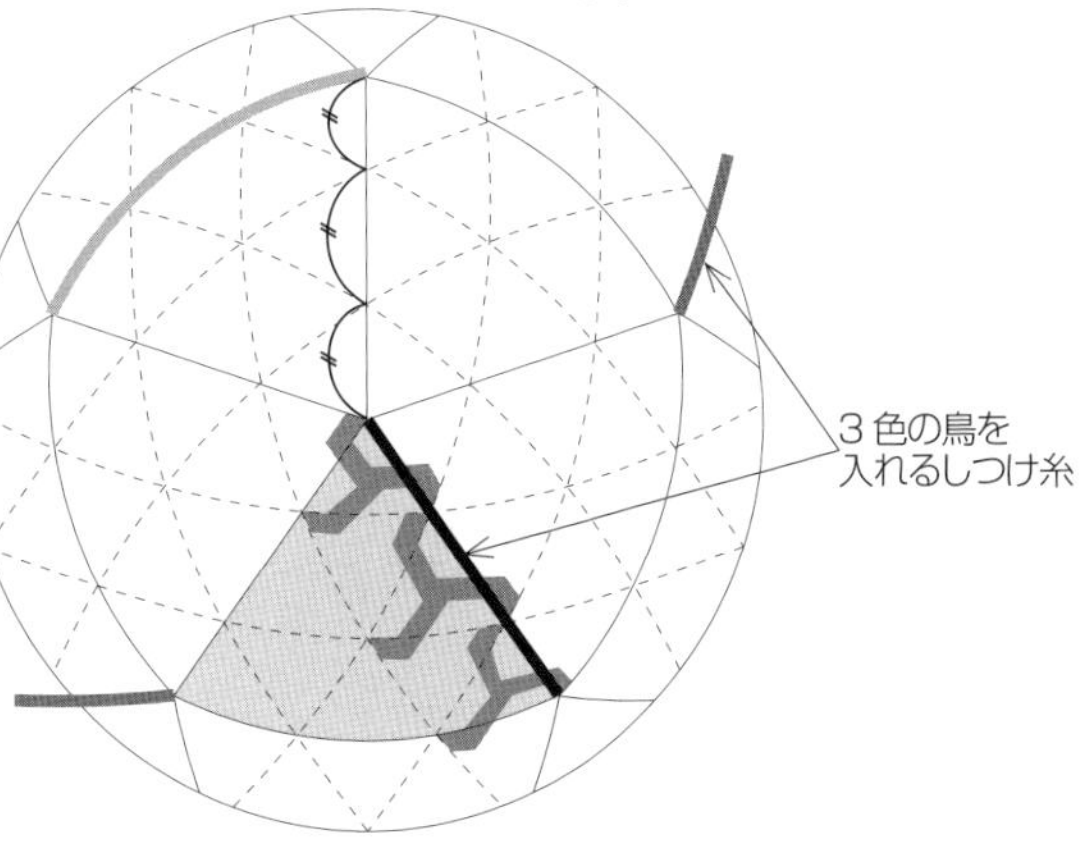

舞もみじ2・口絵15ページ

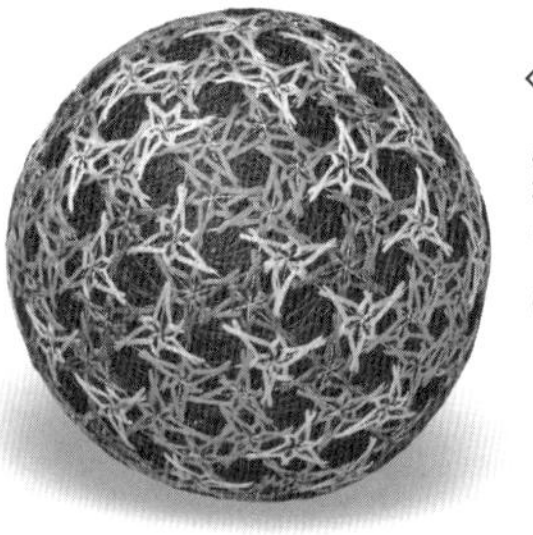

■材料
土台まり　円周36cm
地巻き糸　茶
地割り糸　金ラメ糸
かがり糸　25番刺繍糸3本どり　紫　黄　オリーブ　青　緑濃淡5色　橙

■作り方／中級（10等分の組み合わせ）

① 金ラメ糸で五角の中心と中心の間を9等分して272面体の補助線を入れます（図1）。
② 小五角の周囲の小六角に橙の刺繍糸3本どりで上掛けの花を1段かがります（図2）。橙の花の輪を12か所にかがります。
③ 10等分の組み合わせでできる三角の中の小六角の6か所に青濃淡の花を3個ずつかがり花の輪にします。
④ 同じ色の濃淡の花の輪を4か所ずつかがり、5色の濃淡で20か所にかがります。
④ 花の中心を残して地割り糸を取ります。

図2

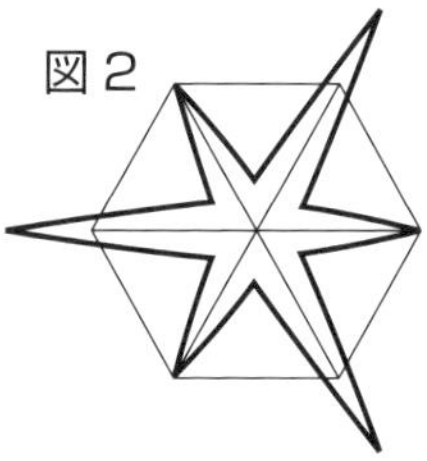

図1

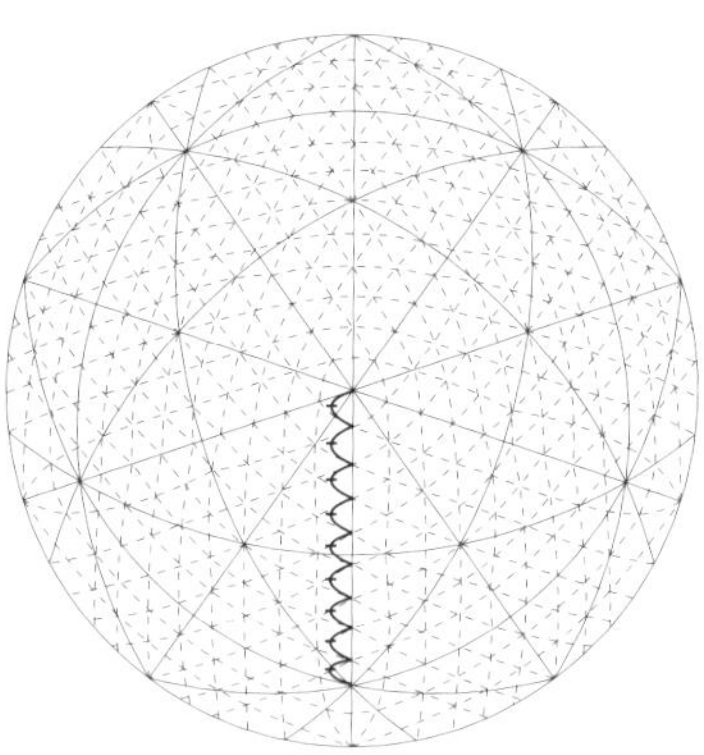

図3

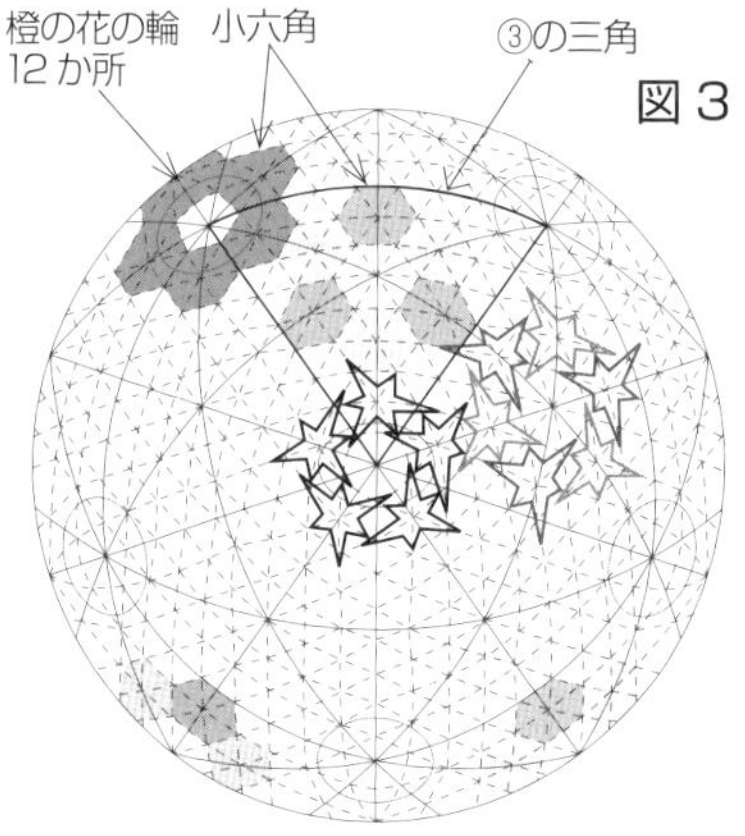

赤とんぼ・口絵15ページ

■材料
土台まり　円周35cm
地巻き糸　白
地割り糸　ラメ糸
かがり糸　木綿てまり糸　濃緑　薄緑　黄緑　水　灰　濃ピンク

■作り方／中級（10等分の組み合わせ）

① 菱の中心を通る補助線を6本巻きます。
② 補助線でできた三角の0.5cm外側に六角を2本どりでかがります。六角の4か所ずつを同色にして5色で20か所1段交互に9段で埋めます。
③ 補助線に沿って0.5cmの幅でとんぼの色1本どりでくぐらせながら両側に7段巻きます。（グラフ参照）

図1

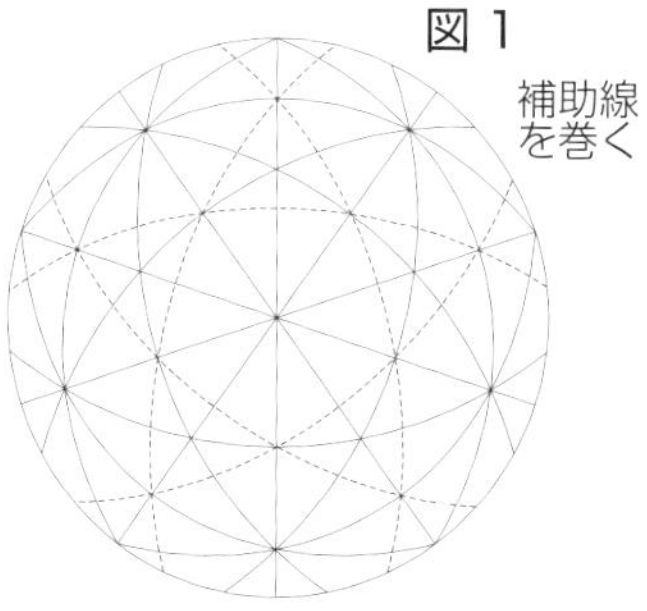

図2

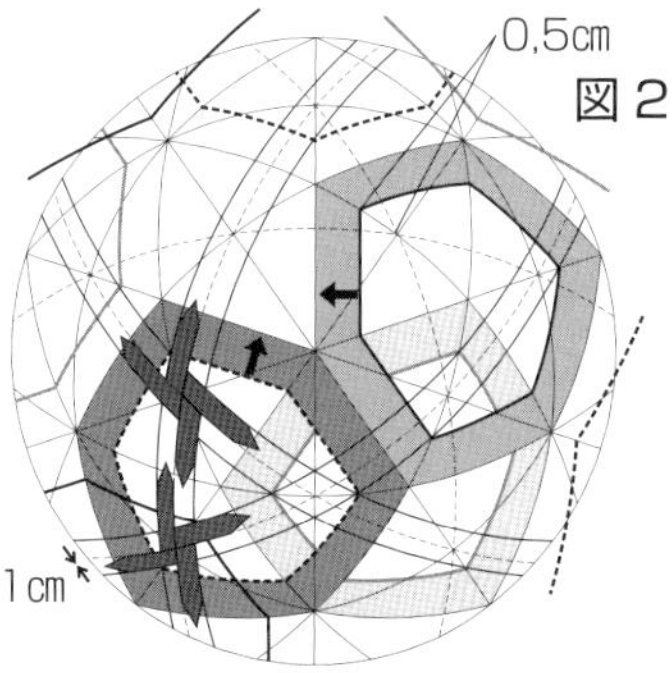

図3

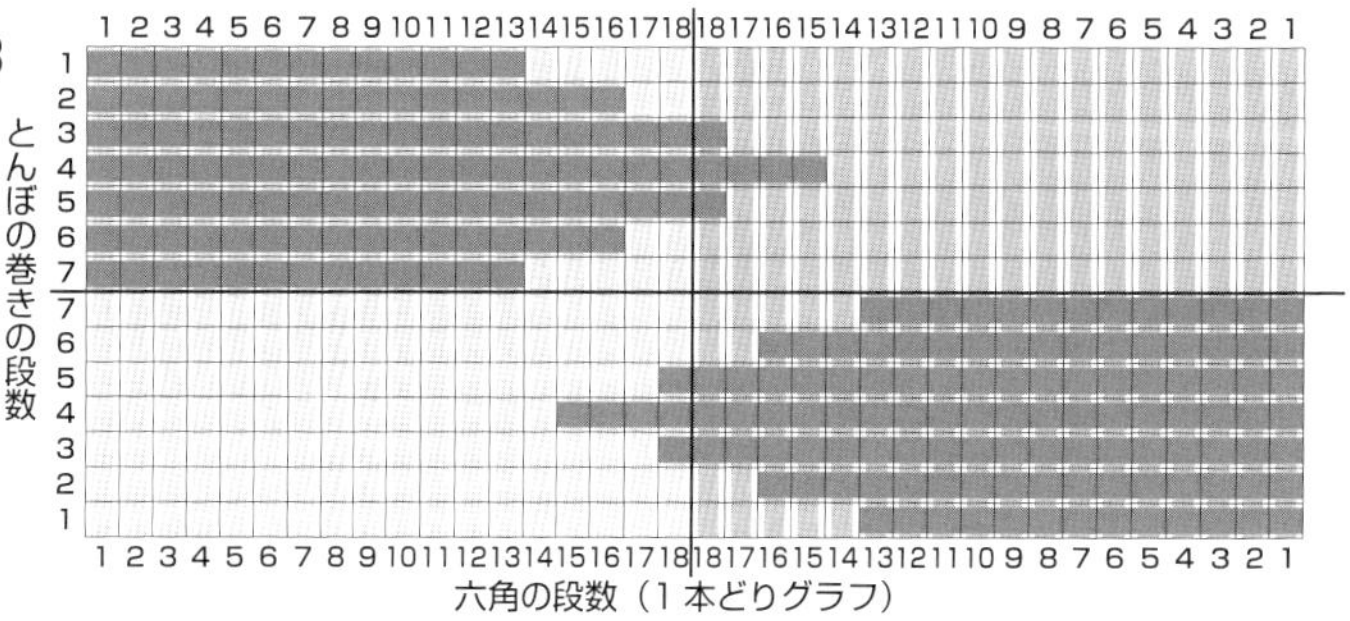

綾錦2・口絵14ページ

■材料
土台まり　円周33cm
地巻き糸　白
地割り糸　金ラメ糸
かがり糸　茶　緑
青　黄　橙　ピンク　薄紫

■作り方／中級（8等分の組み合わせ）

① 三角を2等分する補助線を入れます（図1）。
② 三角の周囲の色の茶で地割り線の両側に0.8cm幅で巻きます（図2）。
③ 花の色2組（緑と青、黄と橙の4色）を0.5cm幅で補助線に沿って4か所ずつ同色にしてかがります（図3）。
④ 地割り線の両側に0.5cm幅でピンクと薄紫で平行に3か所かがります（図3）。
⑤ ②、③、④を1段交互にかがります。
⑥ ②の残りを埋めて、最後に金ラメ糸で巻きます。

制作／近澤美智子

図1

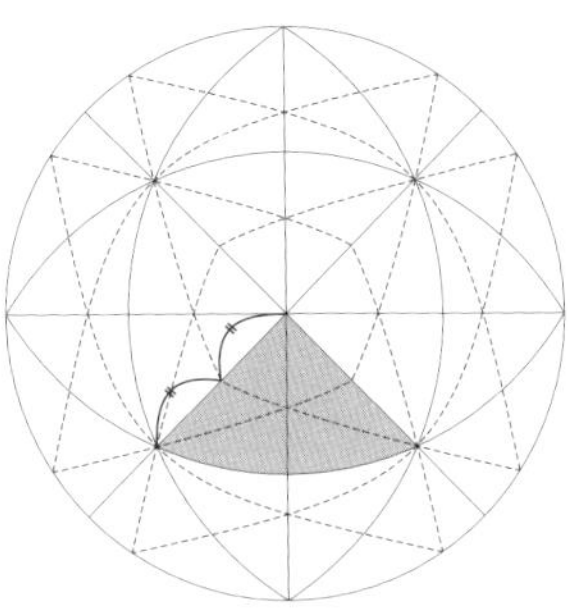

図3

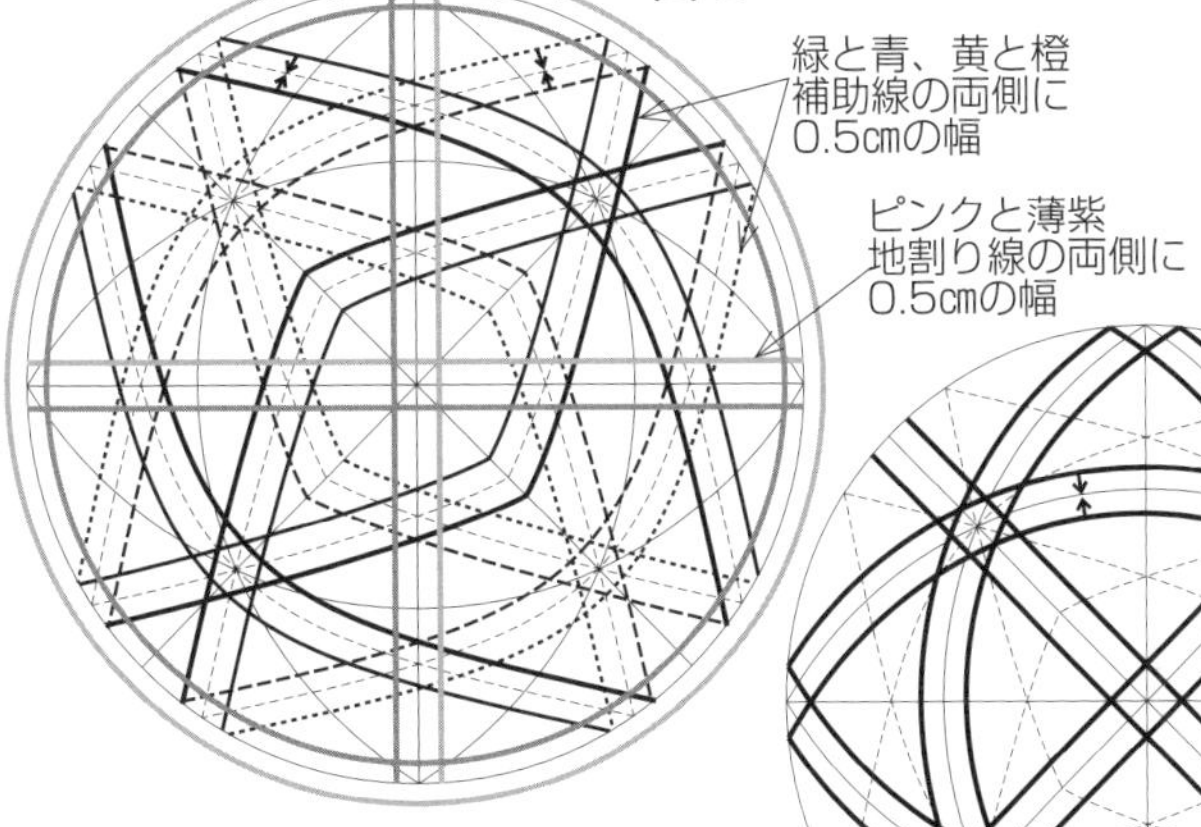

図2

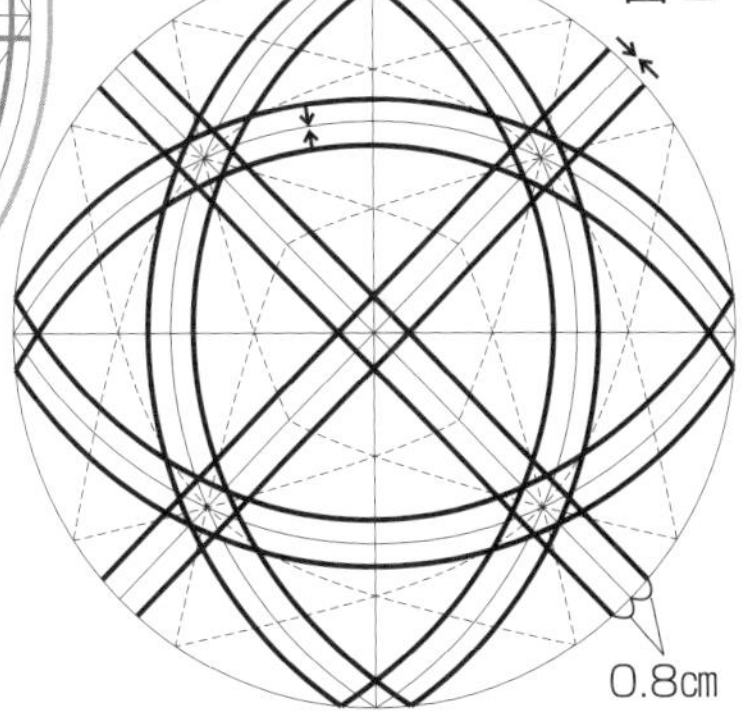

コスモス・口絵15ページ

■材料
土台まり　円周33cm
地巻き糸　生成り
地割り糸　ラメ糸
かがり糸　てまり糸
ピンク濃淡3色　黄
黄緑　橙　黒ラメ糸　金糸

■作り方／中級（10等分の組み合わせ）

① 五角の長い線を3等分する92面体の補助線を入れます（図1）。
② 92面体の五角12か所と六角80か所の中にピンク濃淡、黄、黄緑、橙で平行線の花を内側に1段ずつかがり埋めます（図2）。
③ 黒ラメ糸で花の縁取り線をかがります。
④ 花の中心に金糸で松葉かがりをします。

制作／北川喜代枝

図1

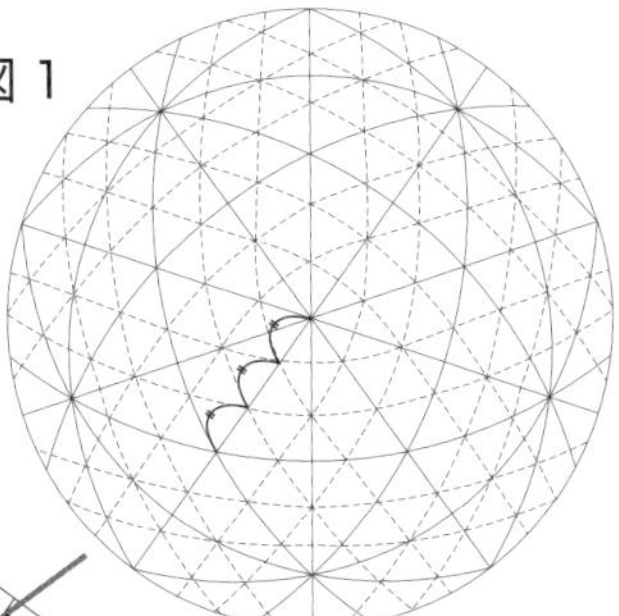

92面体の補助線

図2

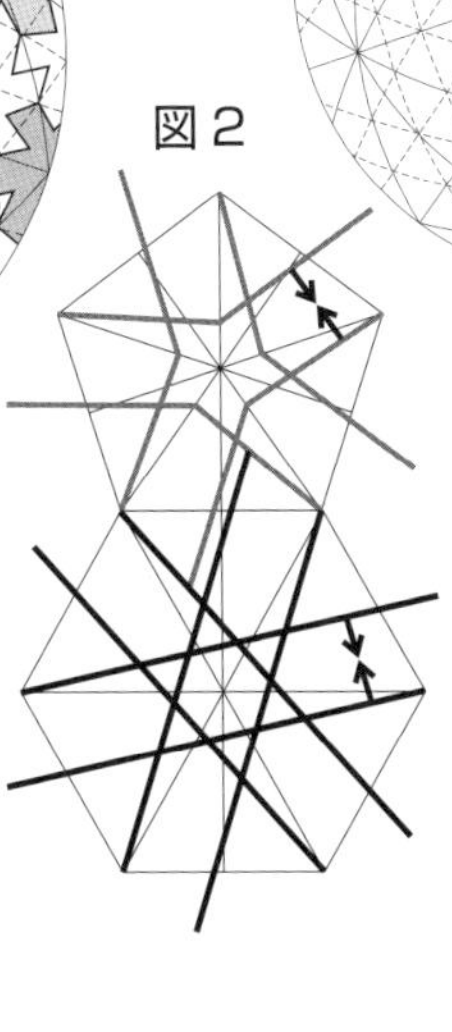

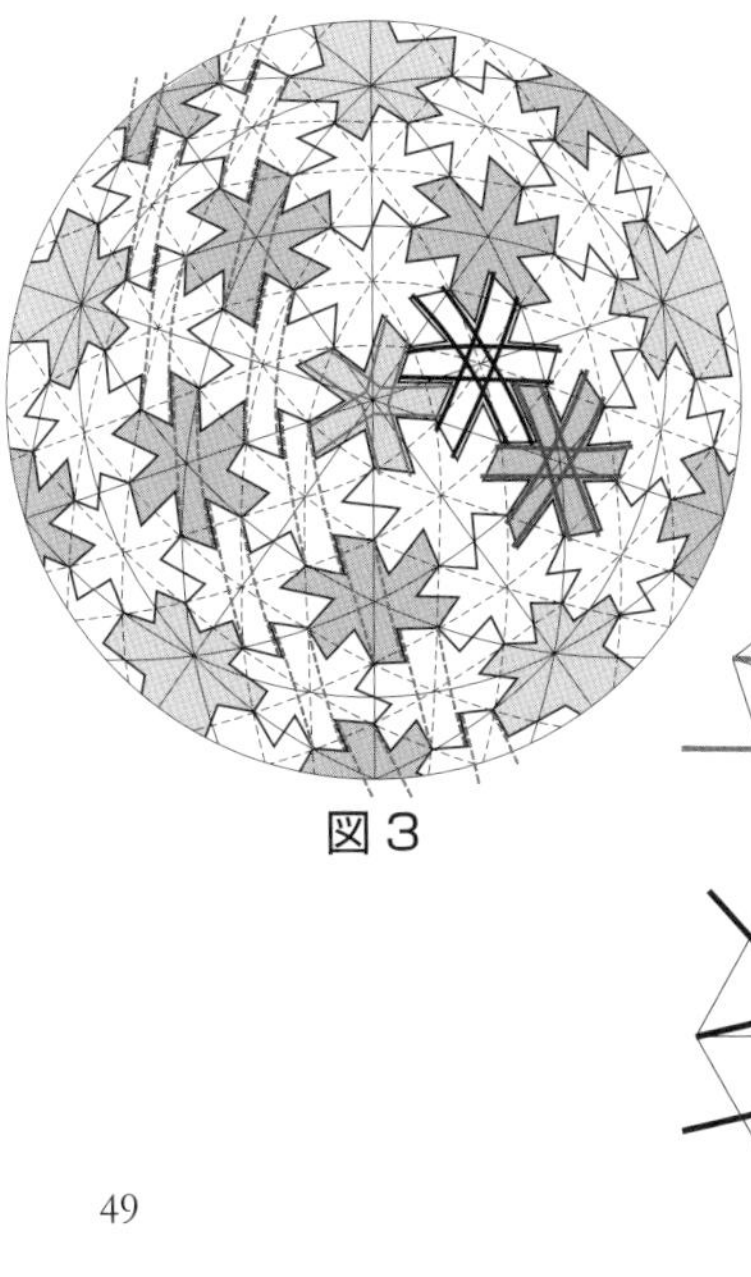

図3

渡り鳥2・口絵15ページ

■材料
土台まり　円周33cm
地巻き糸　紺
地割り糸　ラメ糸
かがり糸　薄紫　緑
黒　橙

■作り方／上級（10等分の組み合わせ）
① 菱形6か所にしつけ糸で印を入れます（図1）。
② ①の菱形を通らない篭目を2本ずつ平行に8本巻きます（菱形の外側に沿って4か所）。黒の線の両側に薄紫と緑で1/6の幅に巻きます（図1、2）。
③ 巻いた菱の中に篭目を作るようにかがります（図1、2）。
④ しつけ糸の菱6か所に片側橙の篭目をかがります（図3）。重なりの下でつなぎます。
⑤ 巻いた両端に黒の線を巻きます（図4）。

図1
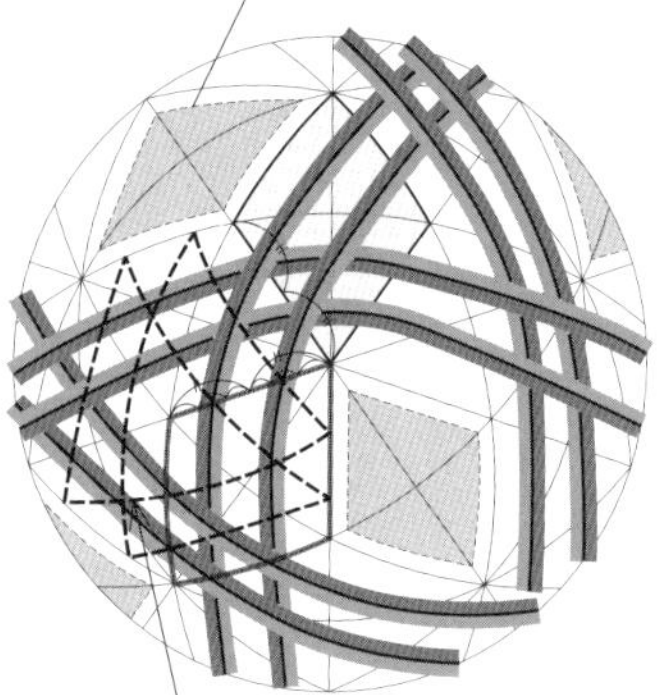
渡り鳥が入る6か所の
菱形にしつけ糸で印付け
③の篭目

図2
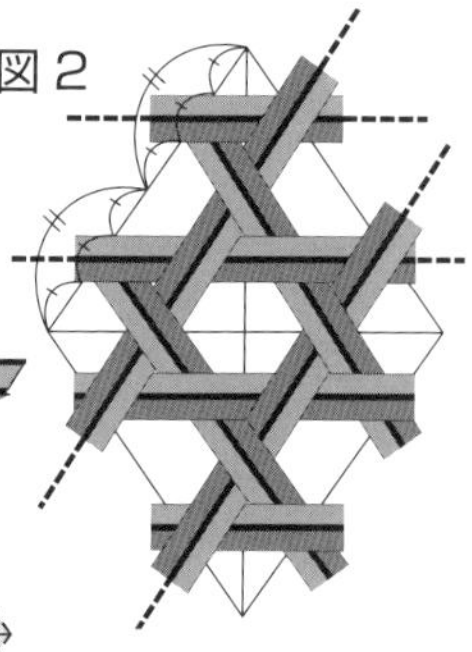

図3

しつけ糸で印付けをした
菱形で色を替える

図4
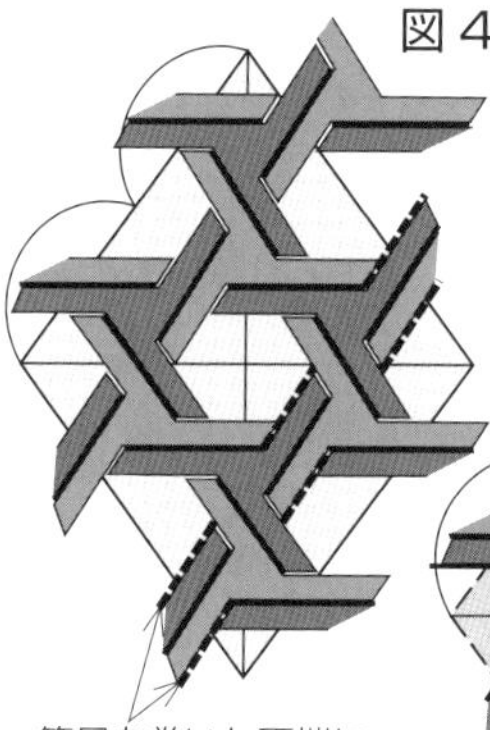
篭目を巻いた両端に
黒で縁取り線を入れる

花　篭

二色網代に紅梅・口絵5ページ

■材料
土台まり　円周33cm
地巻き糸　生成り
地割り糸　金ラメ糸
かがり糸　木綿てまり糸　紺　ベージュ
黄土　茶　緑　紫　赤　黄

■作り方／中級（三角60面体）
① 網代をかがらない菱の6か所に印を付けます。
② 1色目（黄土に茶の縞）を1/6の幅に巻きます。2本平行に4か所から右上に組みます（図1）。菱をつなぐ縞も入れて篭目に組みます（図2・3）。
③ 2色目（紺にベージュの縞）を1/6の幅に巻きます。2本平行に4か所から右上に組みます（図4）。菱をつなぐ縞も入れて三角網代に組みます（図5）。
④ 6か所の菱に0.5cmの幅で緑と紫をかがり、中に赤で梅を刺繍します。

制作／酒井禮子

図1
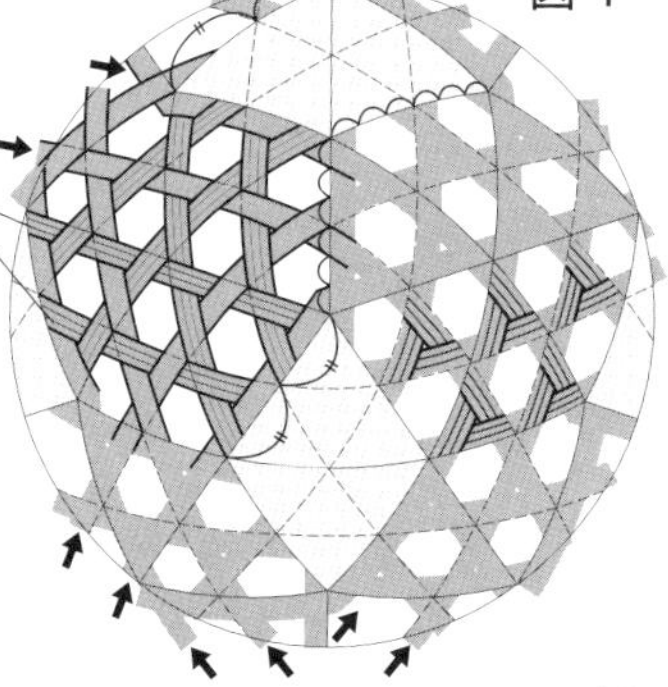
菱をつなぐ縞
2本ずつ平行に巻く

図2

図3
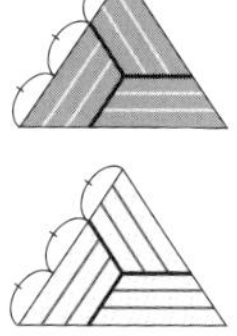

図4
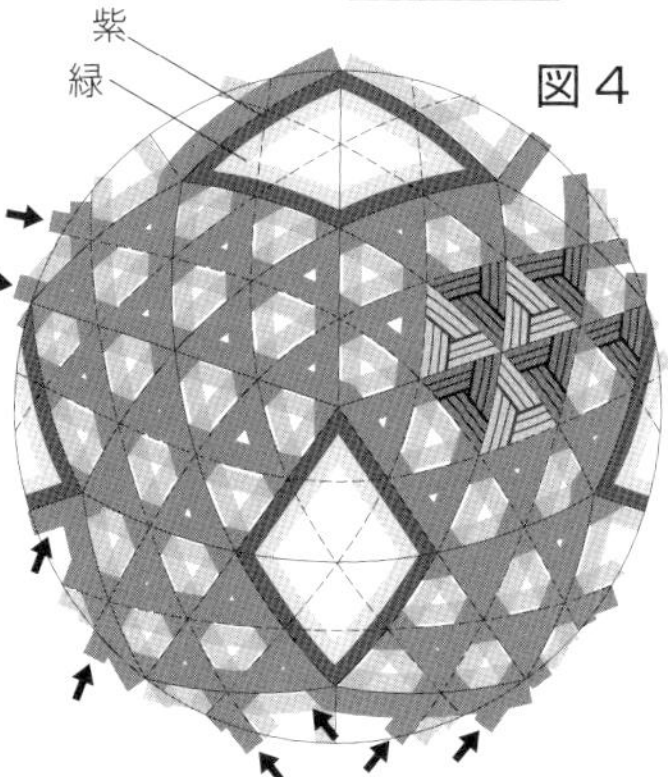
2色の縞で2本ずつ
平行に4か所

図5
平行の右をくぐる
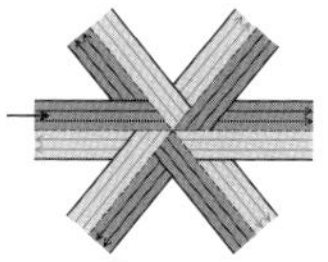

花篭2・口絵5ページ

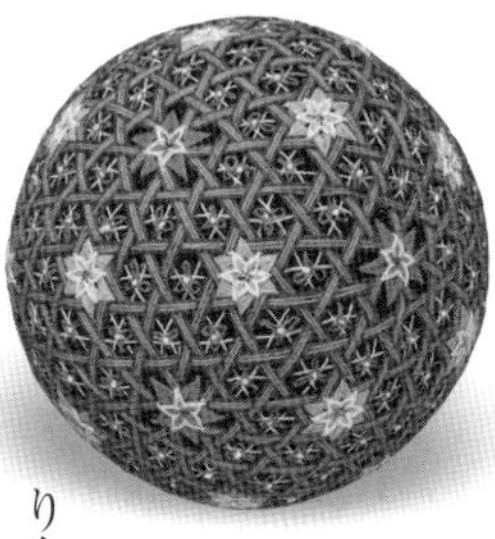

■材料
土台まり　円周52cm
地巻き糸　黒
地割り糸　白
かがり糸　木綿てまり糸1本どり　白　緑　紫　水　青　薄ピンク　濃ピンク　クリーム

■作り方／中級（三角60面体）

① クリーム1本どりで三角60面体をさらに3等分して92面体になる線をかがります（図1）。

② クリームでかがった中間を通して篭目にかがります。紫2、水1、青1、水1、紫2の7段の配色で巻きます（図2）。

③ 五角の中心と五角の中心の3か所を結ぶ三角の中心に上掛けの花をかがります。五角の花は濃ピンク5段、柱を替えて白2段で、六角の花は薄ピンク5段、柱を替えて白2段でかがります（図3）。

④ 篭目の小六角の中に緑で3弁のレゼーデージステッチをかがります（図3）。

制作／前田範子

図1

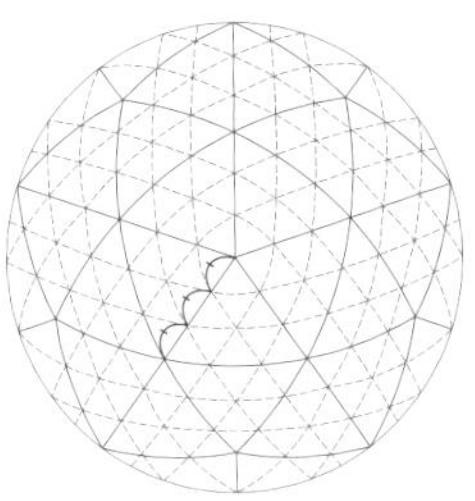

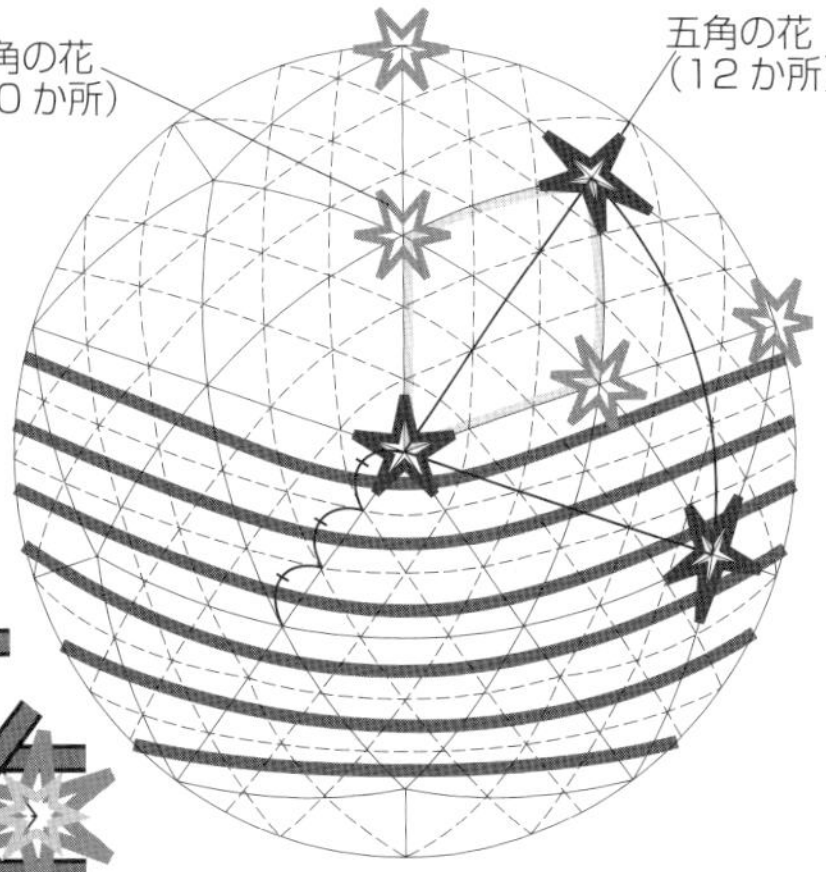

図2

図3

二色三角篭目・口絵4ページ

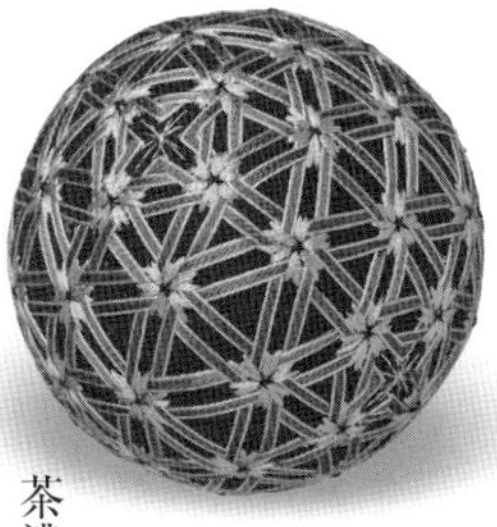

■材料
土台まり　円周33cm
地巻き糸　黒
地割り糸　ラメ糸
かがり糸　てまり糸　茶濃淡　緑濃淡　ピンク

■作り方／中級（8等分の組み合わせ）

① 菱の中心を通る補助線を4本入れます。

② 補助線の両側に緑と茶を0.5cm間隔で平行に巻きます。（中心濃色3本、縁取り薄色2本の計5本）四角の向かいどうし同色に巻いて組みます（図1）。

③ 三角8か所に0.5cm間隔で茶と緑で、三角を5段かがります。巻いてできた三角の外側と同色にして組みます（図2）。

④ ②の巻きと③の三角の間に茶と緑で0.5cm間隔で巻きます（図3）。

⑤ 交差点にピンク2本どりで松葉かがりの花を入れて黒糸で止めます（図4）。

図1

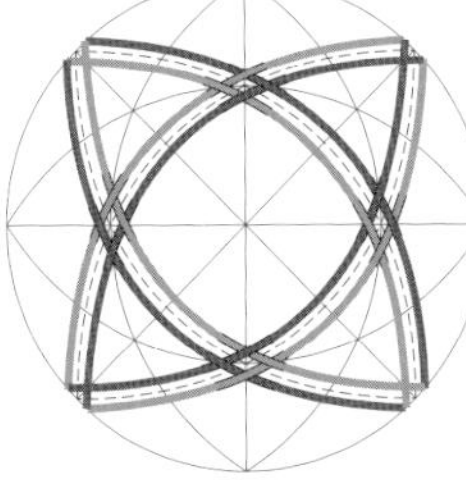

図2

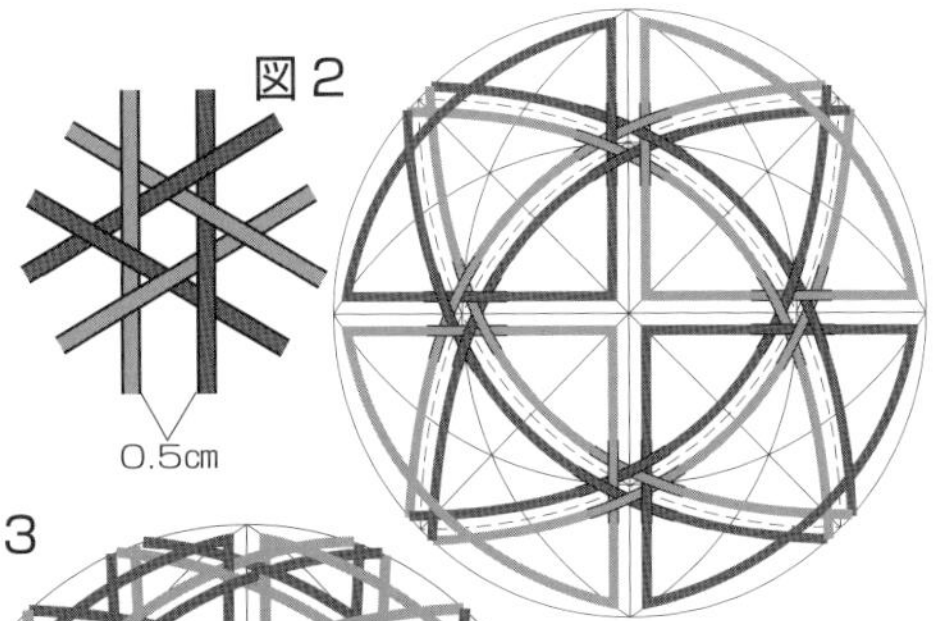

図3

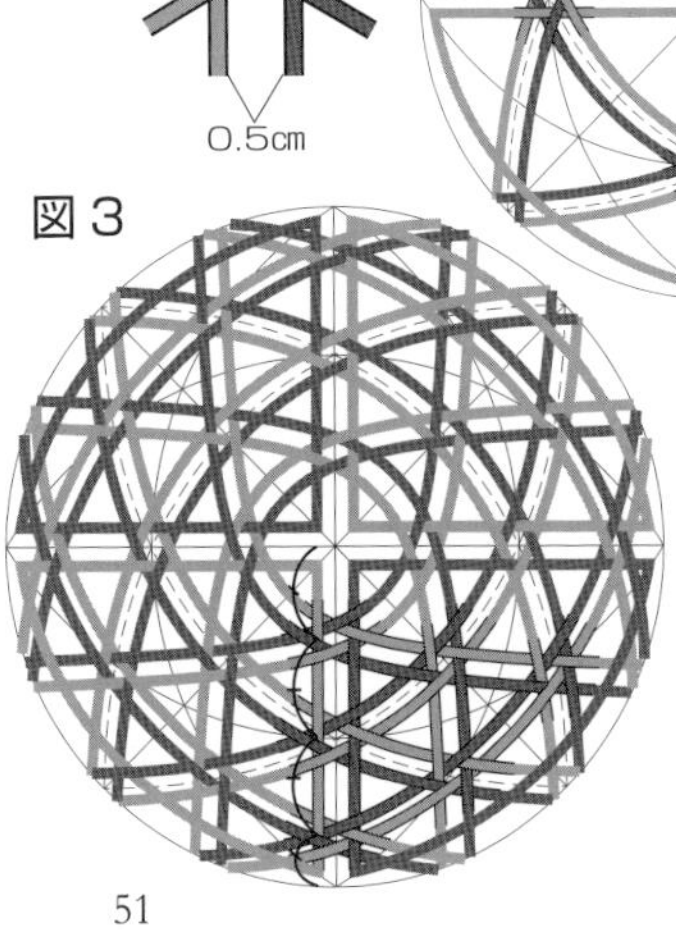

図4

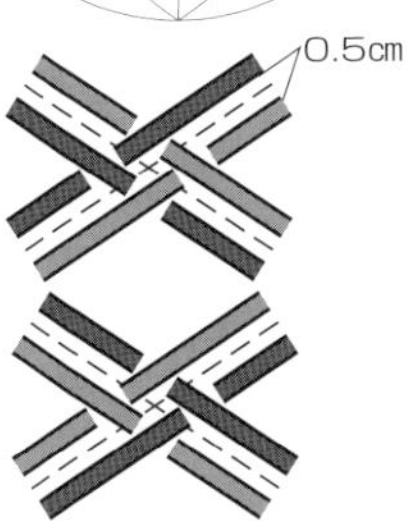

花篭1・口絵4ページ

■材料

土台まり　円周32cm
地巻き糸　黒
地割り糸　ラメ糸
かがり糸　木綿てまり糸1本どり　白
緑　ピンク

■作り方／中級（10等分の組み合わせ）

① 菱の中を4本巻き、篭目を組みます。緑4本と中心に白を1本通し、5段の縞で40か所巻きの篭目をかがります。

② 五角の中心にピンクで上掛けの花を4段かがり、上に柱を替えて白の上掛けの花を1段かがります。

制作／前田範子

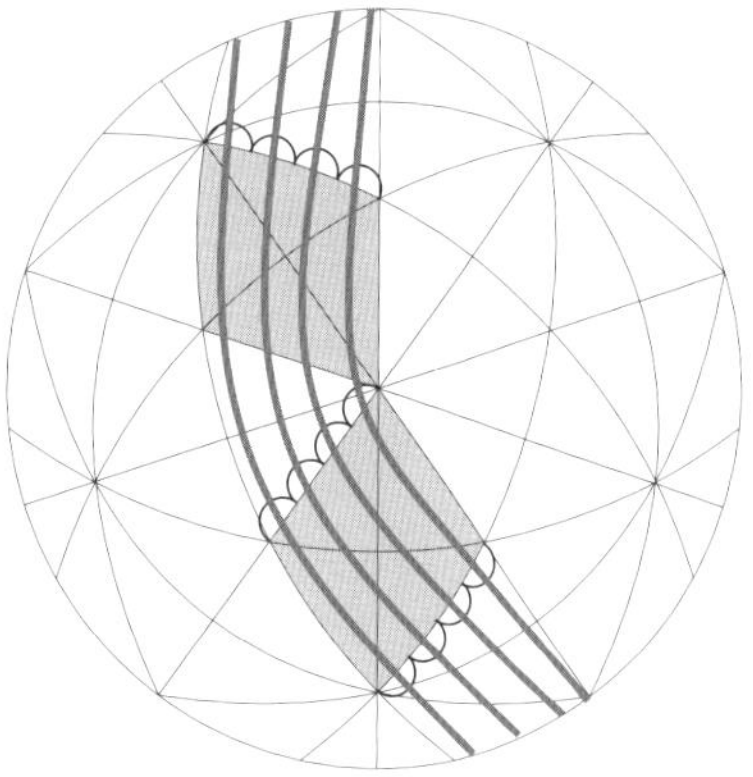

花網代・口絵5ページ

■材料

土台まり　円周32cm
地巻き糸　白
地割り糸　ラメ糸
かがり糸　てまり糸
赤濃淡　緑　紺

■作り方／上級（10等分の組み合わせ）

① 五角の中心から長い線に沿って大三角を赤1本どりで4段、薄赤1段を20か所にかがります。長い線の1/2の両側にも5段ずつ巻きます。中心が薄赤で交差するところは組みます（図2）。

② 長い線の1/4の両側に緑4段、紺1段を巻き、くぐらせて組みます（図3・4）。

制作／横井瑛子

図1

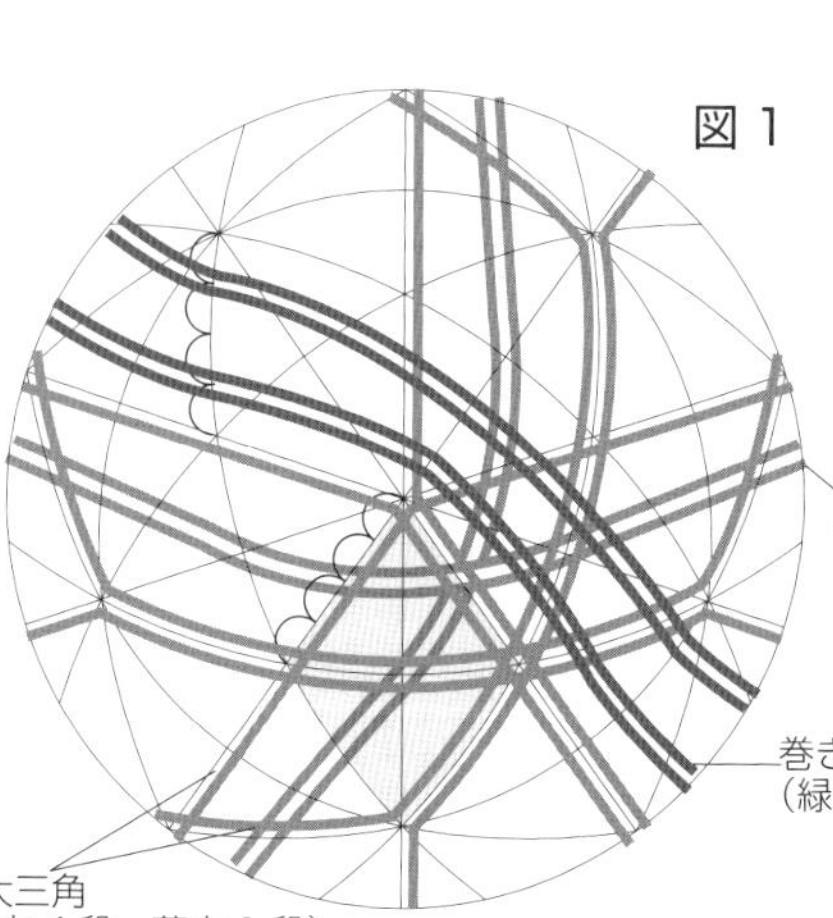

図2

図3

図4

◈二色花組篭目・口絵5ページ

■材料
土台まり　円周33cm
地巻き糸　白
地割り糸　ラメ糸
かがり糸　てまり糸
赤濃淡　黄濃淡　紺
薄緑

■作り方／上級（8等分の組み合わせ）

① 三角を6等分する印を入れます。

② 6等分の印の1/3の幅で三角をかがります（図1）。2色（赤濃淡と黄濃淡）で1か所おきに4か所ずつかがります（薄色3段、中色2段、濃色2段）。

③ 補助線の両側に2色で巻きます。三角の内側に同じ色が集まるように巻きます（図1）。補助線側を濃くします。三角との交差は、同色は右上（右前）、違う色との交差は左上（左前）に組みます（図2・3）。

④ 2色三角網代を組んで（図4・5）紺2、薄緑1、紺1、薄緑1、紺2の7段で3方向からくぐらせて巻きます（図6）。

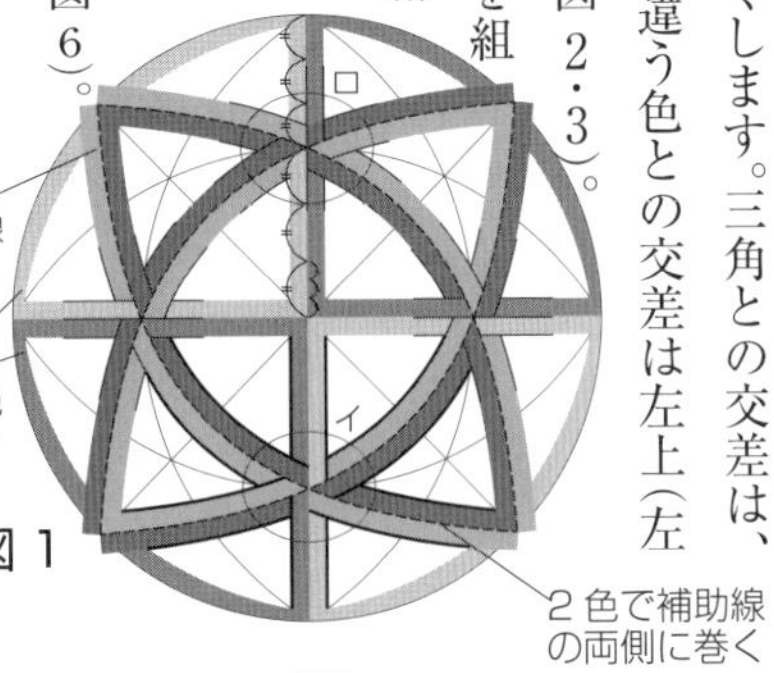

図1

図2

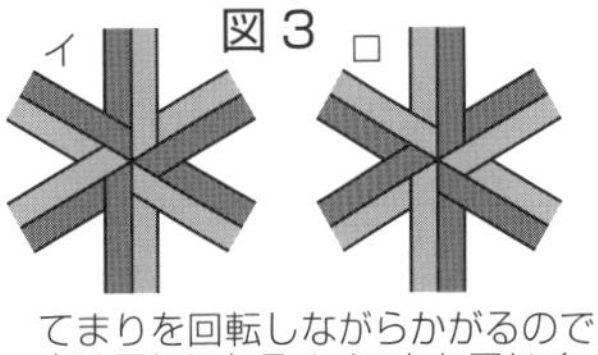

図3
てまりを回転しながらかがるのでくぐり方は同じになる（イロとも同じくぐり方）

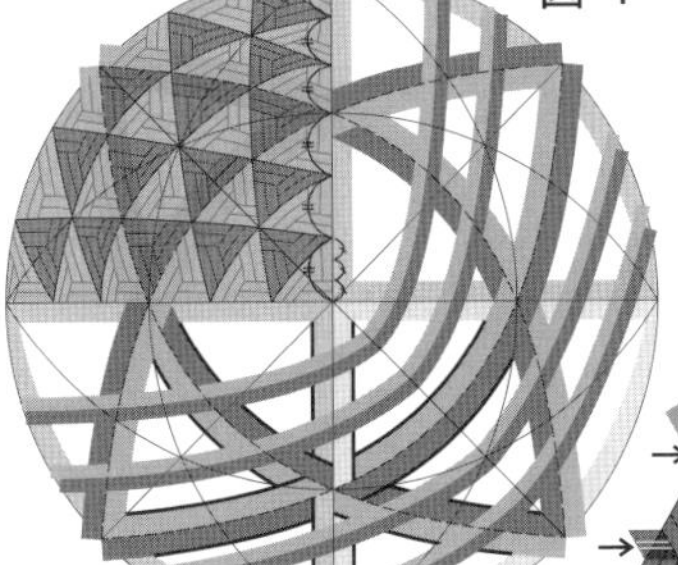
図4

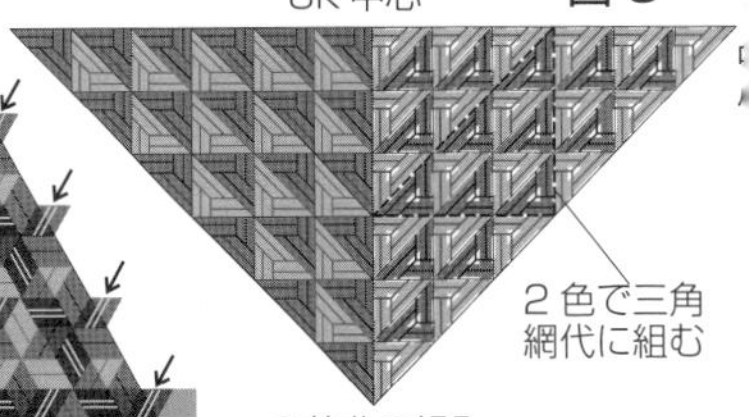

図5

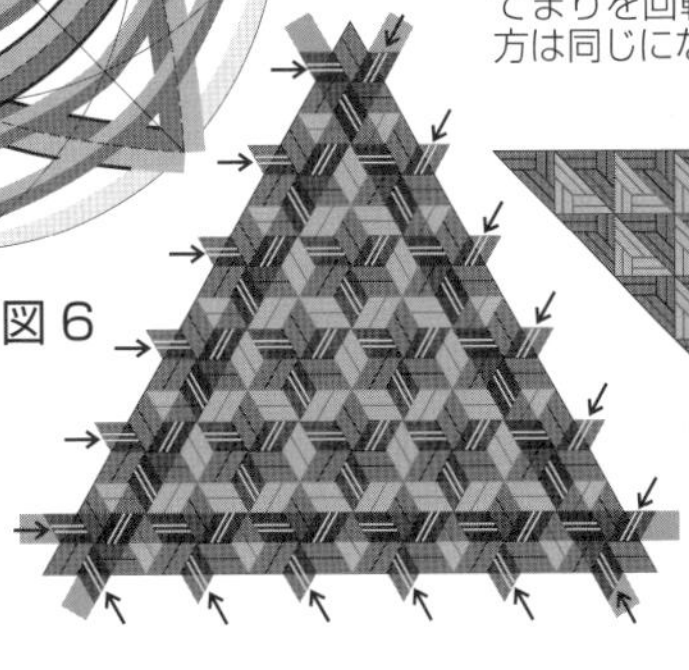
図6

◈舞萩1・口絵4ページ

■材料
土台まり　円周27cm
地巻き糸　黒
地割り糸　ラメ糸
かがり糸　木綿てまり糸または絹糸　緑濃淡　花の薄色4色

■作り方／上級（三角60面体）

① 三角の1/2を通る10本巻き篭目を左上に巻きます。

② 20本巻きは1/6を2か所通して右上に巻きます。3本乗り3本くぐることになります。

③ 五角と六角の周囲の三角の中にレゼーデージステッチの花を3弁ずつかがります。五角の花の輪が12か所、六角の花の輪が20か所にできます。

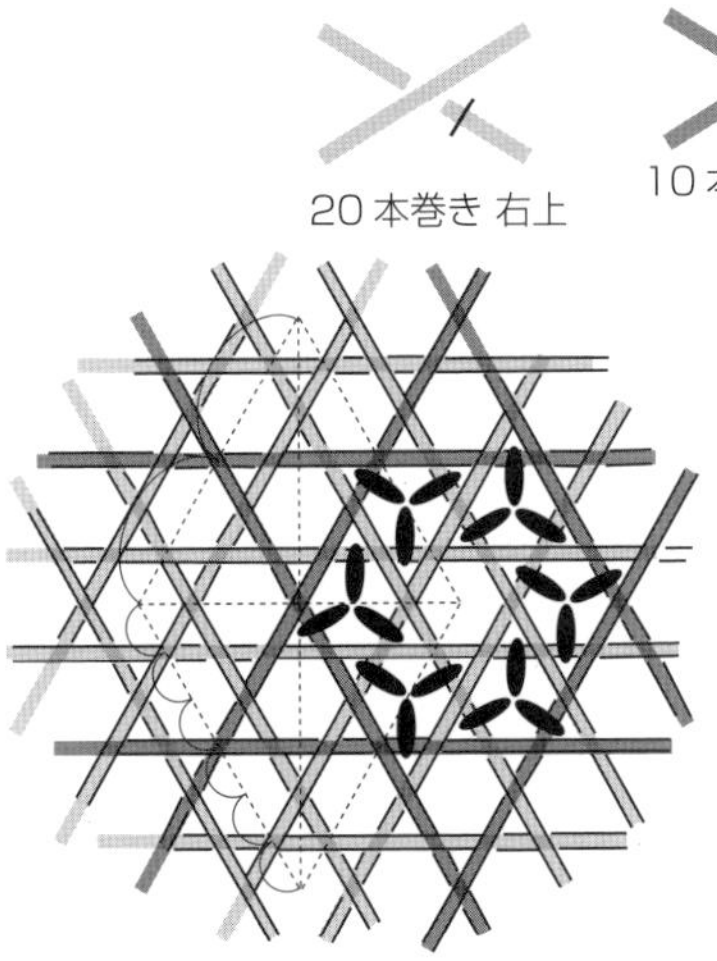

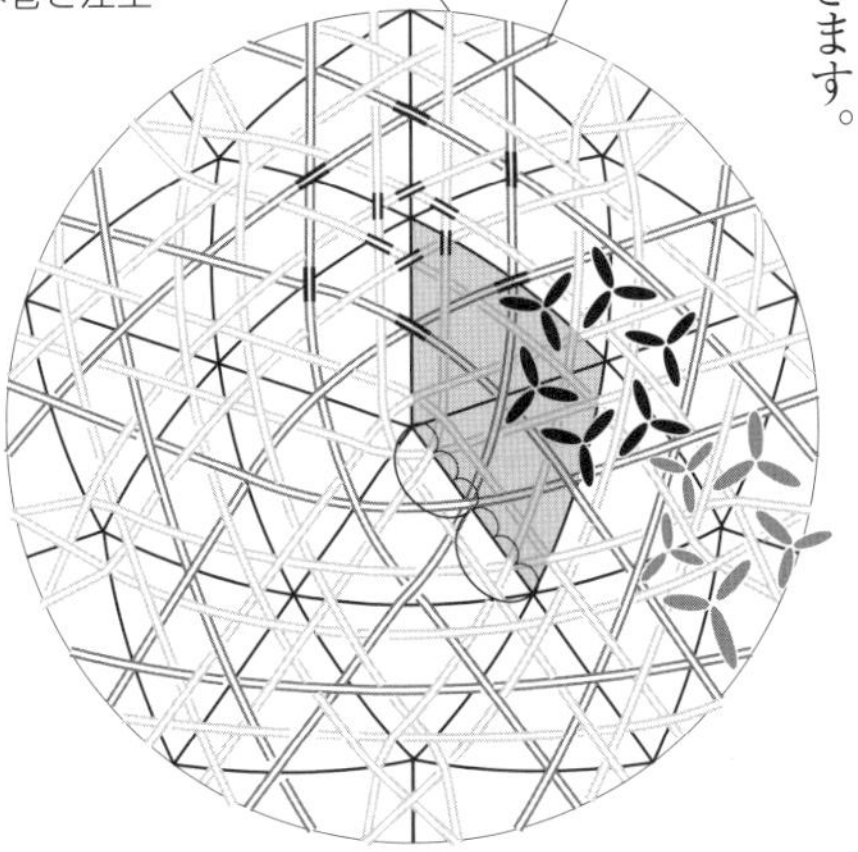

舞萩2・口絵4ページ

■材料
土台まり　円周33cm
地巻き糸　紺
地割り糸　ラメ糸
かがり糸　木綿てまり糸　紺　薄緑　ベージュ　薄黄　水　白

■作り方／上級（10等分の組み合わせ）
① 緑濃淡の3本で三角の1/4を通り12本巻きの篭目を左上に巻きます（図1）。
② 24本巻篭目は1/8を2か所通して右上に巻きます。3本乗り、3本くぐらせて三角篭目を組みます（図3）。
③ 五角の周囲の三角にベージュ4段かがった花びら3枚を5か所にかがり、花の輪にします。12か所に花の輪をかがります。
④ 菱中心の六角の周囲の三角にも3弁の花を6か所にかがり、花の輪にします。4色で花の輪を30か所にかがります。

図1
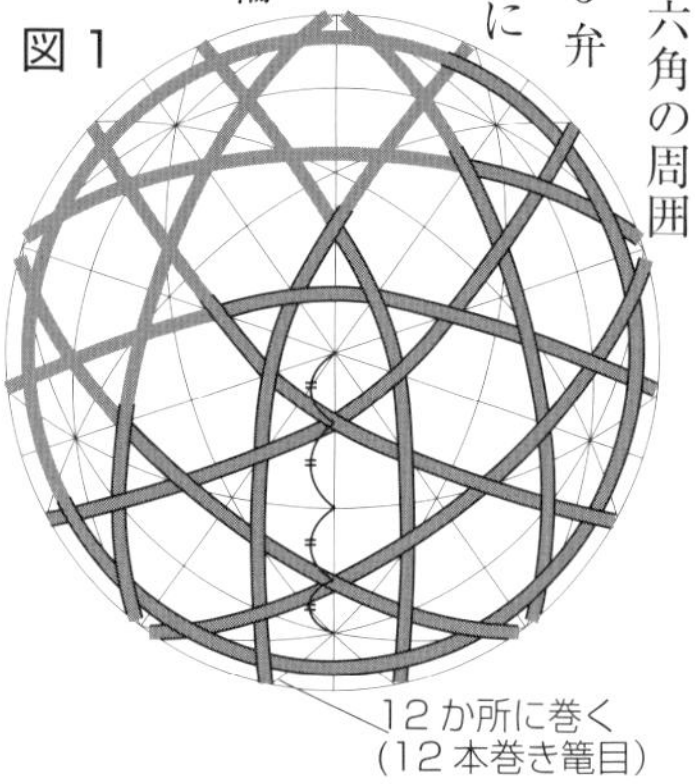

図2
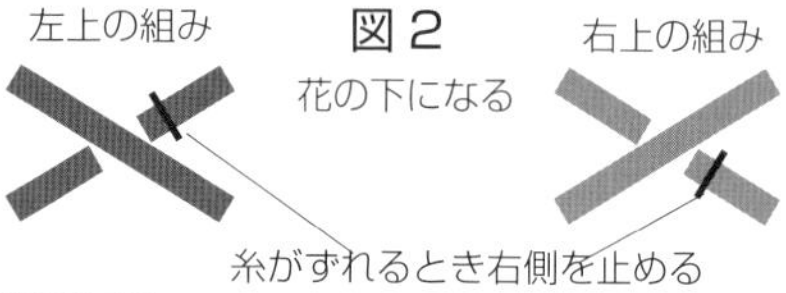

図4
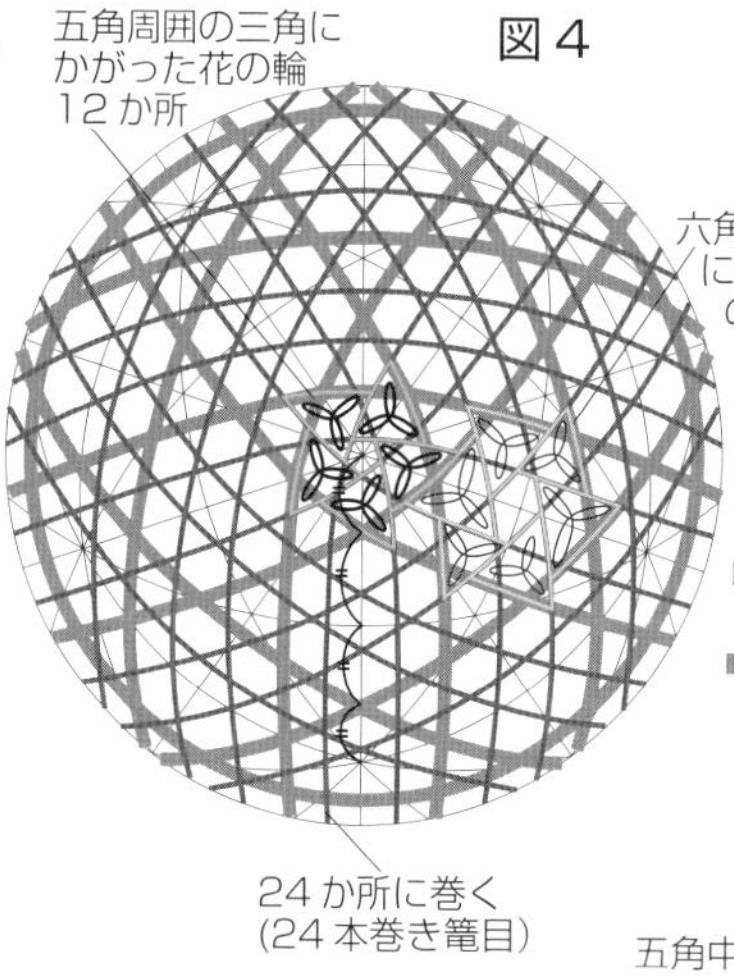

図3
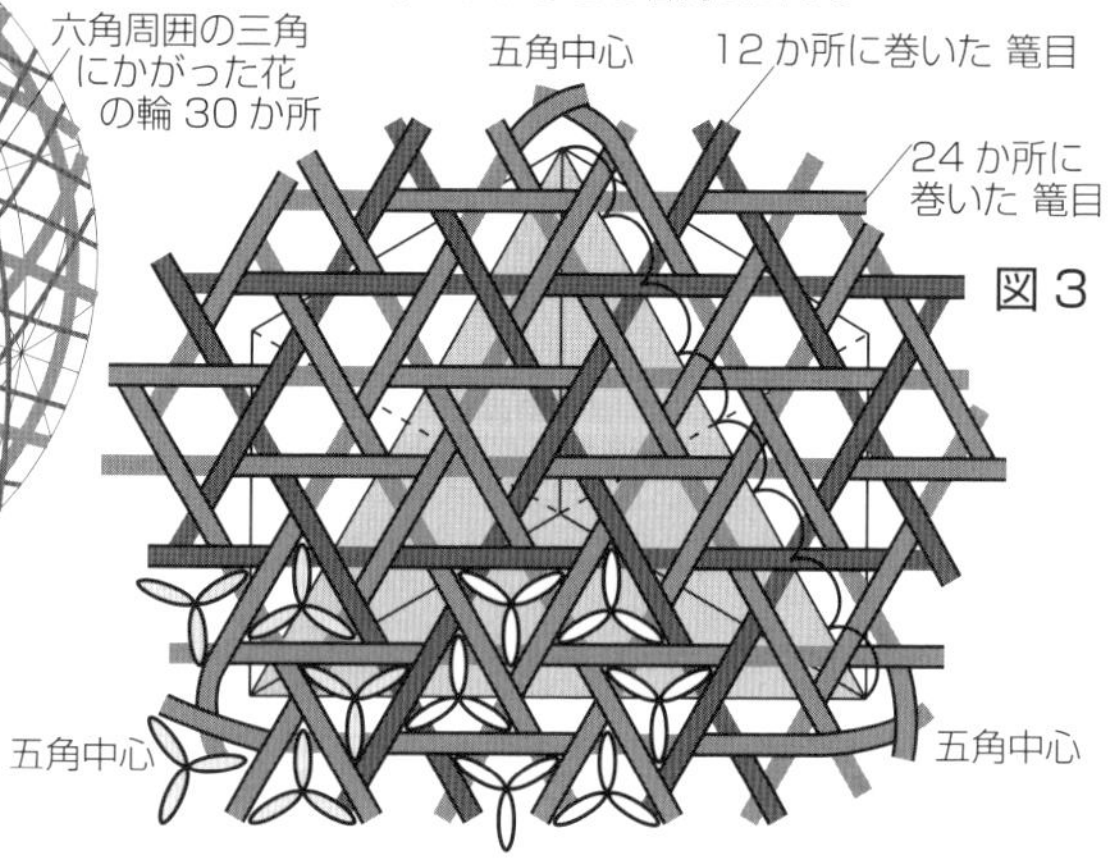

万作の花・口絵5ページ

■材料
土台まり　円周36cm
地巻き糸　茶
地割り糸　ラメ糸
かがり糸　木綿てまり糸　白　黄　紺　茶

■作り方／上級（三角60面体）
① 三角60面体を2等分する補助線を入れます（図1）。
② 補助線の小三角の1/6から黄2段、白2段で巻きかがります。全体に巻きかがり花になる六角で篭目になるようにくぐらせて巻きます（図2）。
③ 花の周囲に篭目を1/6の幅で紺1、茶2、紺1の4段で巻きかがります（図3）。

図1
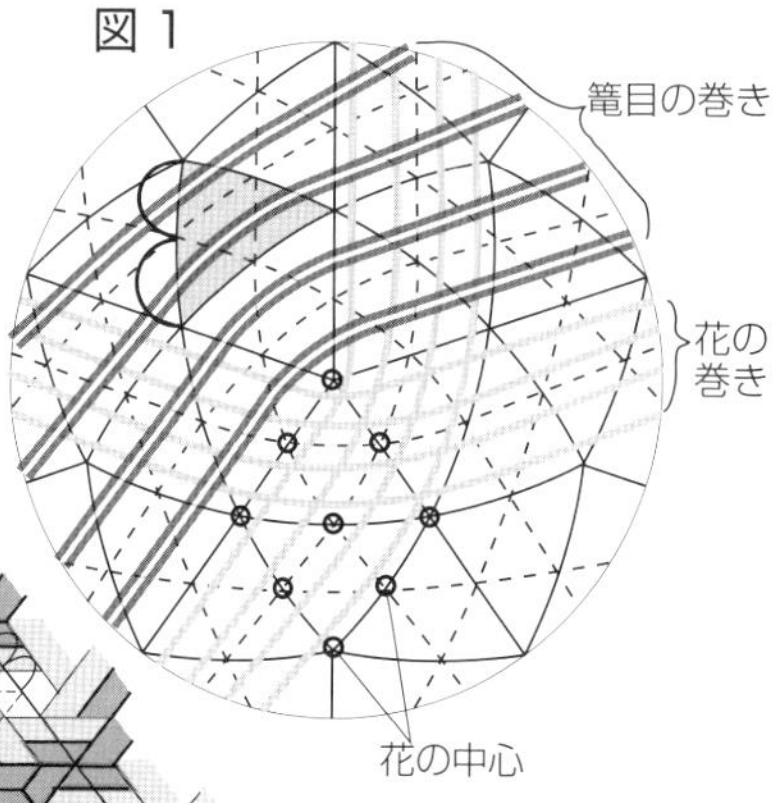

図2

図3
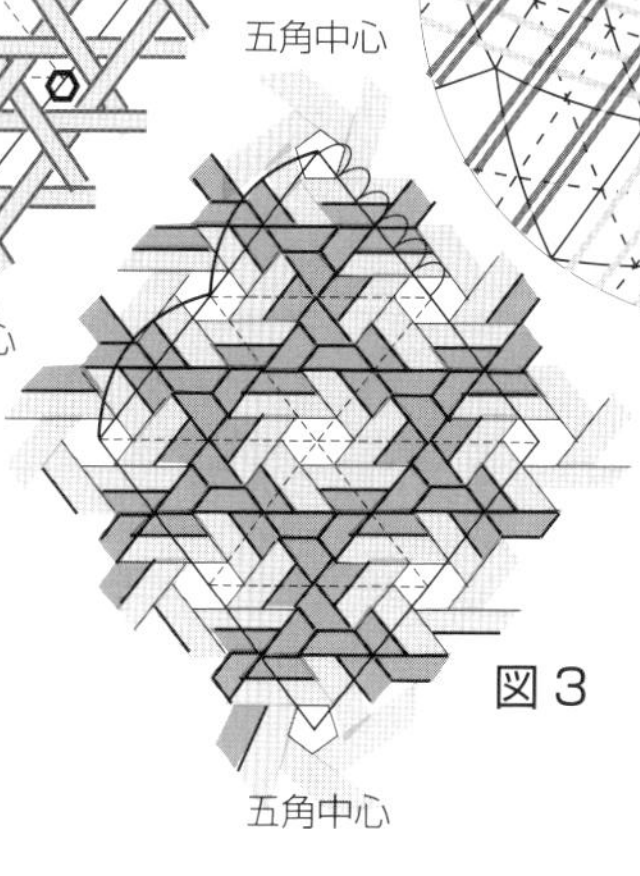

雪が舞う・口絵9ページ

■材料
土台まり　円周40cm
地巻き糸　黒
地割り糸　ラメ糸
かがり糸　てまり糸
生成り　薄ピンク
薄クリーム　薄水　薄紫　銀糸

■作り方／初級（10等分の組み合わせ）

① しつけ糸で92面体の補助線を入れます。

② 小五角12か所（A）と10等分の組み合わせの三角の中心の小六角20か所（B）を除いて上掛けの花をかがります（図1）。

③ Bの周囲に6個の花を薄ピンク1本どりで4段かがります。中心に松葉かがりを3本かがり、細かく止めます（図2）。花の輪中心の六角にも銀糸で花を2段かがります。

④ 球全体の4か所に薄ピンク、薄クリーム、薄水、薄紫の花の輪をかがり中心に銀糸の花もかがります。

⑤ 残りの小六角は白い花をかがりますが、Bの部分はかがりません。

⑥ 地割の補助線を取り除きます。

制作／谷村葉子

図1

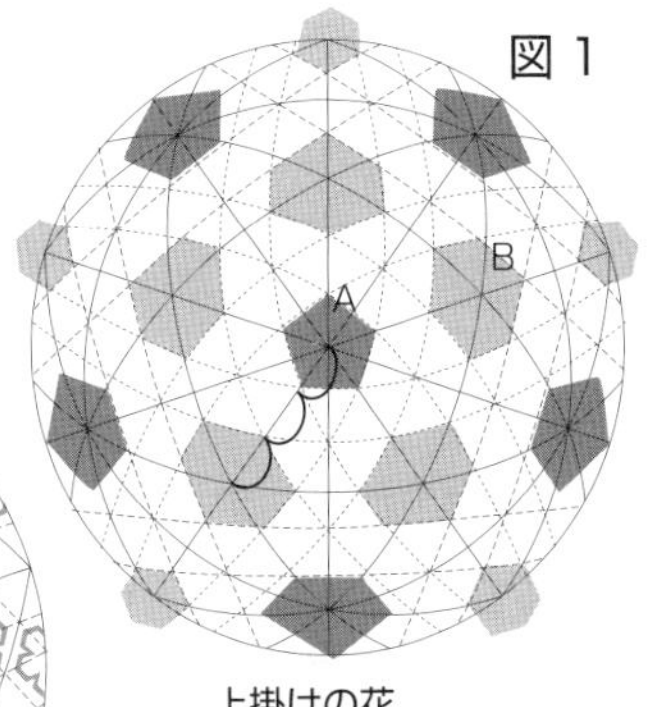

上掛けの花

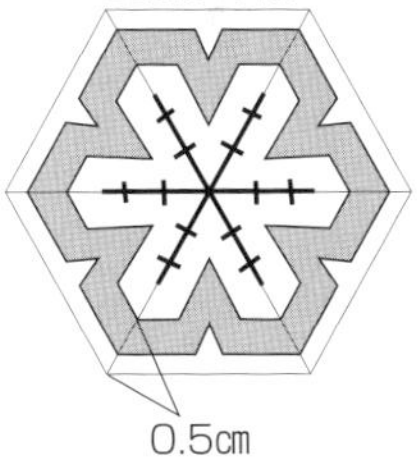

図2

シャボン玉・口絵9ページ

■材料
土台まり　円周36cm
地巻き糸　黒
地割り糸　細金ラメ
かがり糸　25番刺繍糸1本どり　ピンク
黄　緑　水　青　灰　橙　赤　紺

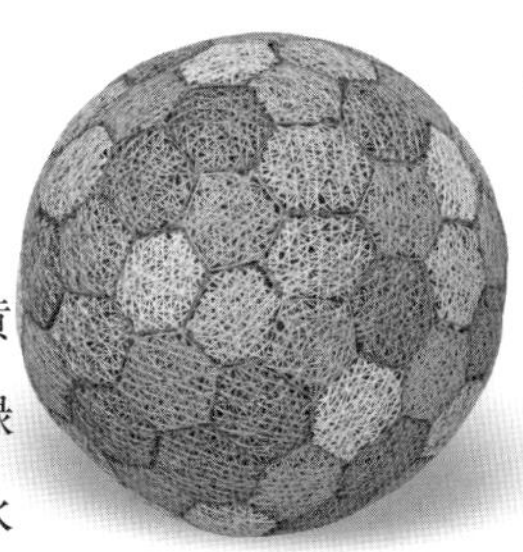

■作り方／中級（10等分の組み合わせ）

① 10等分の長い線の$1/3$の六角の中に25番刺繍糸1本どりで3等分して、さらに小三角に垂直線を入れます。五角の周囲の六角を5色で同様にかがります。

② $1/3$の五角の中も同じようにピンクで12か所かがり、赤で縁取りをします。

③ 10等分の組み合わせで三角中心にできる六角20か所も橙で同じようにかがります。

④ 六角の周囲を紺で縁取りをします。

制作／鳥谷部可矢子

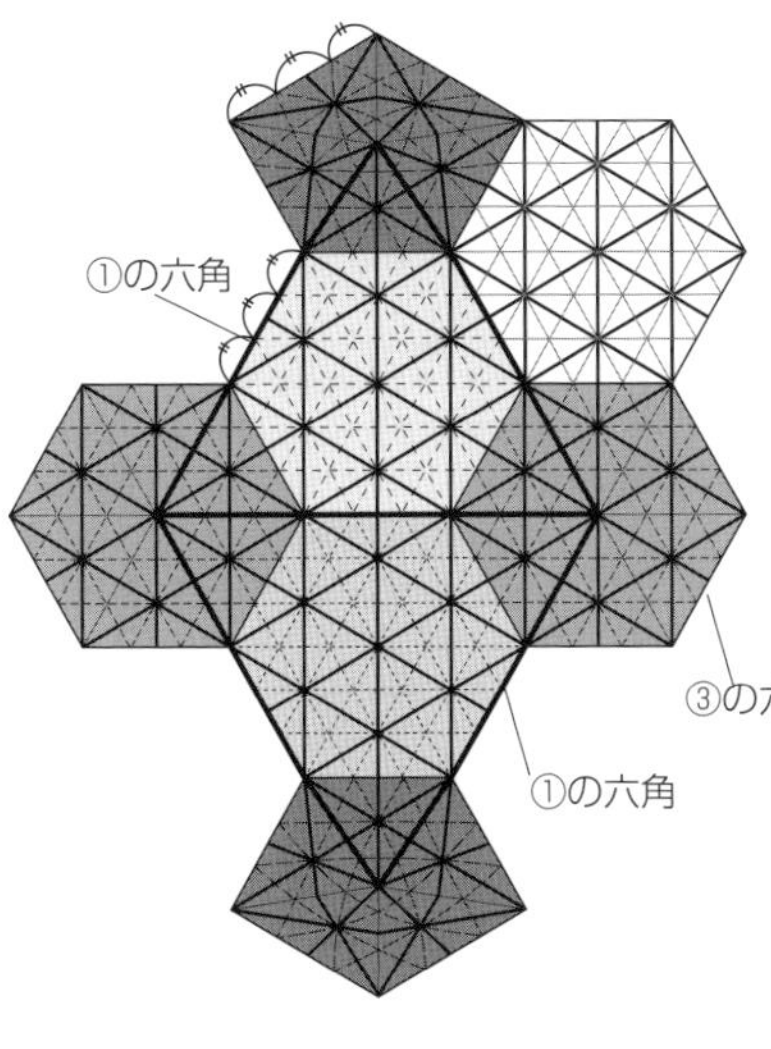

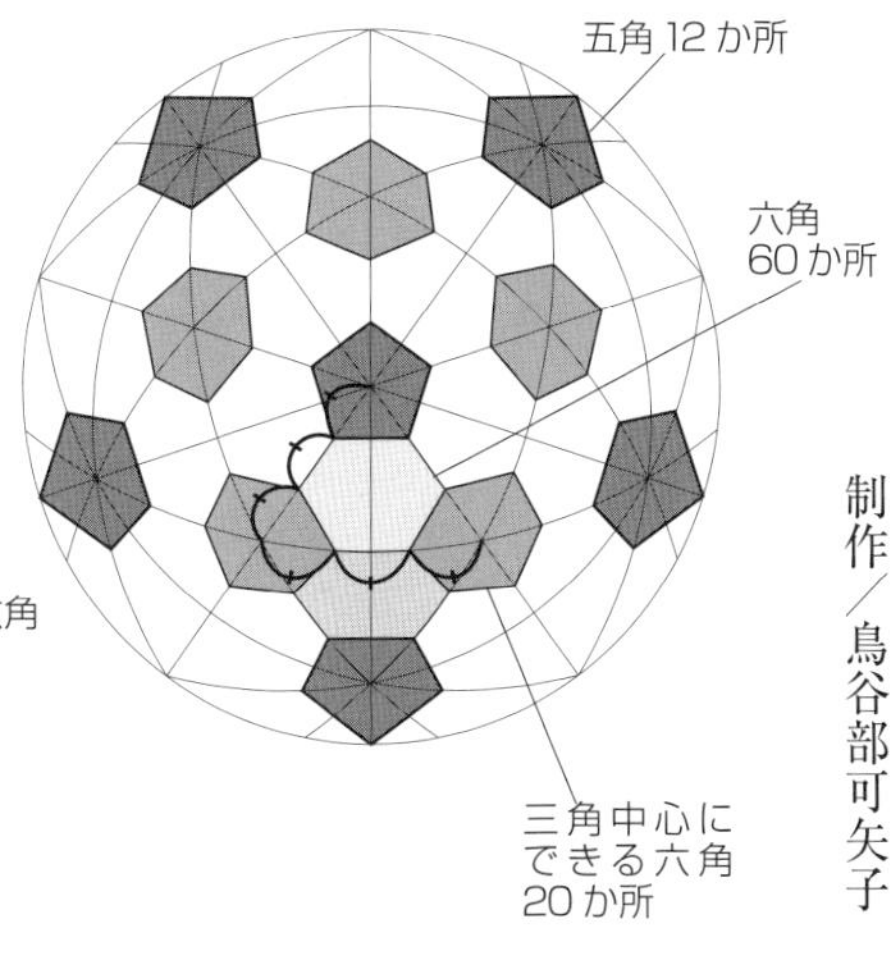

❖花園・口絵9ページ

■材料
土台まり　円周45cm
地巻き糸　黒
地割り糸　金ラメ糸
かがり糸　てまり糸
1本どり　ピンク濃淡　赤濃淡　青濃淡　黄緑　金ラメ糸

■作り方／中級（10等分の組み合わせ）

① 五角の中心と中心の間を6等分する補助線を入れて122面体にします。小六角を12等分にする補助線を入れます。

② 小五角12か所に濃ピンク1段、薄ピンク2段の花をかがります。

③ 五角の周囲の小六角5か所に濃赤2段、薄赤1段の花をかがります。

④ 赤い花の周囲の六角に青2段、薄青1段の花と青2段、黄緑1段の花を交互にかがります。

制作／小屋朝子

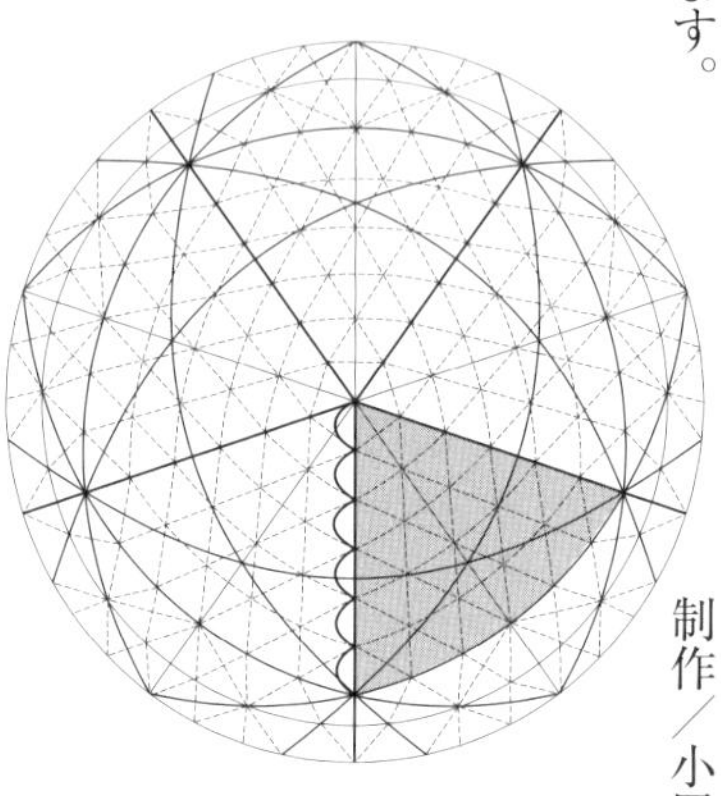

❖ダイヤモンドダスト・口絵9ページ

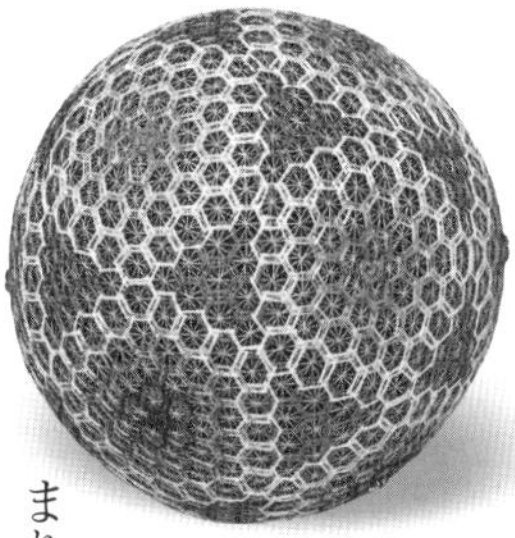

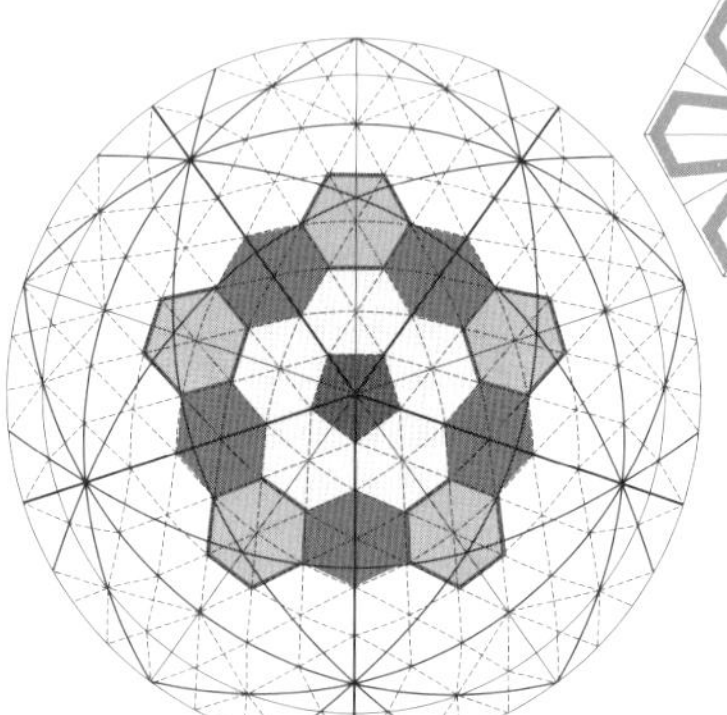

■材料
土台まり　円周48cm
地巻き糸　黒
地割り糸　ラメ糸
かがり糸　色ラメ糸6色　白ラメ糸　てまり糸　紺　青　ピンク　緑　紫　茶　橙の各6色の濃淡3色

■作り方／中級（10等分の組み合わせ）

① ラメ糸で五角の中心間を9等分して272面体になる補助線を入れます。さらに小三角を垂直に分ける補助線を入れて、812面体にします。

② てまり糸1本どりの濃橙で小五角の周囲の六角のやや外側に六角を5個かがります。中橙で次の六角10個、薄橙で次の15個をかがります。五角の周囲の12か所に濃い色から小六角を6組の3色濃淡でかがります。さらに外20個の六角は白ラメ糸でかがります。

③ かがり残った六角10個は紺でかがります。

④ 12か所の小五角の中に同色のラメ糸の玉結びで埋めます。

制作／松下良子

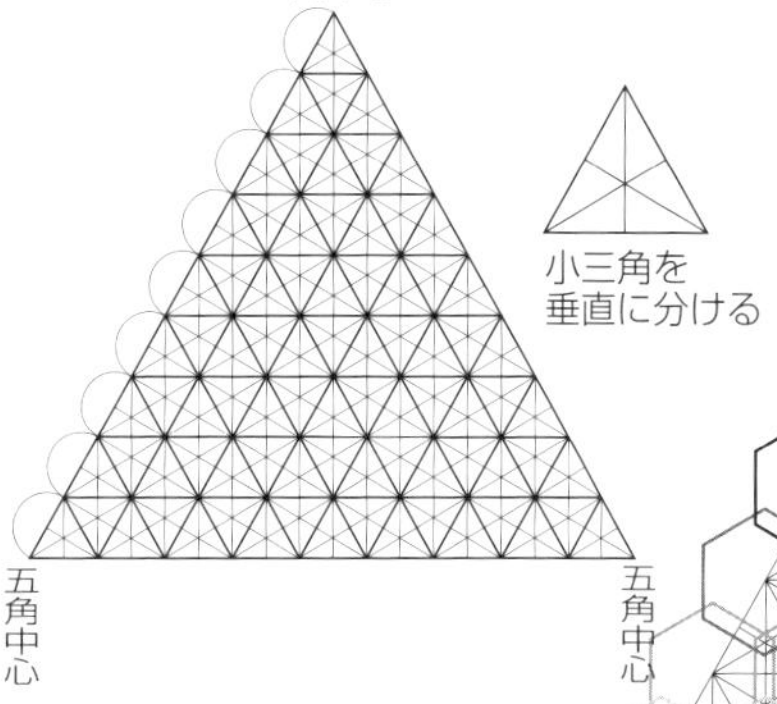

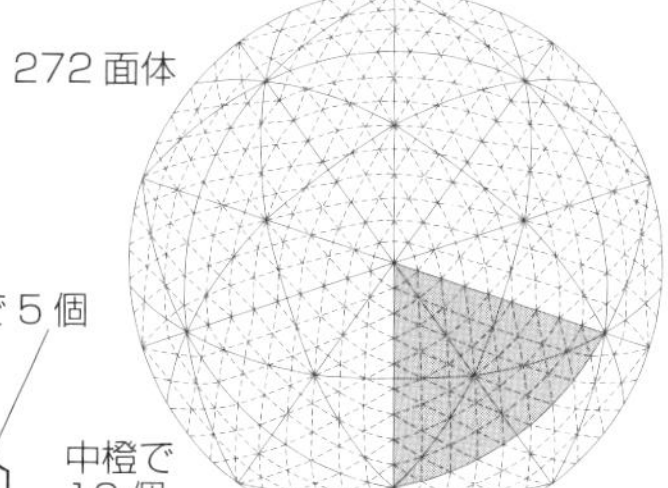

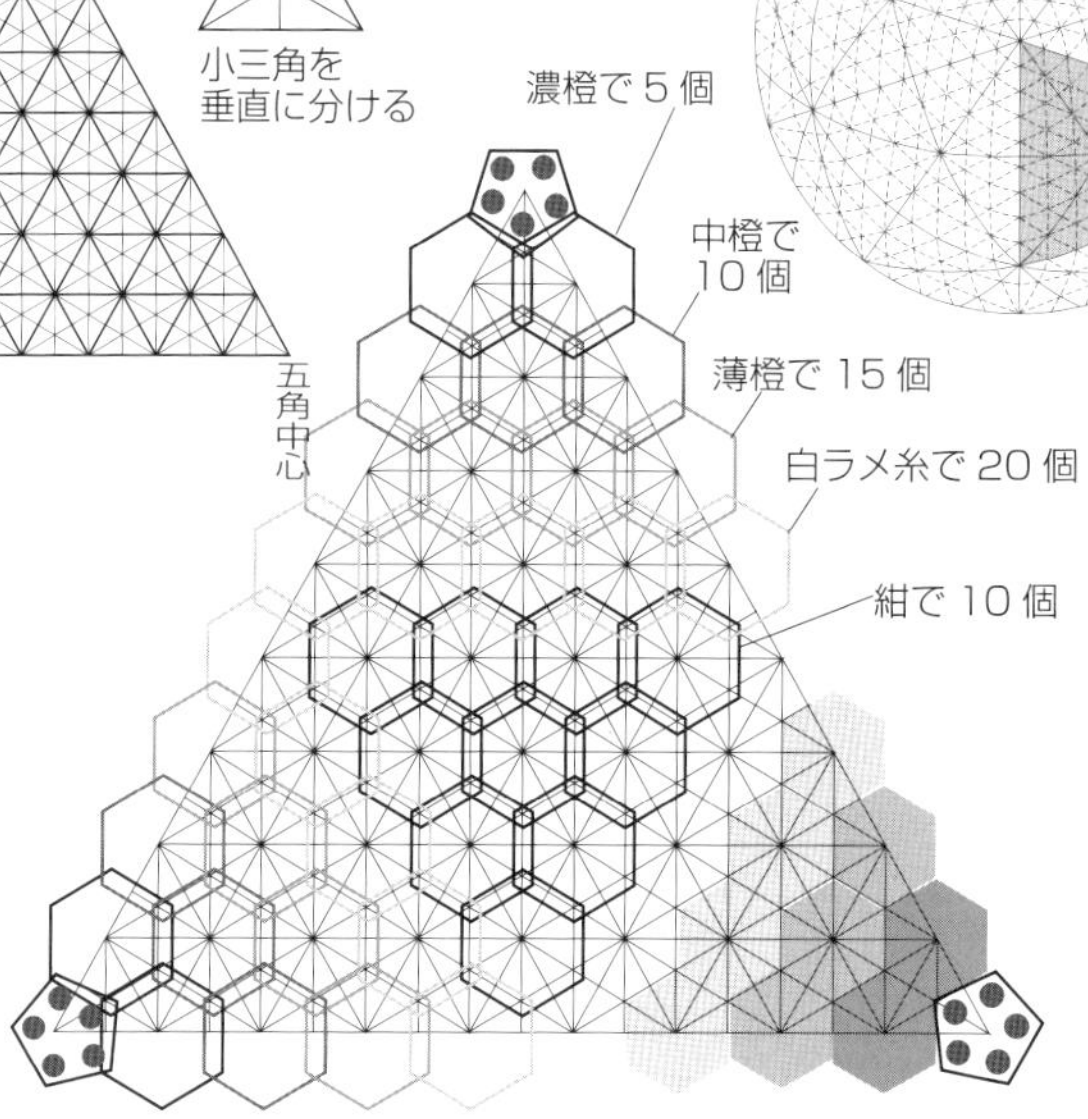

❖ 陰八重梅1・口絵9ページ

■材料

土台まり　円周47cm

地巻き糸　黒

地割り糸　ラメ糸

かがり糸　てまり糸

赤　黄

■作り方／中級（10等分の組み合わせ）

① 10等分の組み合わせの五角中心の3か所をつなぐ三角を18等分してスパークルラメ糸で3242面体を作ります（図1）。

② 五角12か所に赤糸の花1本どりで2段ずつ二重にかがります。

③ 菱形30か所に黄糸1本どりで2段ずつの花をかがります。

制作／酒井禮子

図1

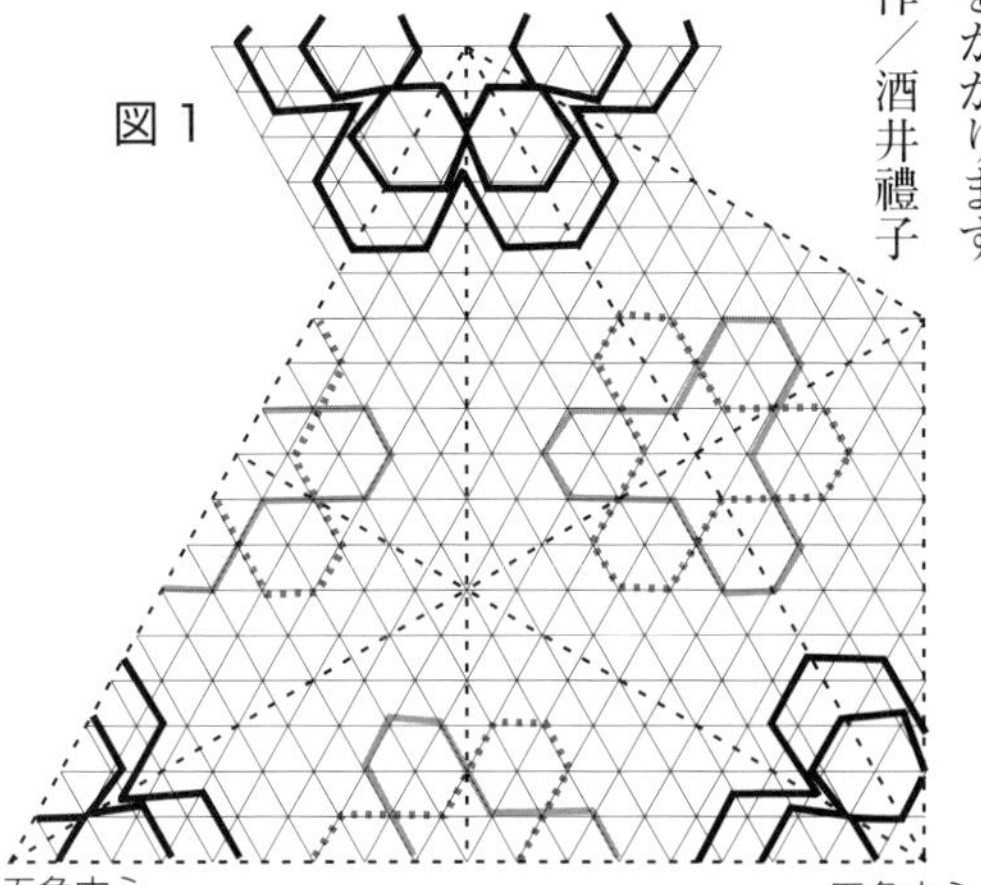

❖ 陰八重梅2・口絵9ページ

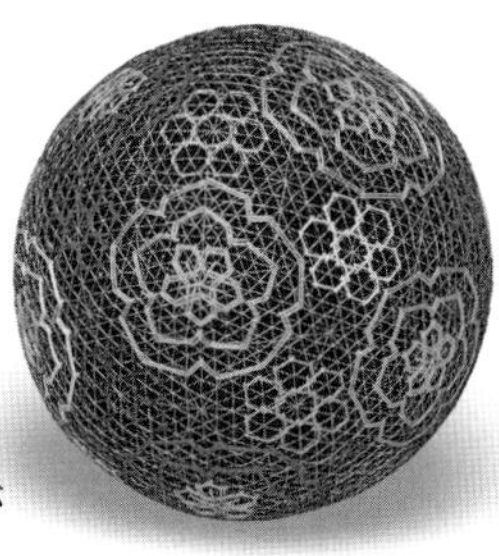

■材料

土台まり　円周49cm

地巻き糸　黒

地割り糸　スパークルラメ糸

かがり糸　てまり糸

赤　黄　ピンク　紫　白

■作り方／中級（10等分の組み合わせ）

① 10等分の組み合わせの中心の間を18等分してスパークルラメ糸で3242面体を作ります（陰八重梅1参照）。

② 五角12か所に黄糸の花1本どりで2段と外側に白、赤、ピンクの糸で花を二重にかがります。

③ 三角20か所に白、紫、ピンク、赤の花をかがります。

制作／酒井禮子

花をかがる五角と菱形の位置

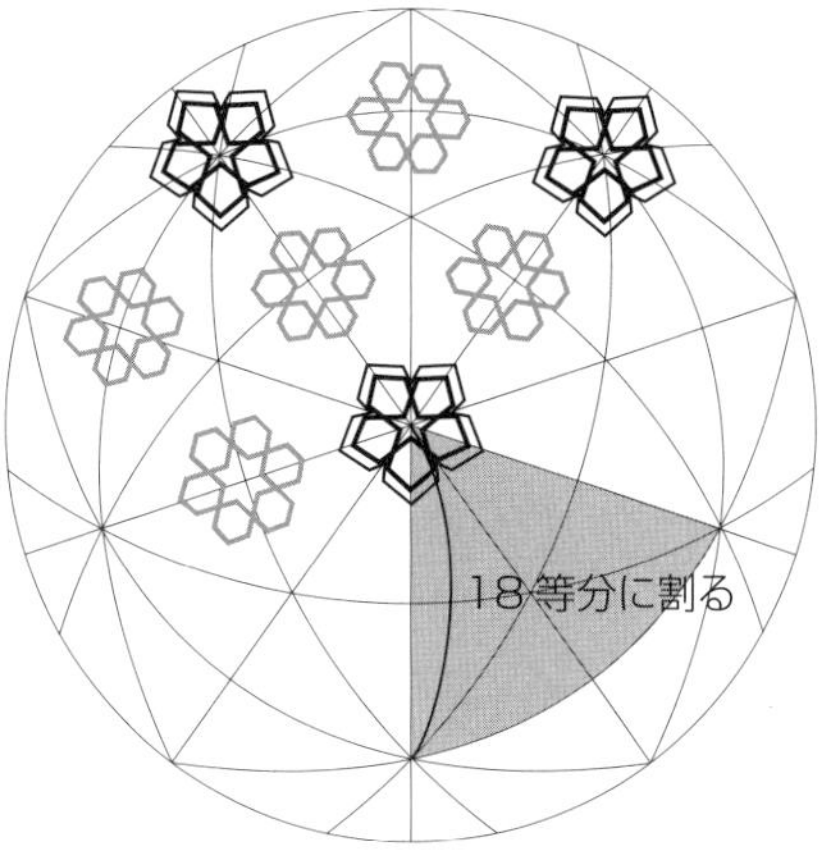

五角中心の花

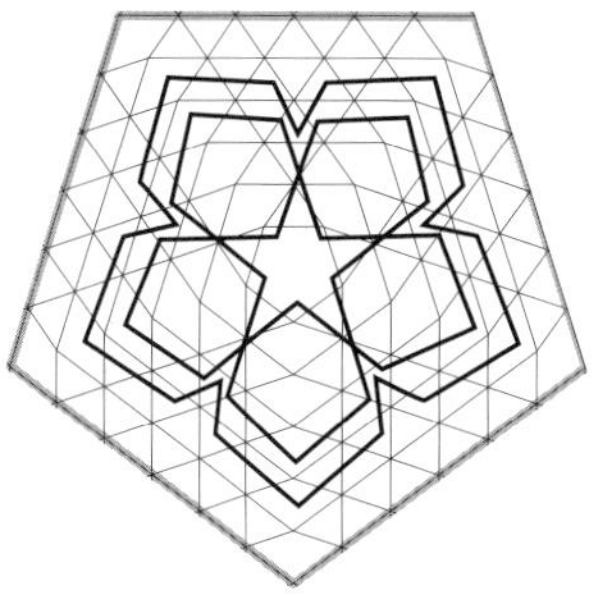

花をかがる五角と三角の位置

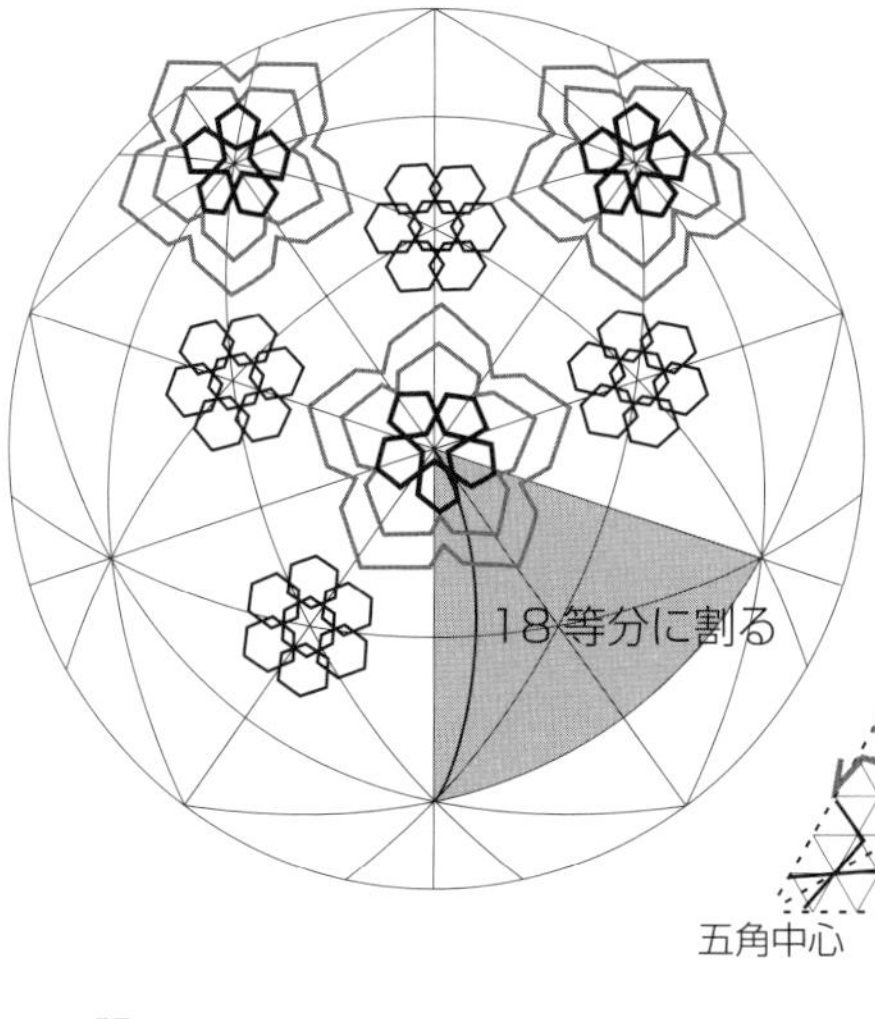

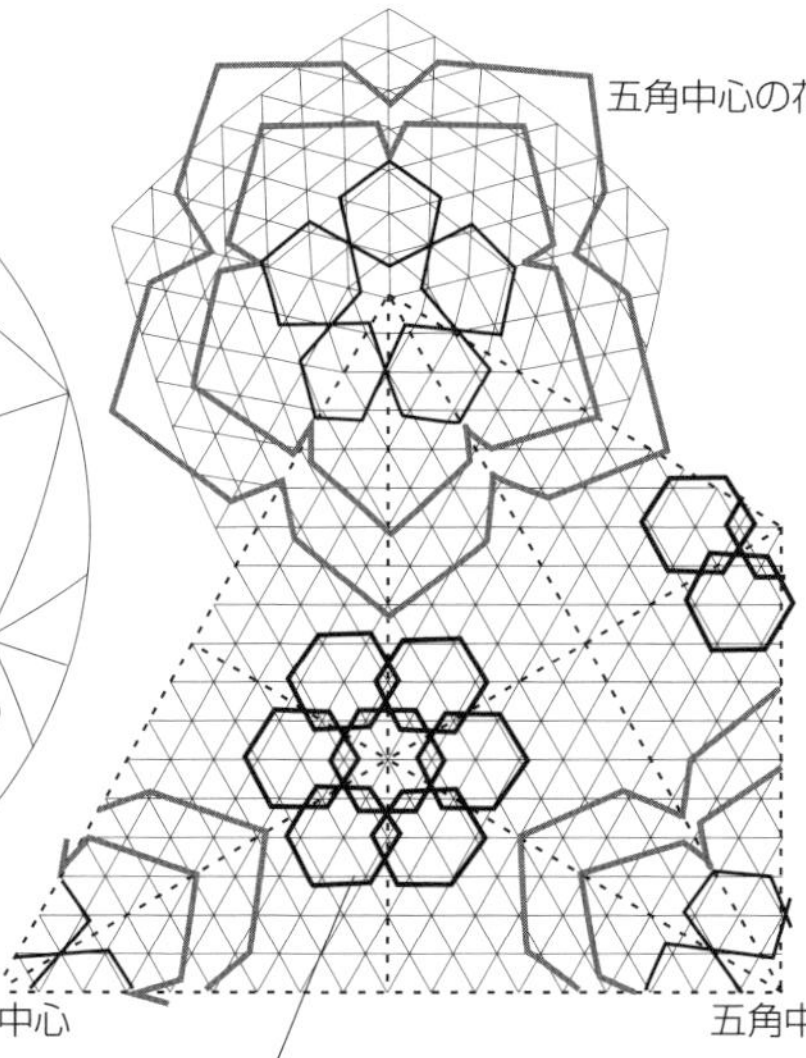

二色三角麻の葉・口絵11ページ

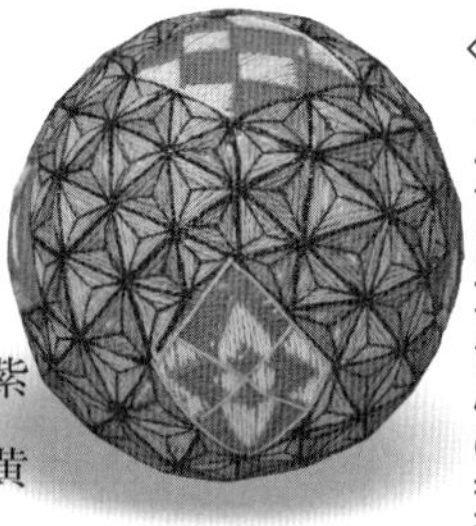

■材料

土台まり　円周27cm

地巻き糸　白

地割り糸　ラメ糸

かがり糸　木綿糸

紫　黄　ピンク濃淡　紫ラメ糸

■作り方／中級（42面体）

① 42面体の補助線でできた小三角の⅓の幅を黄で菱の周囲4か所に2本ずつ平行に巻きます（図1）。菱をつなぐ線もかがります。

1つおきの三角の中心で交わります（図2）。

② 紫で⅓の幅に巻きます（図3）。

③ ①、②を1段交互に⅓の幅を埋めます。

④ 麻の葉かがりの線をかがります。

⑤ 菱に好みの模様をかがります。

図1

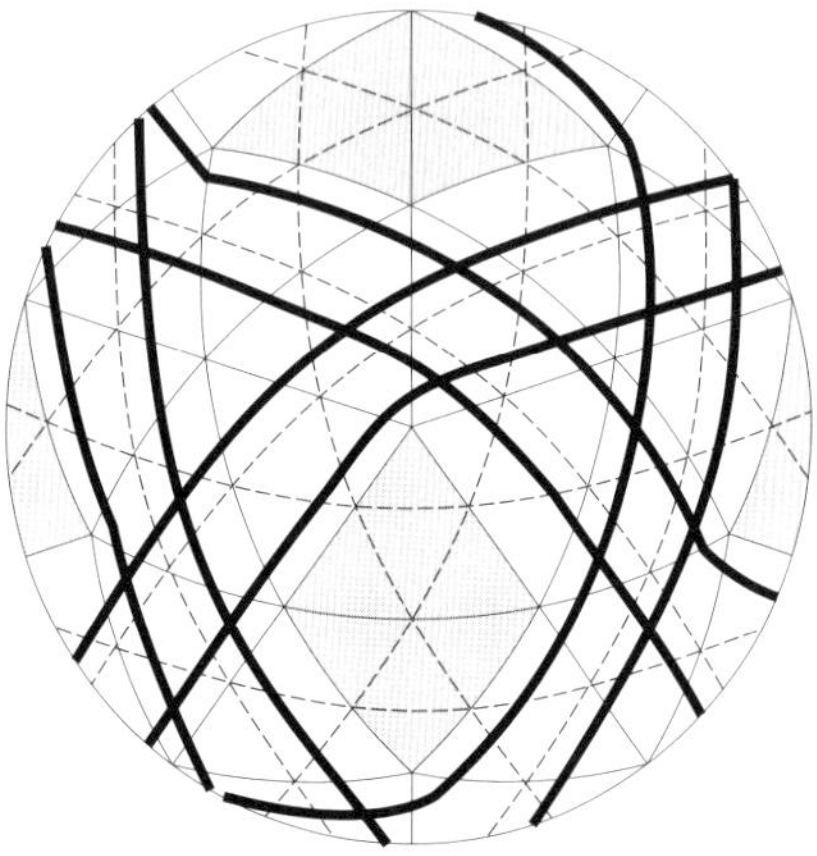

菱形6か所をしつけ糸で印を付ける

三角麻の葉・口絵11ページ

■材料

土台まり　円周27cm

地巻き糸　白

地割り糸　ラメ糸

かがり糸　木綿糸

ピンク　紫　水

黄緑　青ラメ糸

図2

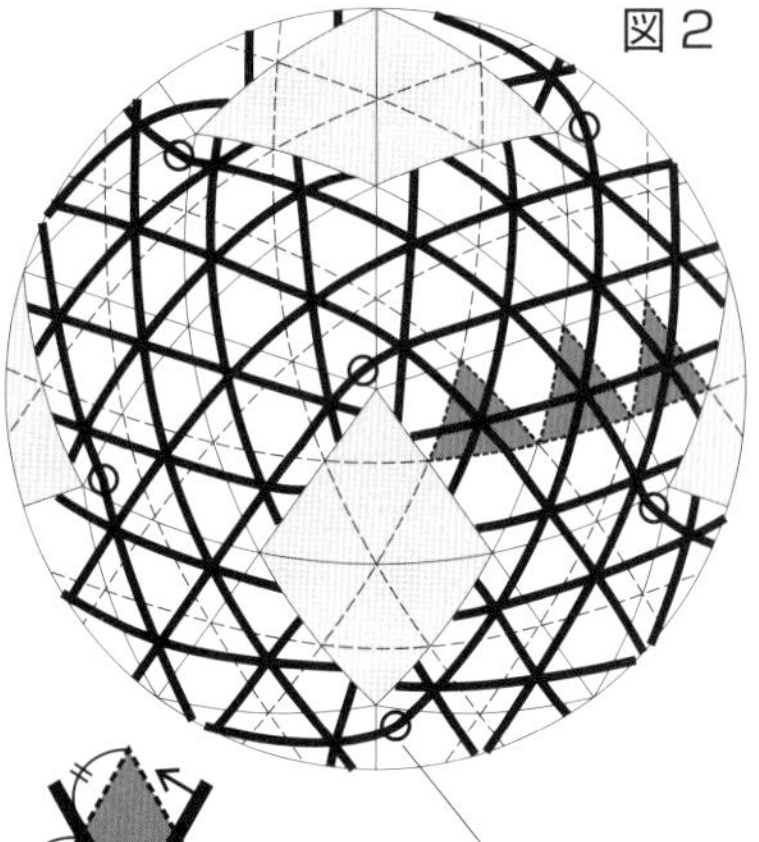

図3

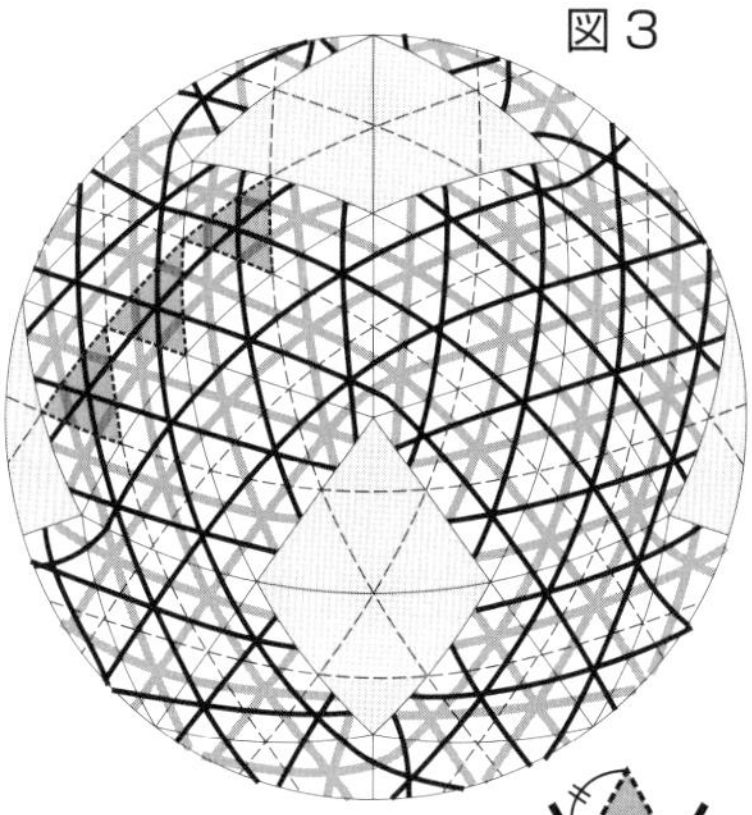

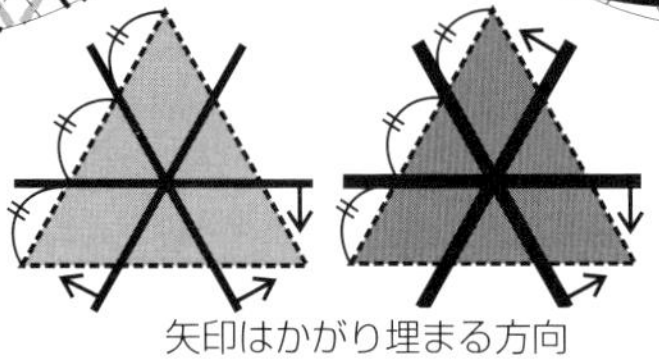

矢印はかがり埋まる方向

■作り方／中級（42面体）

① しつけ糸の菱形3個に囲まれた六角2か所に補助線に沿ってピンクで平行に6か所かがります。裏側にもピンクでかがります（図1）。4色で六角2個ずつの中に平行線6か所かがると2色ずつ交差します（図2）。

② 4色で1段交互にかがり埋めて、六角の中に鱗模様を作ります。

③ 青ラメ糸で麻の葉かがりの線をかがります。

④ 菱の中に上掛けの菊をかがります。

図1

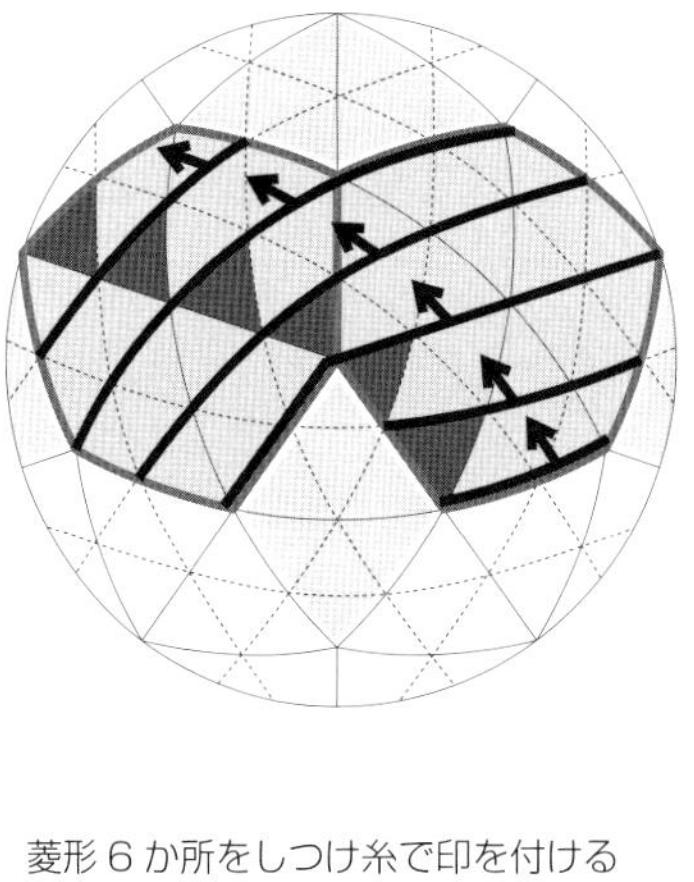

菱形6か所をしつけ糸で印を付ける

図2

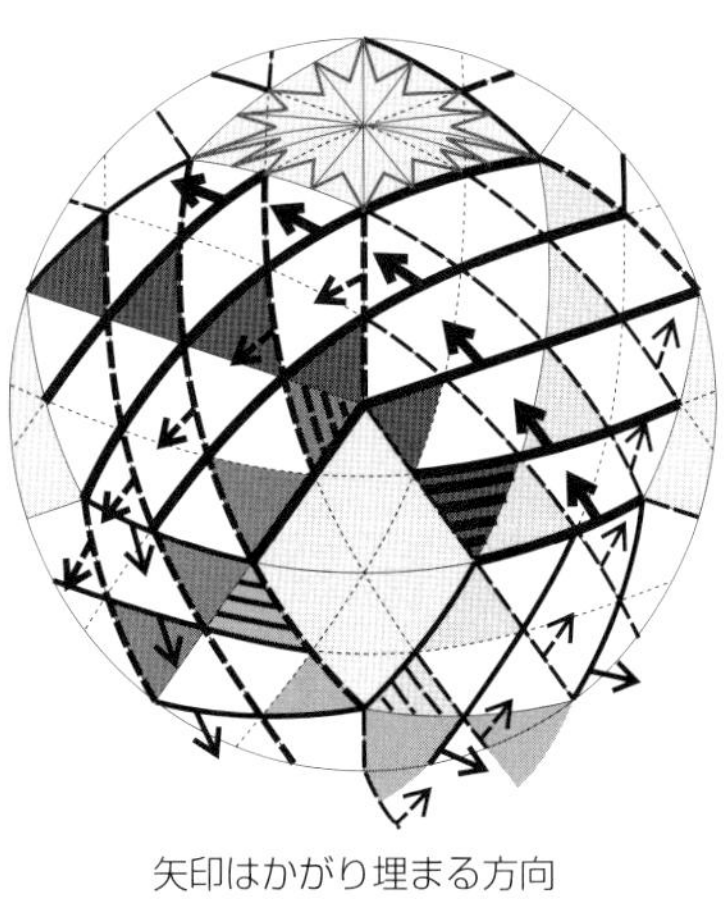

矢印はかがり埋まる方向

加賀矢絣・口絵11ページ

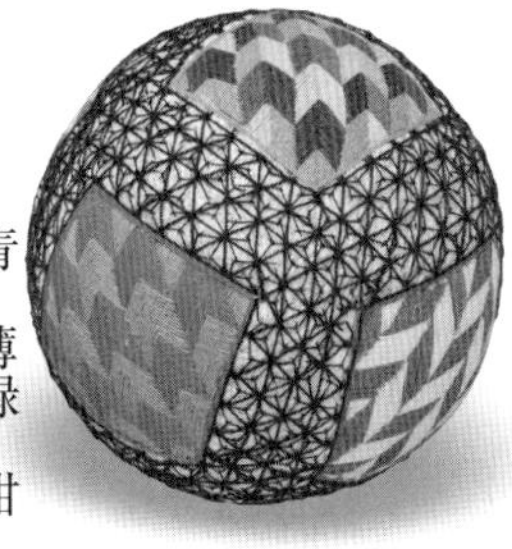

■材料

土台まり　円周40cm
地巻き糸　生成り
地割り糸　ラメ糸
かがり糸　木綿糸
1本どり　紺　白
青　薄緑　紺　黄　茶　ピンク　緑

■作り方／中級（8等分の組み合わせ）

① 四角の中を6等分して矢絣をかがります。まず縦に沿ってかがり埋め、横はくぐらせて埋めます。
② 周囲を6等分して麻の葉をかがります。
③ 四角の縁取り線をかがります。

制作／横井瑛子

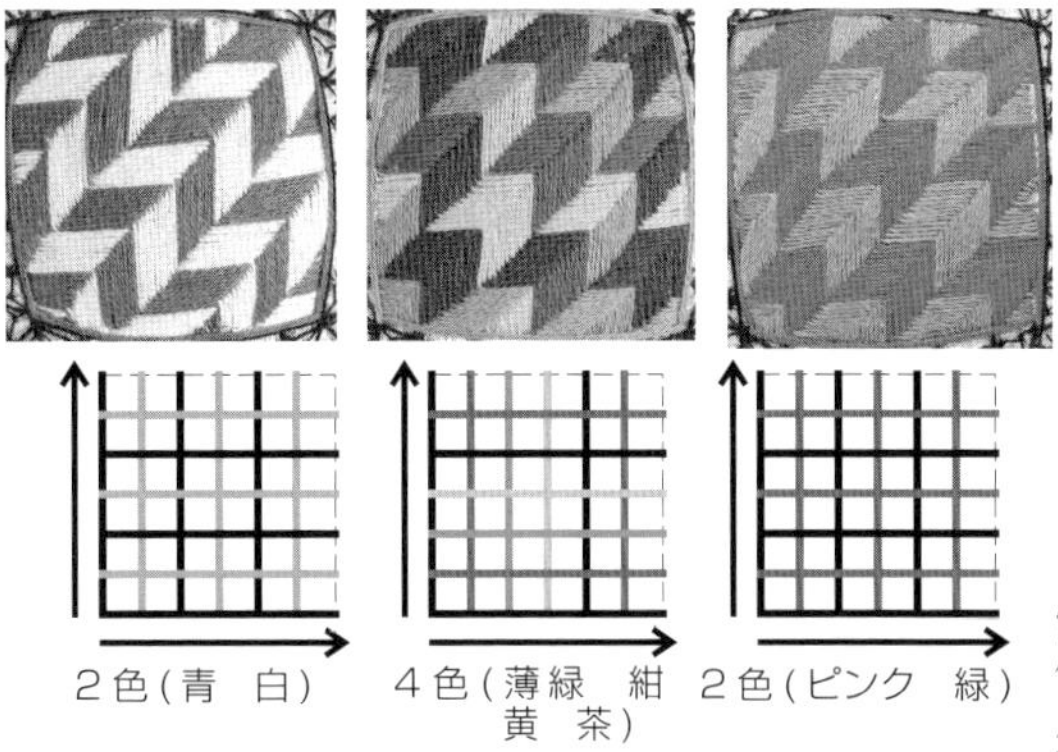

2色（青　白）
4色（薄緑　紺　黄　茶）
2色（ピンク　緑）

縦線に沿ってかがり埋め、横線はくぐらせて埋める

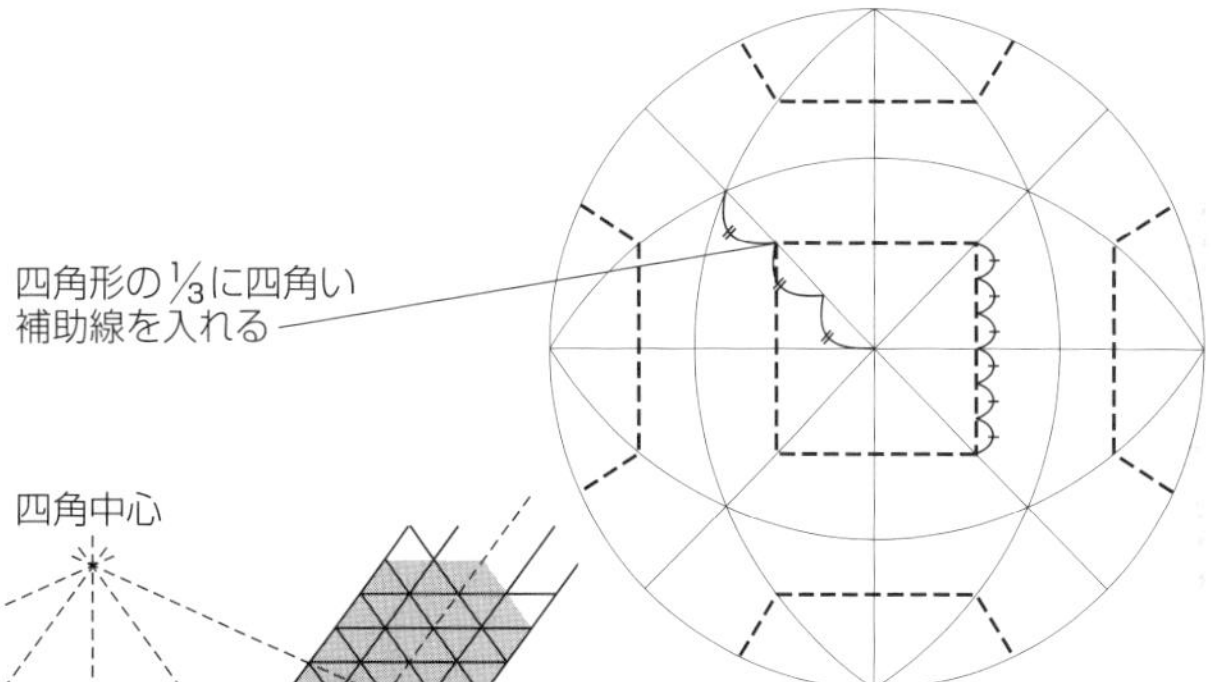

三角繋ぎ・口絵11ページ

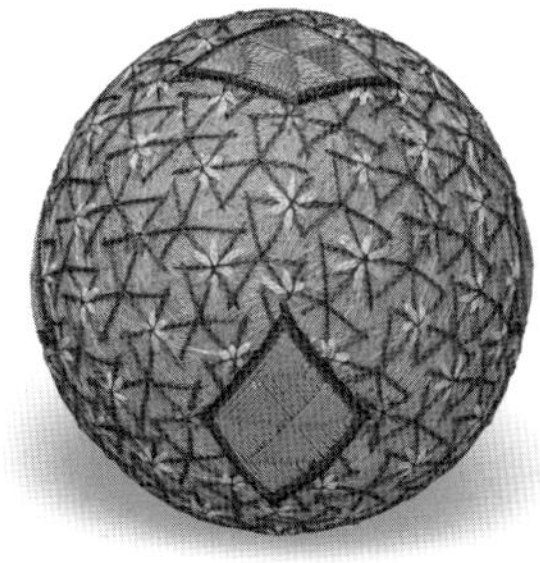

■材料

土台まり　円周30cm
地巻き糸　緑
地割り糸　ラメ糸
かがり糸　てまり糸
紫濃淡　緑　橙　黄
紫ラメ糸

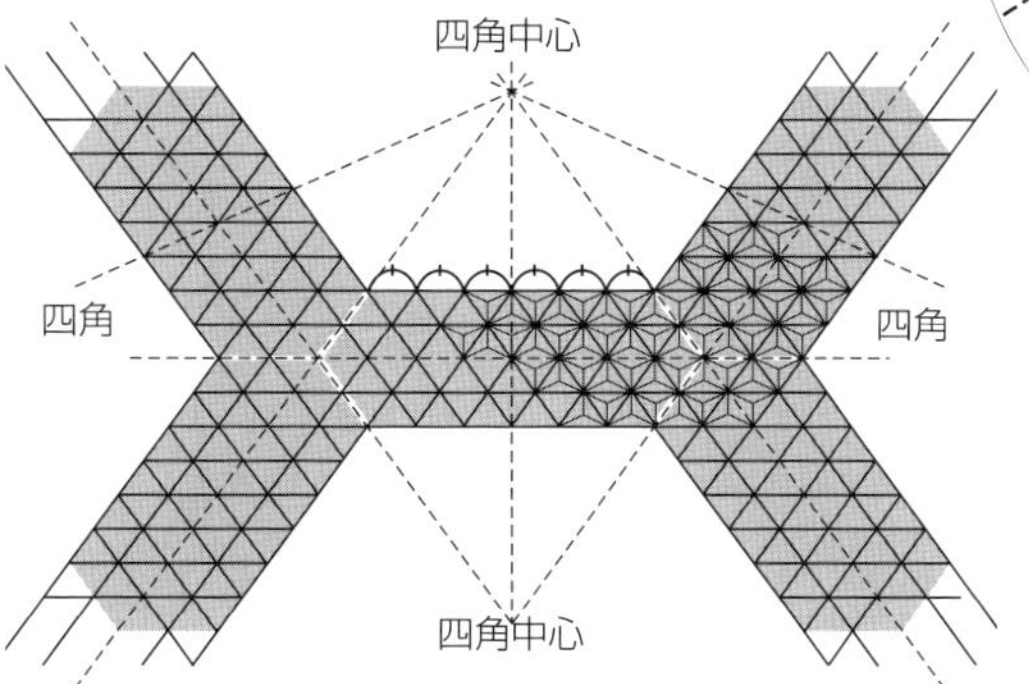

■作り方／中級（三角60面体）

① 三角60面体をさらに2等分して、補助線を入れて42面体にします。菱形6か所にしつけ糸で印を入れます。
② 紫1本どりで補助線でできた小三角の外を通る三角をかがります。しつけ糸で印を入れた菱形を除いて全体にかがります。
③ 薄紫2本どりで三角の交差点に松葉かがりの花をかがり、中心を黒地巻き糸で止めます。
④ 6か所の菱形の中に鱗模様をかがります。外側を紫と紫ラメ糸でかがります。

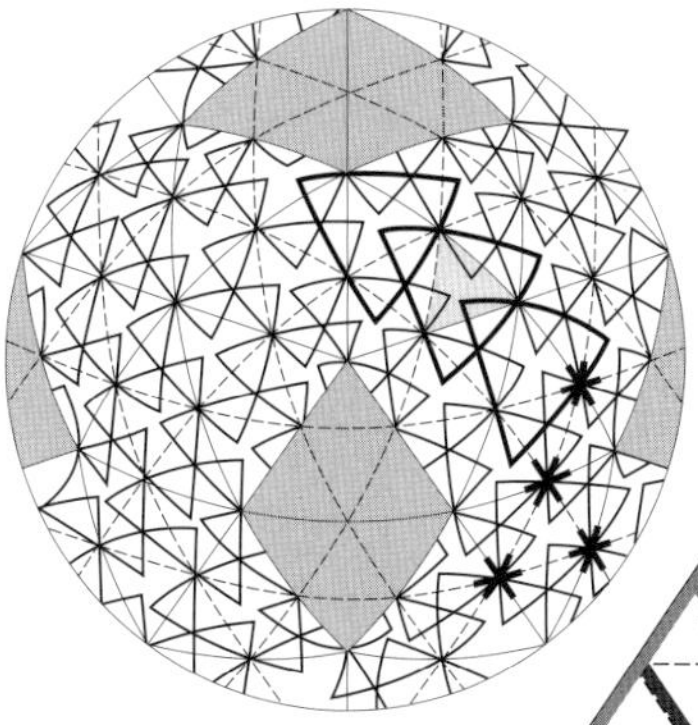

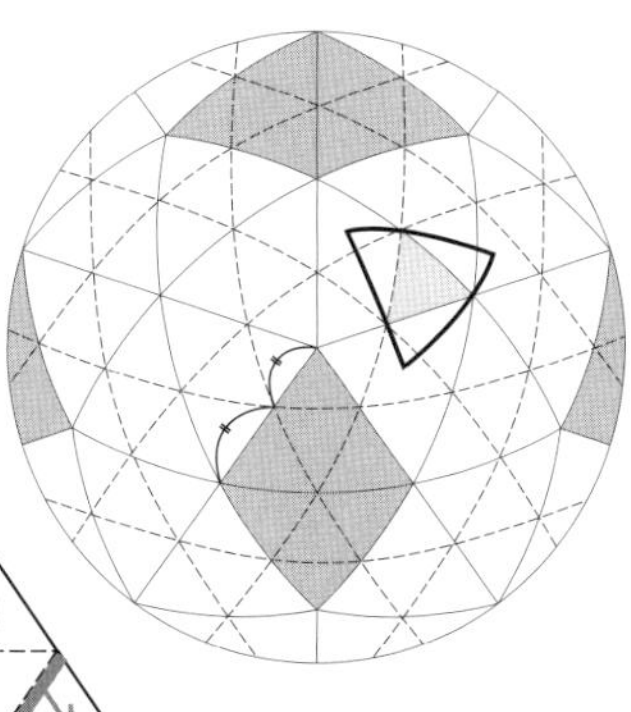

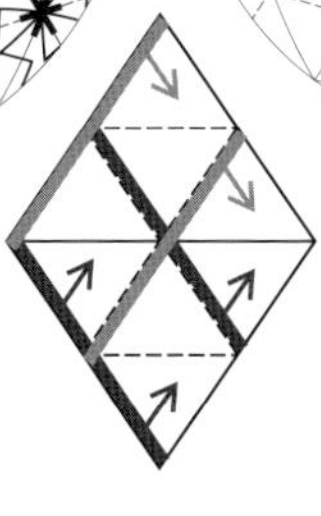

菱形に鱗模様をかがる
2色で1段交互にかがり埋める

花格子1・口絵11ページ

■材料

土台まり　円周30cm
地巻き糸　白
地割り糸　ラメ糸
かがり糸　5番刺繍糸1本どり　ピンク　緑

■作り方／中級（8等分の組み合わせ）

① 四角の中を8等分して、ピンクで角を組みながら四角を6か所にかがります（図1）。

② ピンクで四角の中心から1本どりで巻きます。交差するところはくぐらせます（図1・2）。

③ 残った$1/8$の幅を緑で巻き埋めます（図3）。図4を参考にくぐらせます。

制作／丸田幸子

図1

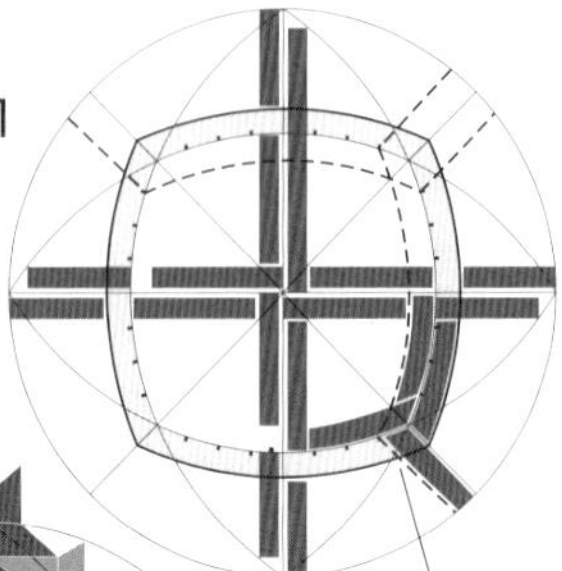

図2

図3

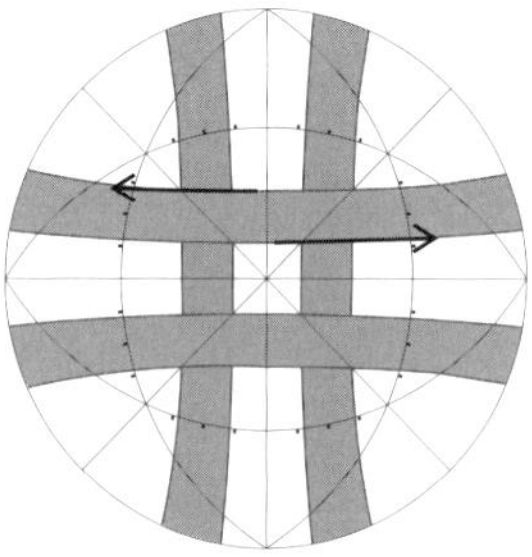

図4

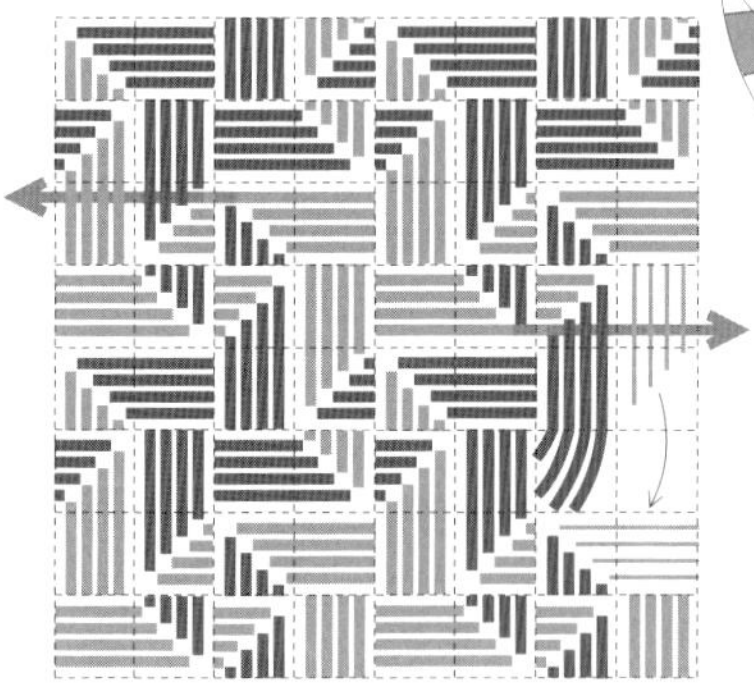

花格子2・口絵11ページ

■材料

土台まり　円周33cm
地巻き糸　白
地割り糸　ラメ糸
かがり糸　木綿てまり糸　茶　薄青

■作り方／上級（10等分の組み合わせ）

① 五角の長線$1/2$の補助線を入れます（図1）。

② 茶で補助線の五角の$1/2$の幅で外周りの五角と大五角を組みます。三角の$1/4$の幅になります（図2）。

③ 薄青で茶の外五角に平行の外周り五角を2か所平行に組みます（図3）。茶と同じ段数をかがります。茶との交差は1本ずつくぐらせます（図4）。

制作／鳥谷部可也子

図1

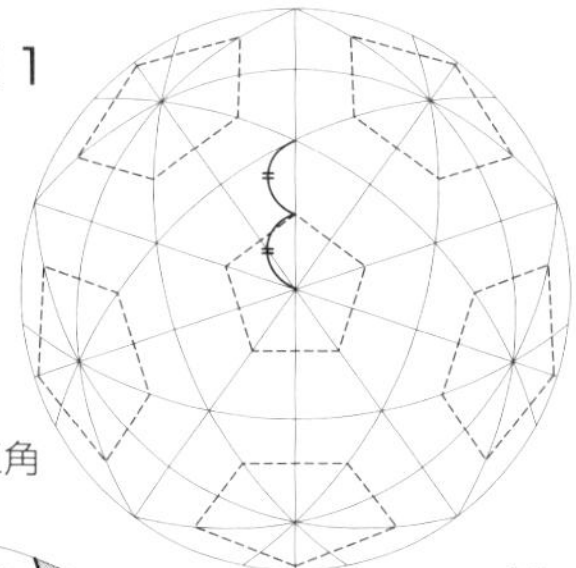

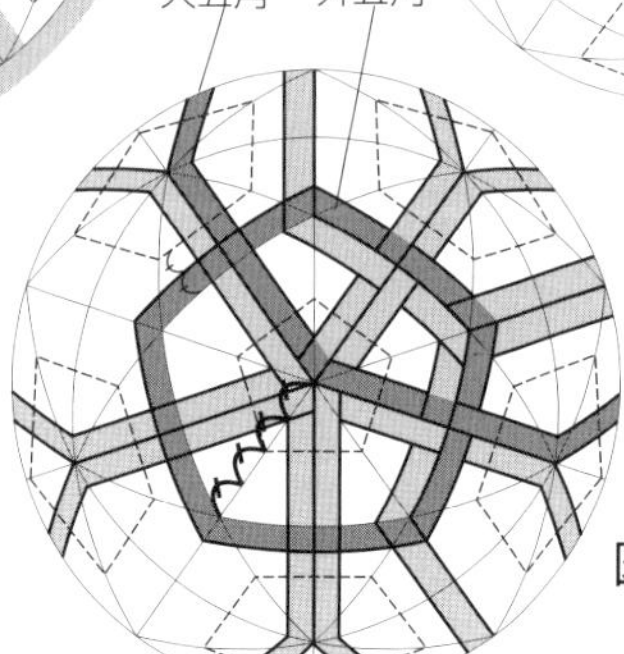

図2

図3

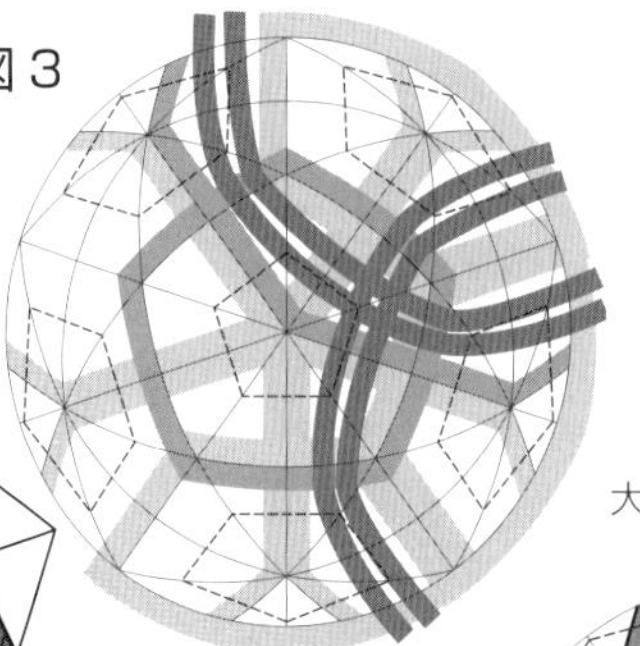

図4

❖小紋花格子・口絵11ページ

■**材料**

土台まり 円周33cm
地巻き糸 白
地割り糸 ラメ糸
かがり糸 花てまり糸
ピンク　濃ピンク　白　青　赤　紫　黄　緑

■**作り方**／上級（8等分の組み合わせ）

① 8等分の組み合わせの四角を8等分します。

② ピンクと白を2本どりで1/8に5段ずつ巻きかがります（図1）。

③ ピンクと白で巻いた糸に直角に交わるように赤と青で1/8に5巻きずつかがり、ピンクと白をくぐらせてかがります（図2）。

④ 同じように紫と黄、濃ピンクと緑でもくぐらせてかがります。

⑤ 緑2本どりで四角の縁取りを1段ずつかがります。

制作／村本　都

図1

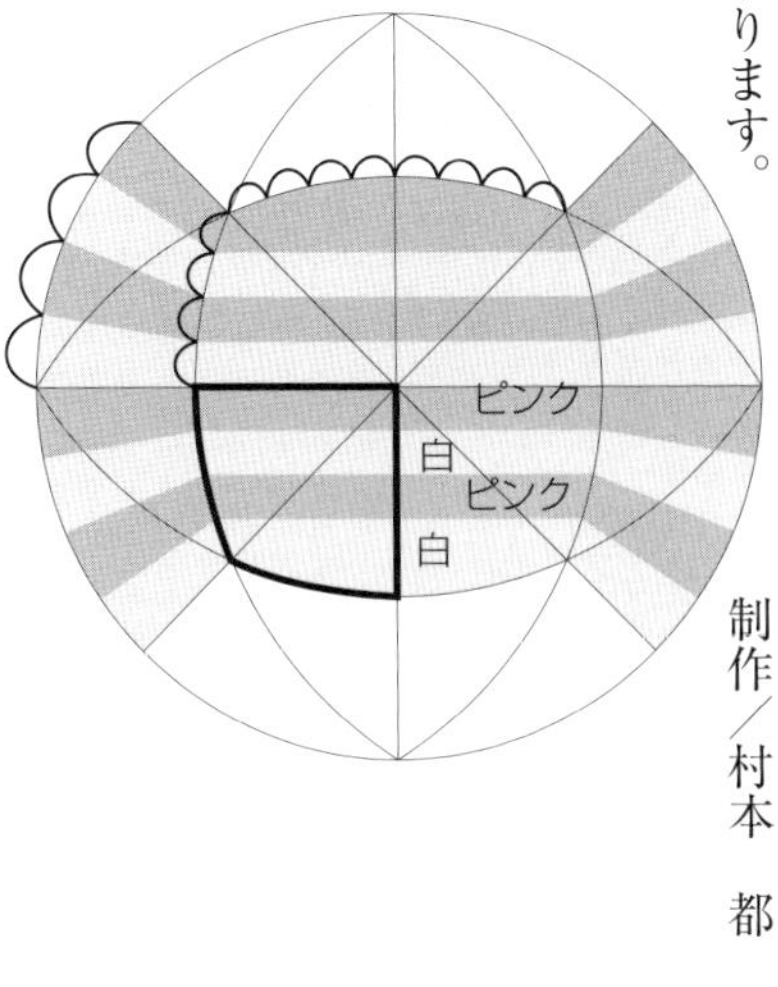

図2

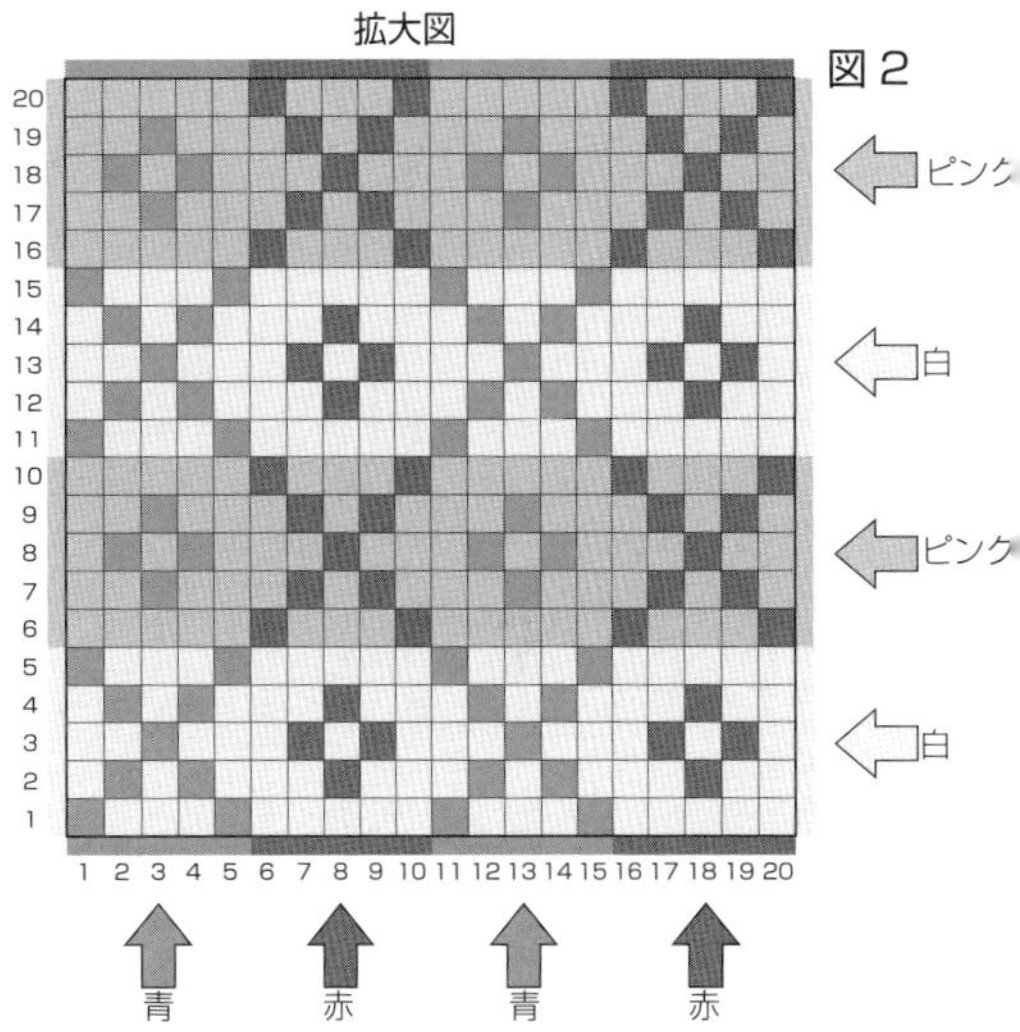

花　火

❖花火1・口絵8ページ

■**材料**

土台まり 円周27cm
地巻き糸 黒
地割り糸 金ラメ糸
かがり糸 京てまり糸　虹ラメ糸　黒
黄3色　ピンク3色　金ラメ糸

■**作り方**／初級（8等分）

① N極、S極から赤道までを4等分します（図1）。

② 4等分したところから虹ラメ糸1本どり、黒2本どりで1段交互に7段の八角を3か所にかがります（図1）。

③ 薄黄2本どりで赤道からラメ糸1本おきにくぐらせて1周巻きます。畳織りにラメ糸をくぐらせてもう1周巻きます（図2）。

④ 黄2本どりで③に沿って両側に巻き、赤道、ラメ糸のかがってないところと極で交差させ畳織りにラメ糸をくぐらせて巻きます（図3）。

⑤ 濃黄で④の外側にも同様に巻きます（図3）。

⑥ 8等分の中に黄濃淡とピンク濃淡を交互に巻きます。

⑦ 極と交差しているところを黒で止めます。赤道に黒で帯を巻き、金ラメ糸で千鳥掛けで止めます。

図1

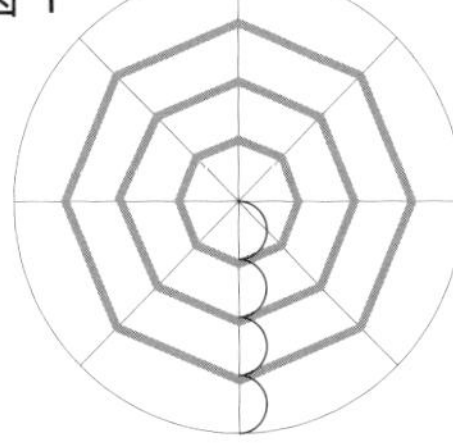

図2

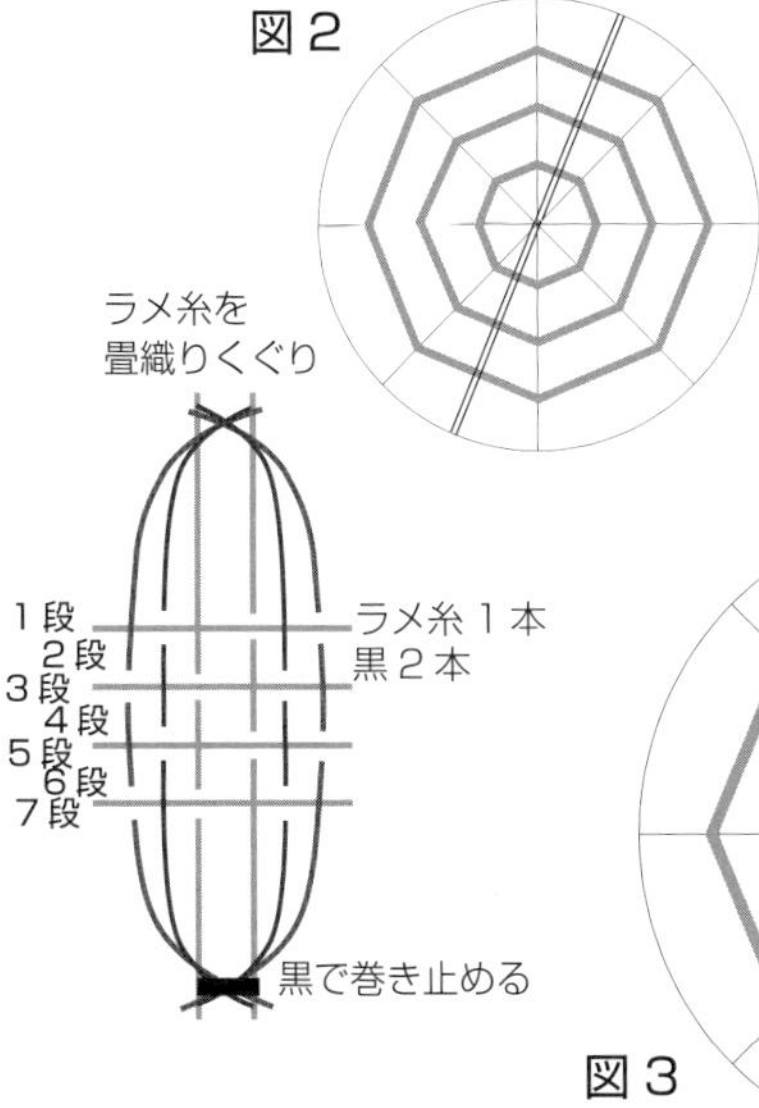

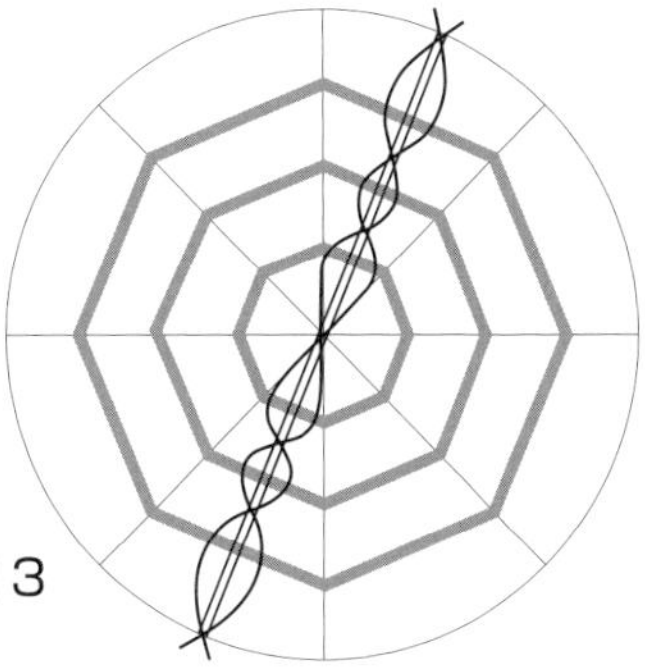

図3

花火2・口絵8ページ

■材料
土台まり 円周37cm
地巻き糸 黒
地割り糸 細ラメ糸
かがり糸 都てまり糸 虹ラメ糸 黒 ピンク濃淡 黄濃淡 緑濃淡 青濃淡 紫濃淡

■作り方／初級（10等分の組み合わせ）

① 五角の長い線1/2強から虹ラメ糸1本どり、黒2本どりの五角を1段交互に7段かがります（図1）。

※虹ラメ糸だけで0.25cm間隔で4段かがってもよい。

② 花火の薄赤1本どりで①の五角2個を通る紡錘形を6か所に1段ずつかがります。①の五角は畳織りくぐりをします（図2）。

③ 赤糸をだんだん濃くして五角中心と菱中心で交差する連続紡錘形かがりを5段かがります。①の五角で畳織りくぐりをします。5色で30か所かがります（図3）。

④ 菱中心は黒で巻き止めます。五角中心に松葉かがりをします（図3）。

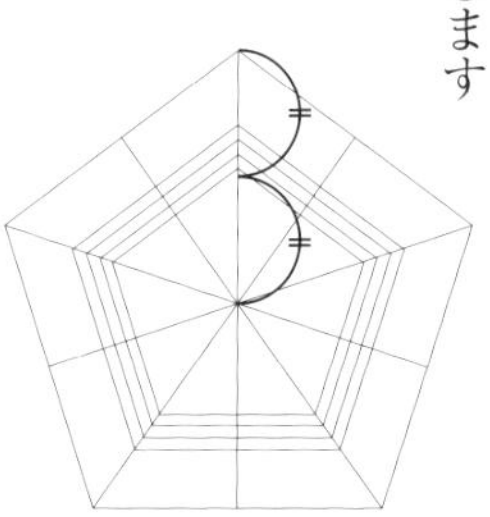
図1

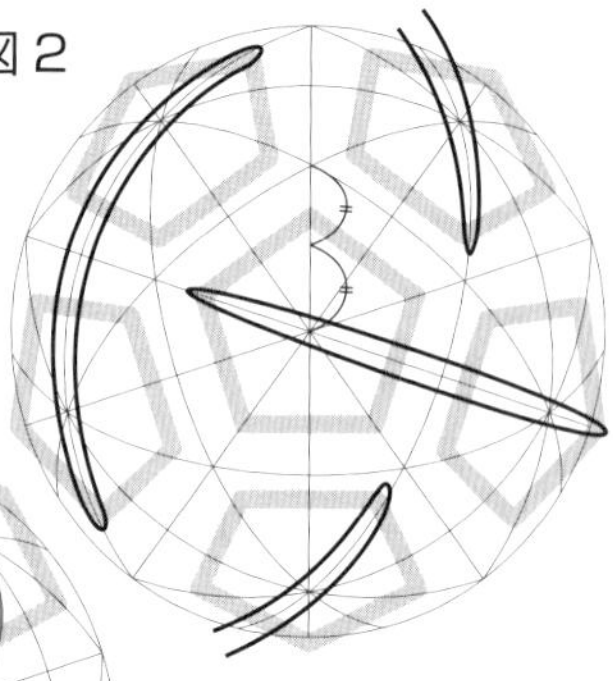
図2

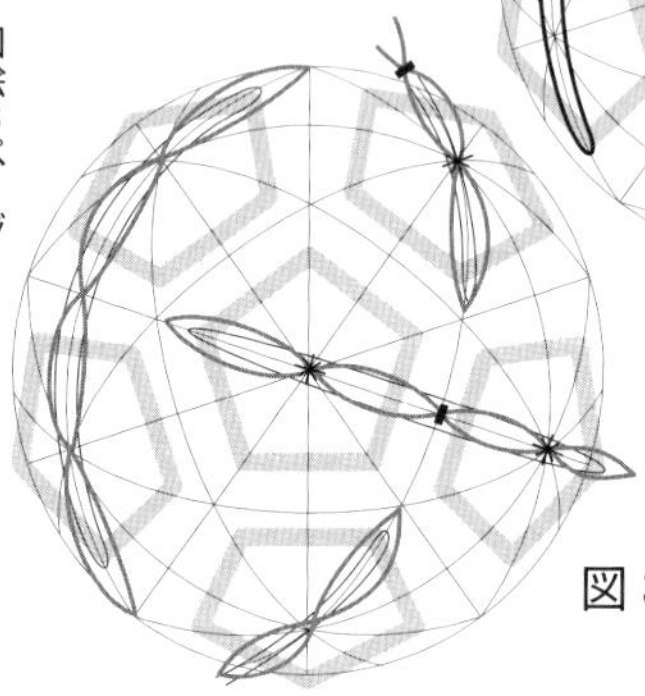
図3

花火3・口絵8ページ

■材料
土台まり 円周33cm
地巻き糸 黒
地割り糸 細ラメ糸
かがり糸 黒 花火5色の濃淡（緑 紫 黄 赤 ピンク） 黄 虹ラメ糸

■作り方／中級（8等分の組み合わせ）

① 四角の中を16等分し八角になる補助線を入れます（図1）。

② 黒2本どりで中心から八角をかがり、1cmかがり残します（図2）。

③ 8か所の三角を1本どりでくぐらせてかがります。2色で4か所同色にします。

④ 3か所を1本どりでくぐらせて3色で巻きかがります。花火の三角と巻きかがりは中心の薄い色から巻きかがります（図2）。

⑤ 八角の残りを虹ラメ糸で2本の線を入れて埋めます。黒で三角も埋めます。三角に黄1本どりで0.7cmのレゼーデージステッチをかがります。

図1
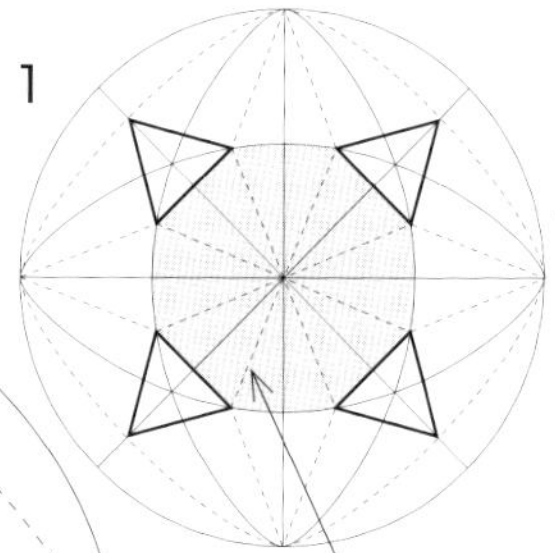

図2
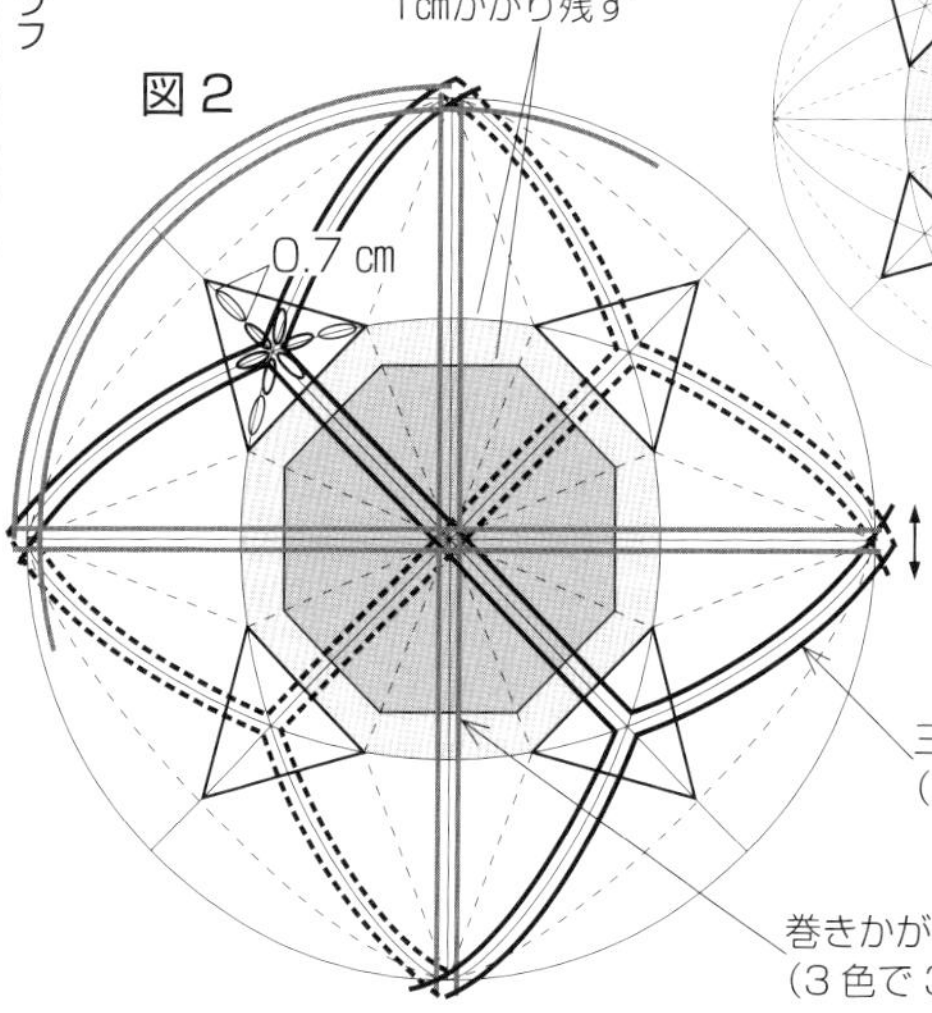

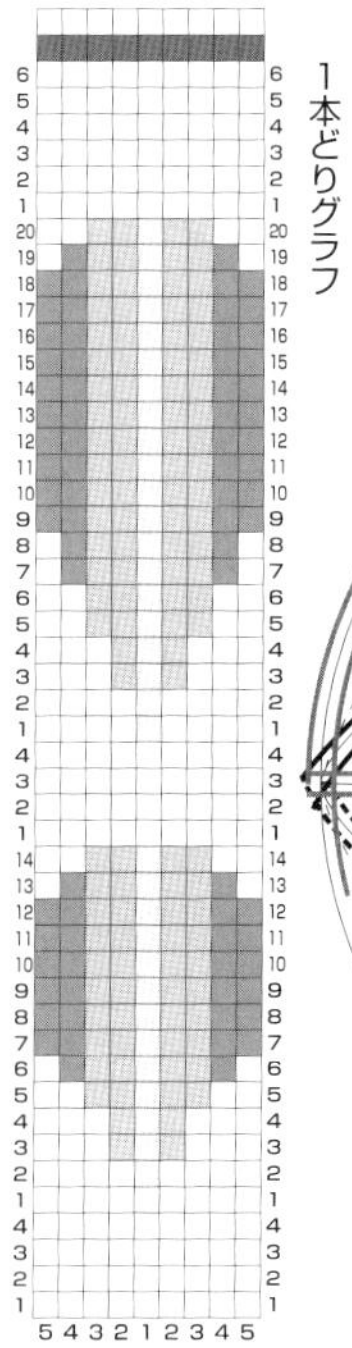

❖花火4・口絵8ページ

■材料

土台まり　円周35cm

地巻き糸　黒

地割り糸　金ラメ糸

かがり糸　てまり糸

6色（赤　橙　紫

青　緑　黄）の濃中淡

■作り方／中級（16面体）

① 一辺を3等分する補助線を入れます。

② 五角の中心から6等分したテープを付けて外側からV字かがりを1本どり4段ずつ濃中薄の色でかがります。濃淡の色を左にずらして中心に向かってV字かがりを4回かがります。V字の片側が重なる長さでかがります。六角の周囲に接する五角に6組の濃淡でかがります。

③ 六角の中心から7等分したテープを付けて外側から6組の濃淡3色でVの字かがりを、片側を重ねて1本どりで4段かがります。隣接する五角と同色にします。

制作／鳥谷部可也子

16面体（六角4個と五角12個）

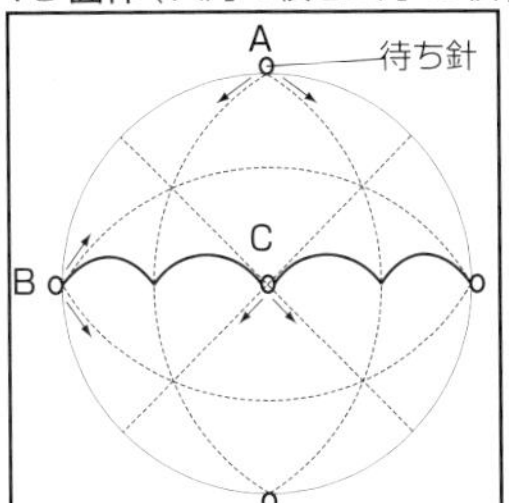

1 6等分の組み合わせを作る4等分の待ち針の間の½を通す線をABCの3か所から2巻きずつ巻く。

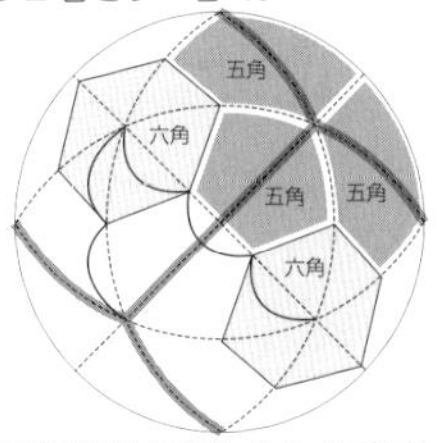

2 6等分の組み合わせでできる三角の長い線½と六角中心から六角中心の⅓をつなぐ六角を4か所作る。

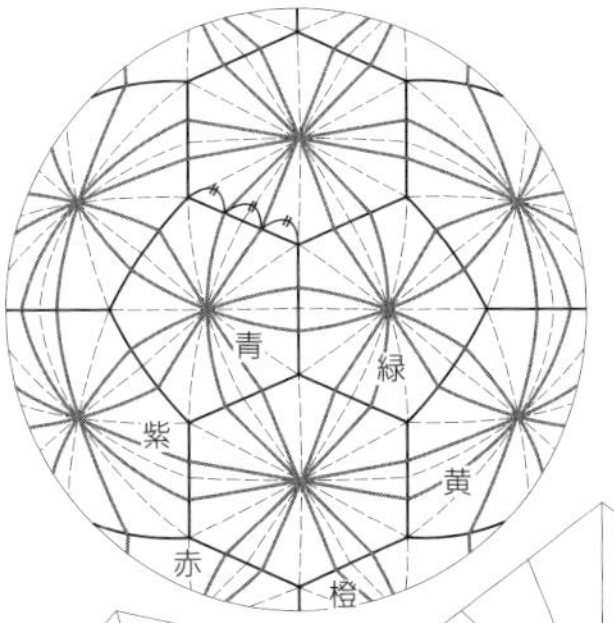

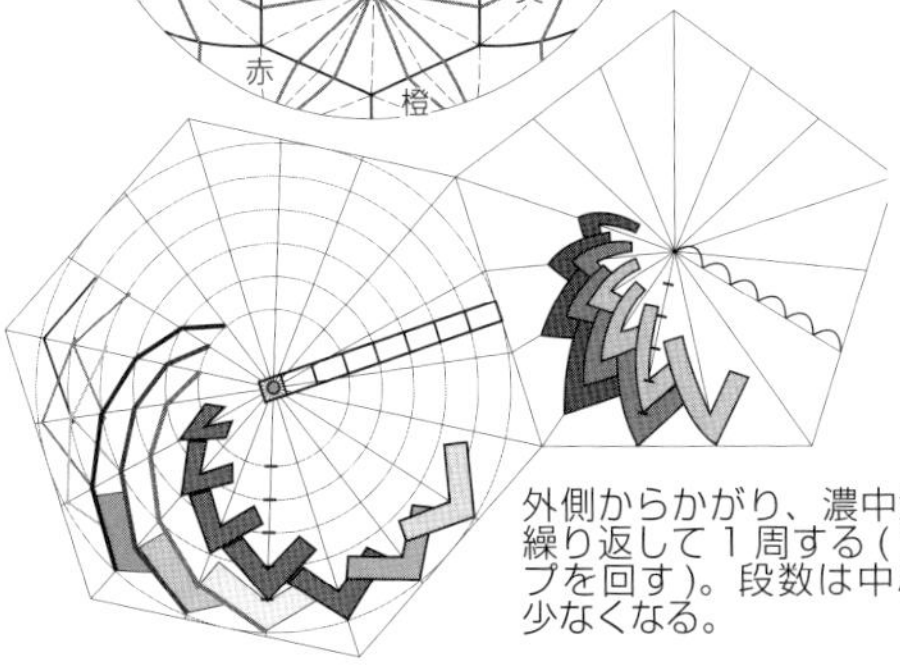

外側からかがり、濃中淡で繰り返して1周する（テープを回す）。段数は中心が少なくなる。

❖夜空の緋菊・口絵8ページ

■材料

土台まり　円周36cm

地巻き糸　黒

地割り糸　ラメ糸

かがり糸　てまり糸

赤濃淡　クリーム　色ラメ糸（6色）　金ラメ糸

■作り方／中級（8等分の組み合わせ）

① 四角の中心から3.5cmのところに八角の補助線を入れます。八角の周囲にできた24個の五角の中に20等分の補助線を入れます。八角の中も32等分の補助線を入れます。

② 五角の角3本の補助線に上掛けの花を2段かがります。てまり糸1本どりのクリーム1段、濃ピンク1段を5か所の角0.5cmからかがります。花弁の間に金ラメ糸でY字の松葉かがりを入れます。

③ 八角の角3本の補助線にも上掛けの花を角の8か所にかがります。角の1cmからクリーム1段とピンクの薄い色から濃い色まで7段かがります。

④ 花弁と同じ配色で間にV字かがりを6段かがり、花弁の先に色ラメ糸でフレンチナッツステッチをかがります。

⑤ 花の中心に色ラメ糸で松葉かがりを入れます。

⑥ 五角と八角の補助線を取ります。

制作／前沢知子

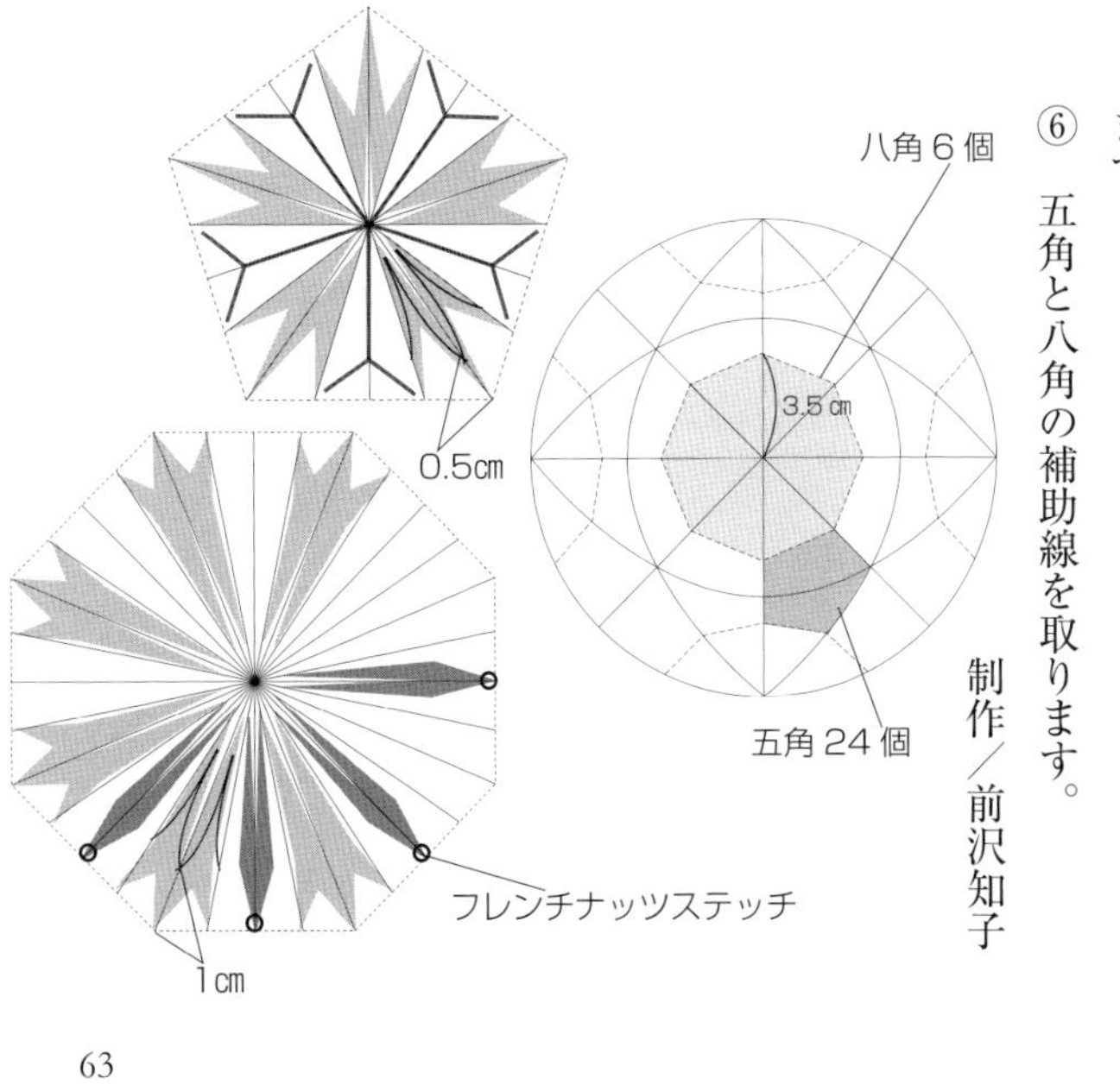

指ぬきの作り方

■指ぬきかがり

指ぬきかがりは、輪の両端に糸を引っかけて、回しかがります。そして、一方向に糸を並べてかがり進む方法と、左右両側にかがり進める方法と、その組み合わせで繊細な綾模様が紡ぎだされます。その他に、輪にそっての巻きかがりや刺繍かがりもします。

糸の交差模様は上掛けと下掛けかがり、くぐりかがりや重ねかがりなどをして作ります。

かがり始めは輪の上端でも下端でもよく、左右どちらにもかがり進めます。本書での糸の並べ方は、針の進む方向の後にかがっていく方法、つまり右にかがり進むときは左側へ、左にかがり進むときは右側に糸を並べる方法で解説してあります。これはてまりかがりと同じ針運びです。

■材　料

地巻き糸　キングスパン# 60など太めの白糸か、木綿糸の白でもよいでしょう。

かがり糸　市販の絹糸や手芸糸（タイヤー絹手芸糸、ファイン手芸糸）銀糸などを使い分けます。

裏地　土台の裏地は市販のバイアス布地が適当ですが、和服の端裂など無地の絹地があれば使用できます。色は好みの色をかがり糸に合わせて使い分けます。寸法は幅2.5 ×長さ7.5㎝ぐらいです。

■用　具

針　絹針、てまり針、木綿縫い針などを用意する。

待ち針　糸継ぎのとき、目印に刺しておく。

巻き尺　指周りや筒の周囲を測る。

サインペン　黒で等分の印をつける。赤で補助印をつける(等分が細かいと紛れやすいので、色を変えてつけます)。水性の方が使いやすいでしょう。

指ぬきスケール　「加賀の指ぬきと花てまり帖」巻末に参考図を掲載していますので、参照してください。

指ぬき土台の筒　使用済みのカレンダーや画用紙などで、各自の指の太さに合わせて作ります。外周で4.5～6㎝くらい、幅5㎝×長さ1ｍくらいの紙（画用紙くらいの厚さ）を、幾重にもきつく巻いて固く作ります。大型カレンダーをつなぎ合わせるとよいでしょう。(「加賀の指ぬきと花てまり帖」-指ぬき土台を作る- P-75を参照)

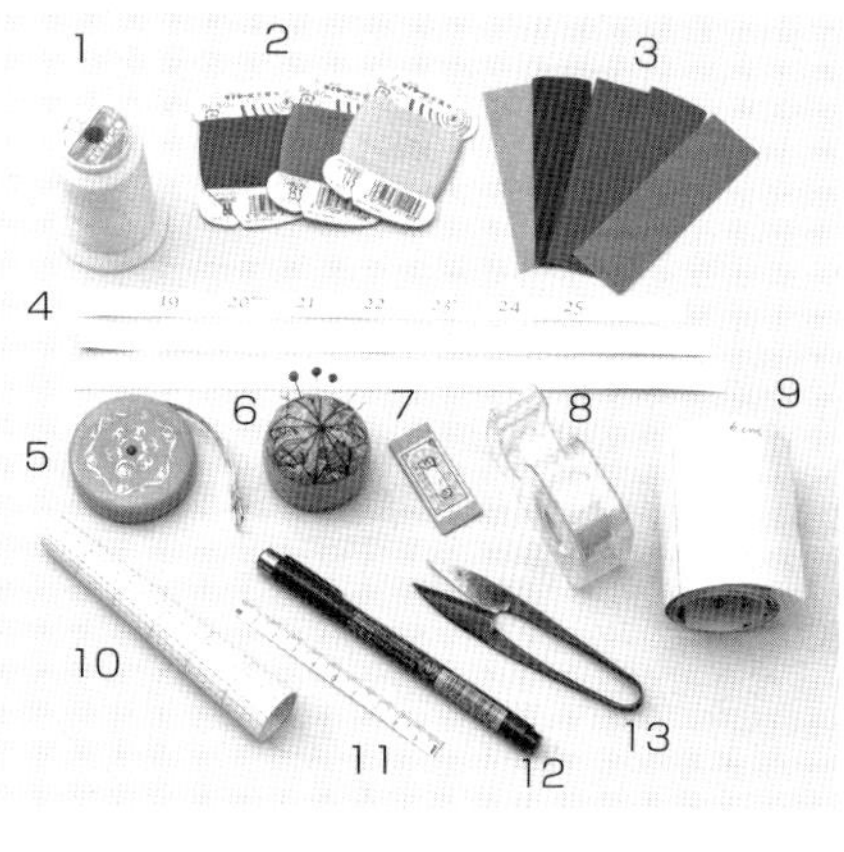

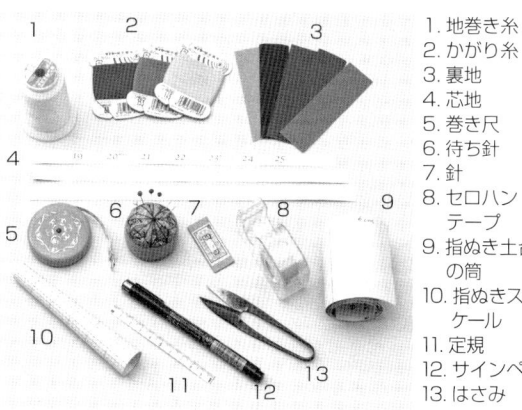

1. 地巻き糸
2. かがり糸
3. 裏地
4. 芯地
5. 巻き尺
6. 待ち針
7. 針
8. セロハンテープ
9. 指ぬき土台の筒
10. 指ぬきスケール
11. 定規
12. サインペン
13. はさみ

芯地　土台の芯は画用紙、または画用紙ぐらいの厚さの紙（カレンダー）を使用します。クリアーファイルはしっかりしており、弾力もあるので指ぬきに使用してもよいでしょう。寸法は幅1～1.5㎝×長さ25㎝くらいが適当です。

(指輪・ブレスレットは「加賀の指ぬきと花てまり帖」を参照)

■指ぬき土台の作り方

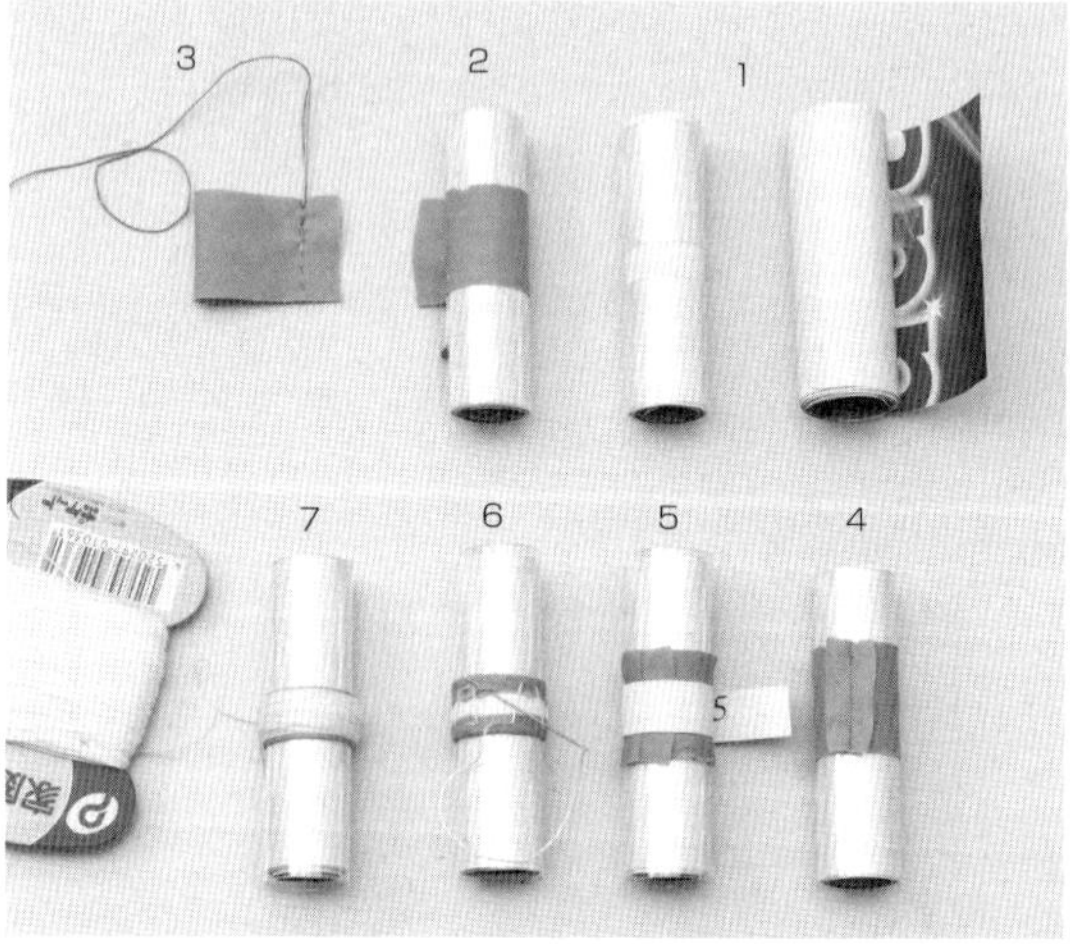

1. 古カレンダーなどの少し厚みのある紙を7㎝幅に切り、指と同じ太さに幾重にも巻いて紙筒を作る。
2. 指の太さの紙筒にバイヤス布を巻き待ち針で止める。
3. 布を抜き取り待ち針のところを2度縫いする。
4. 筒に戻し縫い目を割る。
5. 芯地を0.1㎝の厚みまで3～4巻きして糊で止める。
6. バイヤス布を折り返し、両側を強く引き寄せてたるみが無いように縫う。
7. 木綿糸などで中高になるようにしっかりと巻く。

巻き終わったら木綿針に糸端を通し、返し針をして糸を止める。

指ぬきスケールを使って細字サインペンで等分の印を付ける。

■かがり始めに

指ぬきかがりは布を輪に仕立てるための単純なかがりです。下端から上端から右に左にどこからでもかがりだせます。ただ最初の糸は下端から右にと決めておくと糸継ぎや中断したあと迷わず再開できます。右と左の２か所からかがる場合でも右から先にとなります。

■かがり方の基礎１

上端のバイヤス地と巻糸の間から針を入れて１に出して返し針をして糸が抜けないようにしてから下端のバイヤス地と糸の間に針を出す。等分の印がある輪の肩巾を輪の内側から２、３と１針かがる。１から出てきた糸に３の糸が自然に引っ掛かかって次に進む。上端の等分の印がある輪の肩５、６とかがる。４からきた糸に自然に６の糸が引っ掛かっていく。上下交互に輪の内側から針を入れて右に進む。

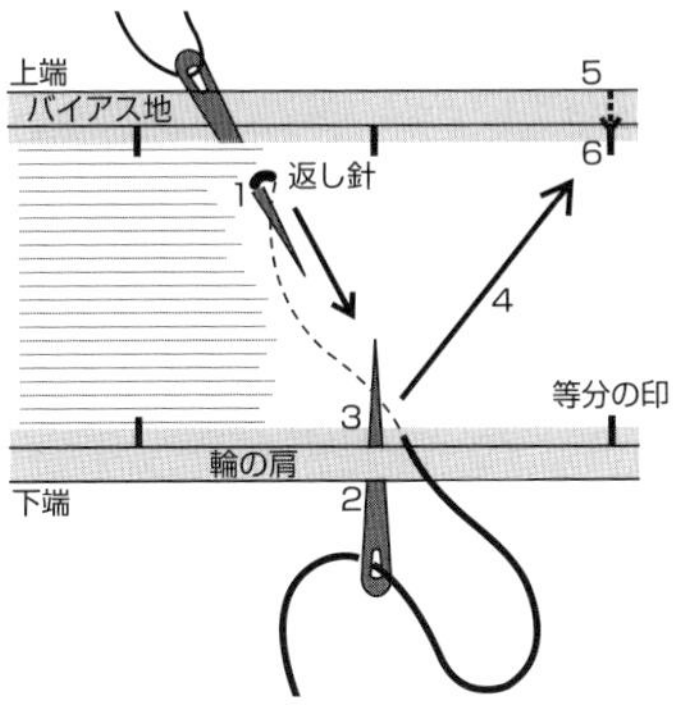

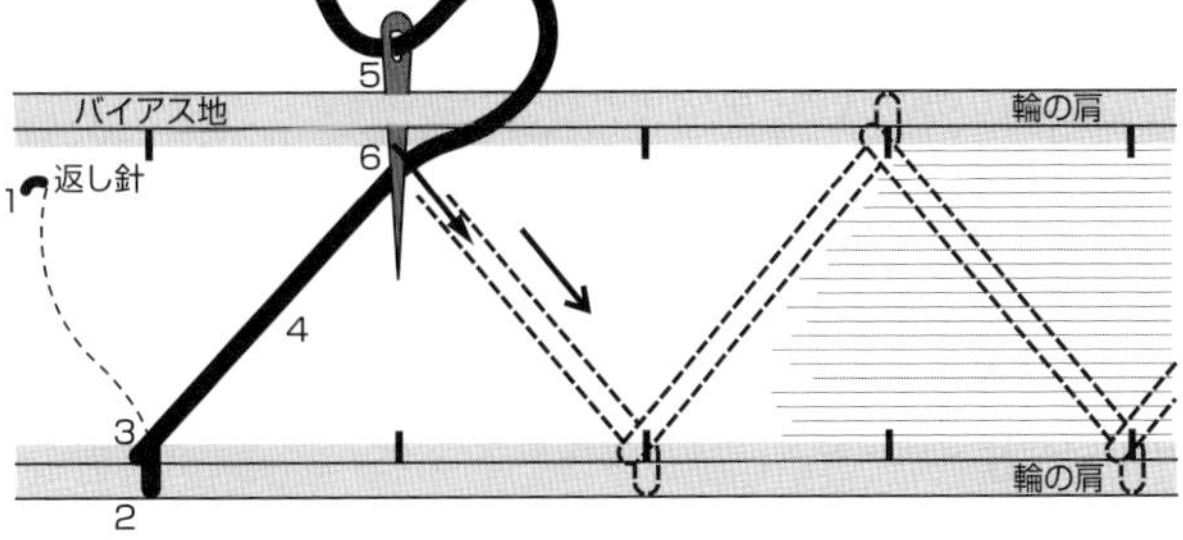

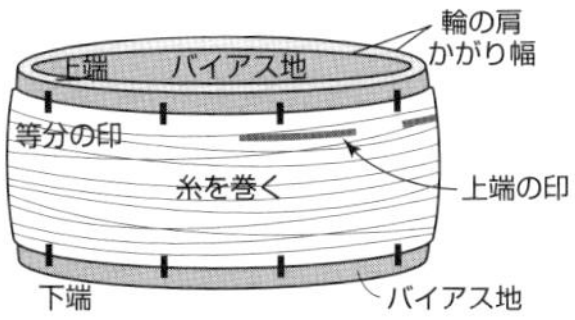

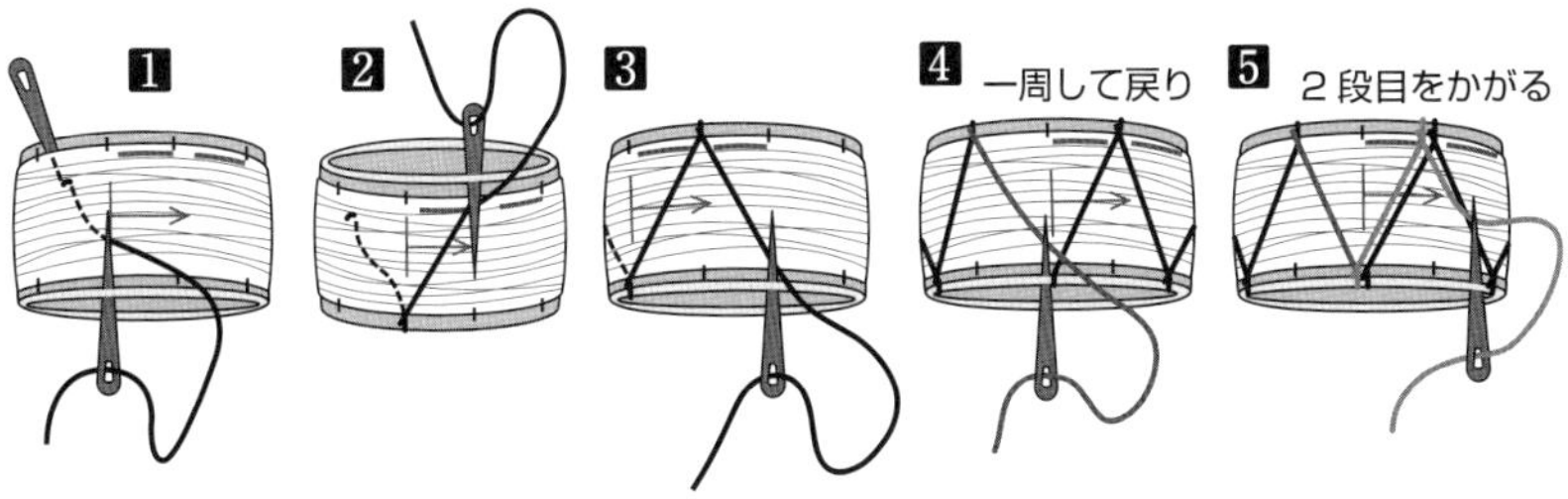

■かがり方の基礎２

上掛け

１周して下端のかがり始めに戻る。続けて輪の肩を内側から１段目の左側に隙間なく１針かがって糸を並べて右に進む(右寄せ)。

３段目も２段目の左側に隙間なく糸を並べて右に進む(右寄せ)。

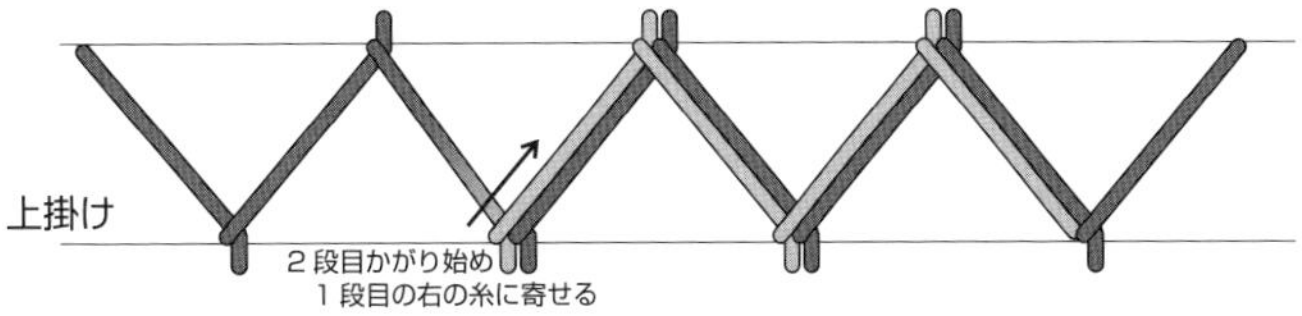

糸継ぎ

上掛けの場合は端をかがる手前、下掛けの場合は端をかがった後で糸継ぎをする。

継ぎ目がかがった糸の下に隠れるようになる。かがり終わりは端で糸継ぎと同じように終わらせる。

配色を変える場合も糸継ぎと同じように終わらせた糸から色を変えた針を出す。

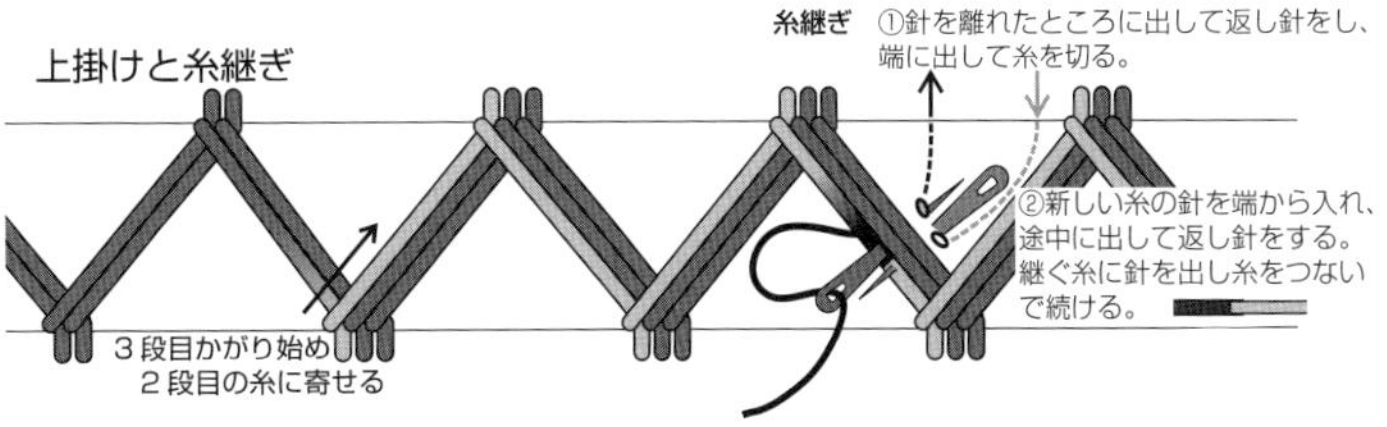

下掛け(上端での下掛け　※下端は上掛け)

１周して下端のかがり始めに戻る。続けて上端をかがったら交わる前の糸の下をくぐらせる。１段ずつくぐらせる数が増えていく。

３段目も２段目の左側に隙間なく糸を並べて右に進む（右寄せ)。交わる前段の糸をくぐらせる。１段目はくぐる糸が無いので２段目よりくぐらせる。

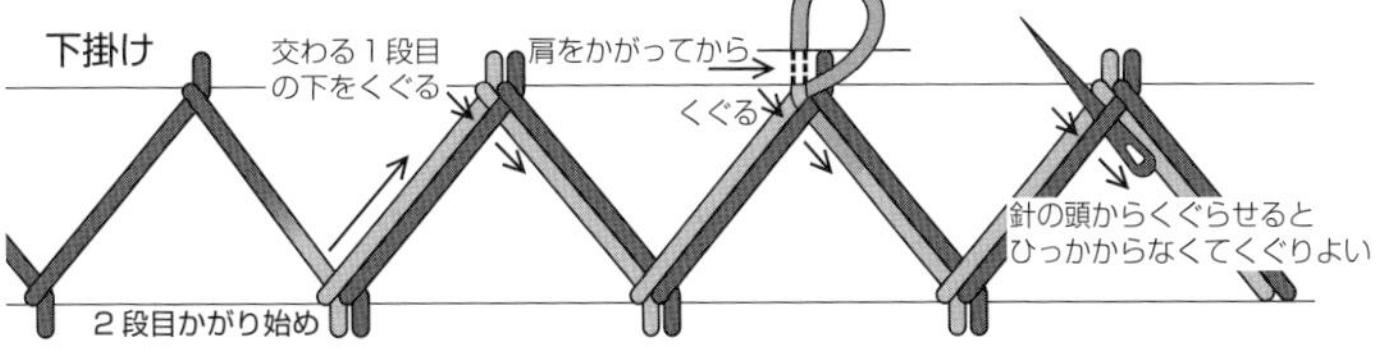

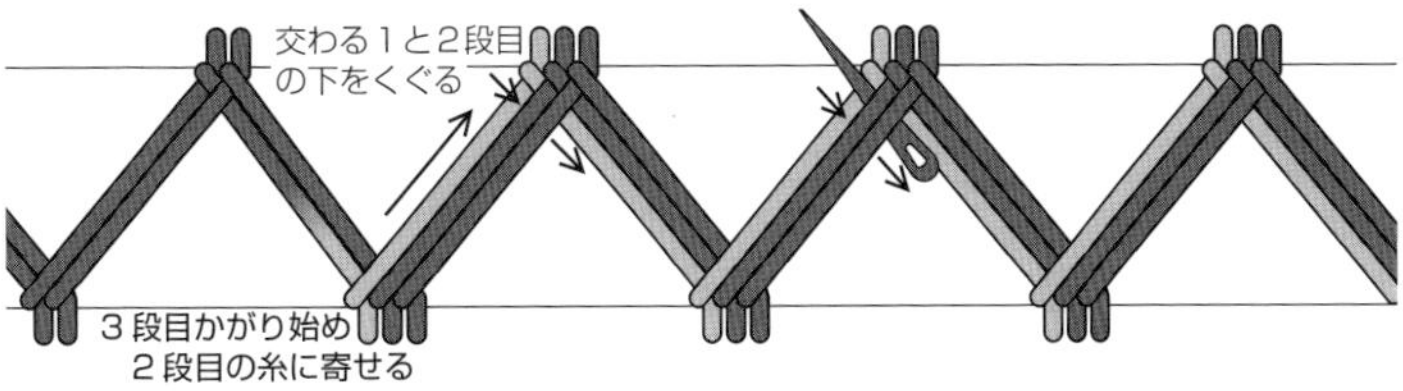

■かがり方の基礎 3(交差模様)

図の見方

濃色からかがり始めてだんだん薄色になっている
太矢印は続いてかがる糸
矢印の点線箇所は糸の下をくぐらせる

記号　上・・・上掛け(糸の上に並ぶ)　下・・・下掛け(糸の下に並ぶ)　上交・・・上掛け交差　下交・・・下掛け交差（くぐる）
↗下端から右上にかがる　↘上端から右下にかがる
↖下端から左上にかがる　↙上端から左下にかがる

上掛け・・・両端共前にかがった糸の上に乗る

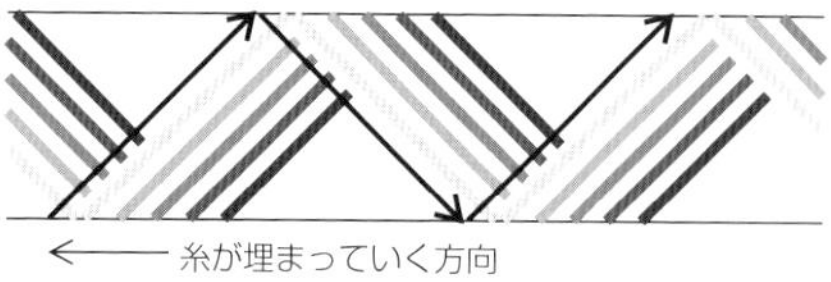

右寄せ・・・右に進み左にかがり埋まる
↗上↘上
上に向かうときも下に向かうときも両端とも上掛け

下掛け・・・糸が交わるとき前にかがった糸の下をくぐる

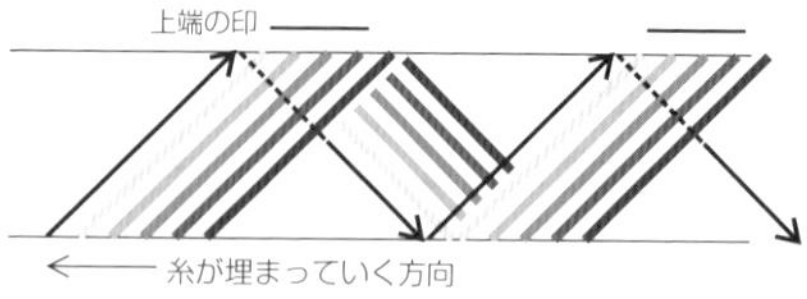

右寄せ・・・右に進み左にかがり埋まる
↗下端は上　↘上端は下 (2 段目からくぐらせる)
上端から下に向かうとき交わる前段の糸をくぐる

上掛け交差・・・糸が交互に自然に上に重なって並ぶ

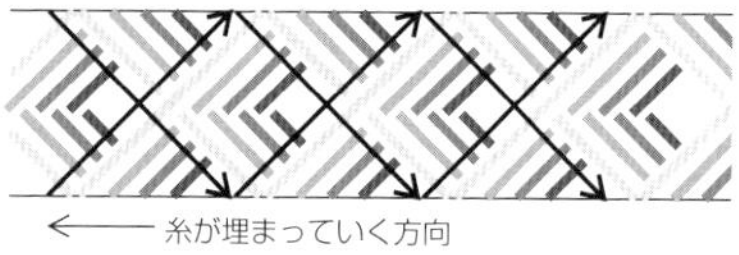

右寄せ・・・右に進み左にかがり埋まる
両端は上掛け　↗上交　↘上交
中央部で交わるとき上掛け交差になる

下掛け交差・・・糸を交互に下にくぐらせて並べる

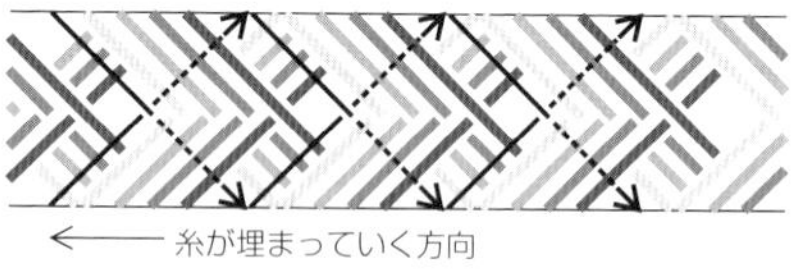

右寄せ・・・右に進み左にかがり埋まる
両端は上掛け　↗下交　↘下交
中央部で交わる前段の糸を全てくぐらせる

上掛け交差・・・左右交互にかがると自然に糸が重なる

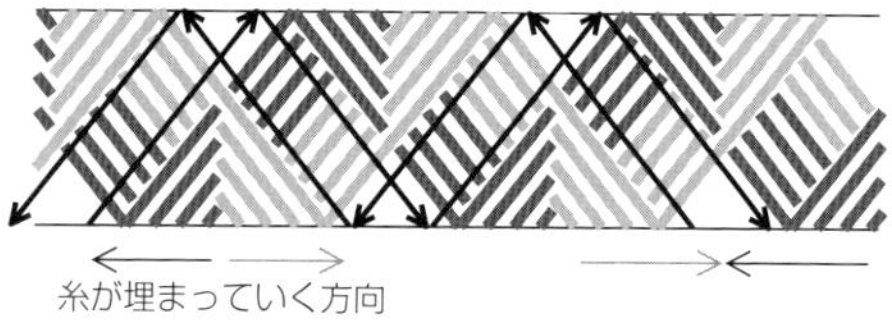

両寄せ・・・右と左に進み両側の糸に寄せて埋まる　↗↖下端上交　↙↘上端上交
両端で左右から来る糸が交互に重なって交わる

下掛け交差・・・上端の左右で交わる前段の糸をくぐらせる

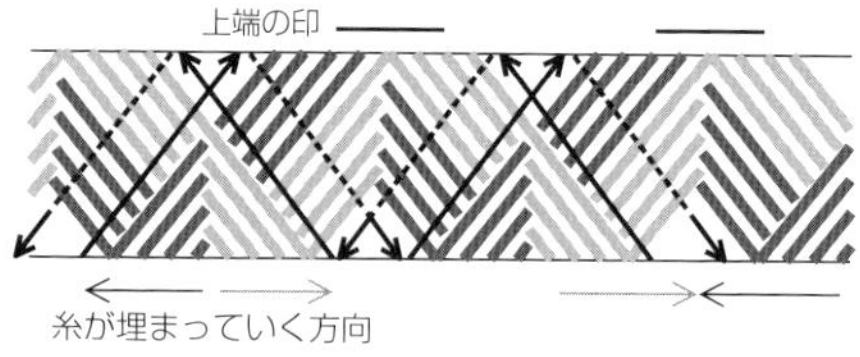

両寄せ・・・右と左に進み両側の糸に寄せて埋まる
↗↖下端上交　↙↘上端下交
上端で左右から来る糸が、交互に下に交わって重なる

横向きに交わる上掛け交差と下掛け交差

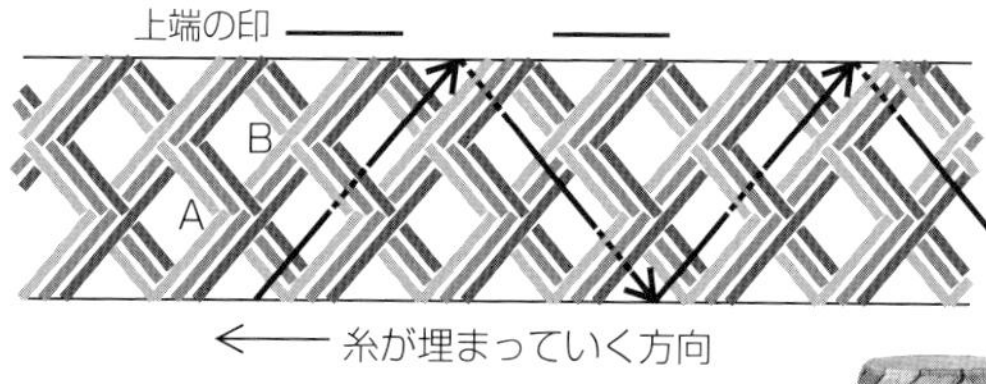

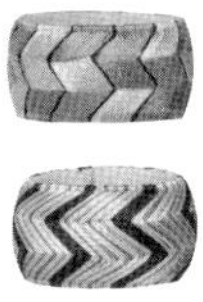

右寄せ・・・右に進み左にかがり埋まる
↗下端は上掛け　下交　上交
↘上端で下掛け　上交　下交
上端はくぐる下掛け　糸が AB の 2 か所で交わる
上に向かうときも下に向かうときも、下端に近い糸 A の下をくぐらせる

縦向きに交わる上掛け交差と下掛け交差

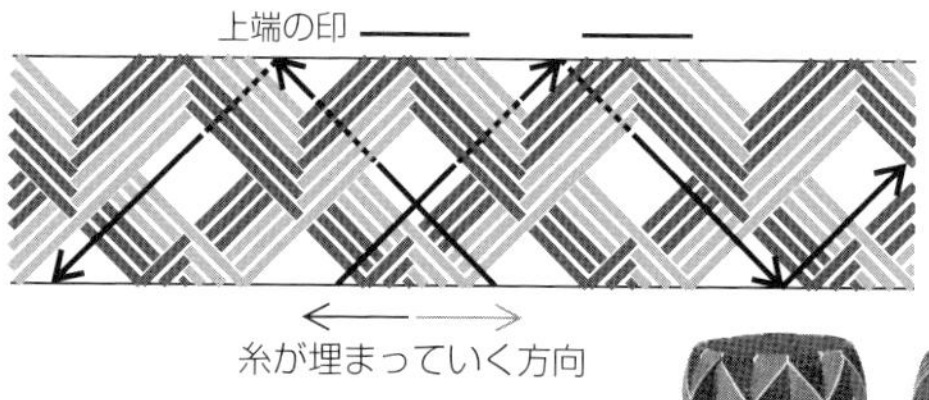

両寄せ・・・右と左に進み両側の糸に寄せて埋まる
↗↖下端で上交　下交　↙↘上端で下交　上交
糸が交わるところは両端と中央部 1 か所
右左とも上に向かうときは中央部でくぐる
右左とも下に向かうとき上端でくぐる

■かがり方の基礎４（図中、斜めの太矢印はかがり始めの方向、細矢印はかがり埋まって行く方向）

指ぬきかがりは基本的には両端からくる糸の交差で綾模様をつくります。
糸を交差させるには上に重ねる上掛けと下をくぐらす下掛けの２種類です。上下どこからでも左右どちらに進んでもほとんどの交差模様が出来ます。そんな中で模様に適した方法を選びます。原則としてかがり進んできた糸の後側に糸を並べて（寄せて）綾模様を作ります。下記の図以外にも同じ模様ができるかがり方があります。

糸数の段数を割り出し方向を自在に決めて、無限に模様ができます。デザイン性ある模様にするための組み合わせを創りだしてみましょう。

右寄せ・・右に進む
両端　上掛け
中央　上掛交差

左寄せ・・左に進む
両端　下掛け
中央　下掛交差

左寄せ・・左に進む
両端　上掛け
中央　上掛交差

右寄せ・・右に進む
両端　下掛け
中央　下掛交差

右寄せ・・右に進む
両端　下掛け
中央　上掛交差

左寄せ・・左に進む
両端　上掛け
中央　下掛交差

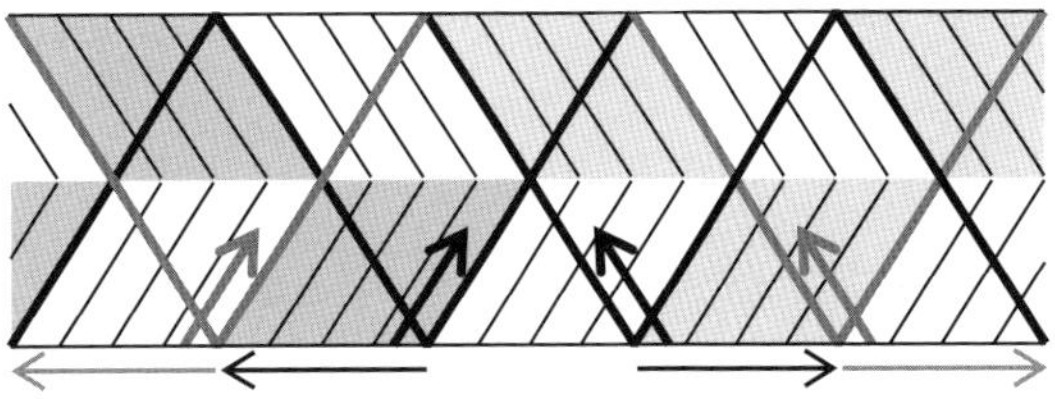

右寄せ・・右に進む
両端　上掛け
中央　下掛交差

左寄せ・・左に進む
両端　下掛け
中央　上掛交差

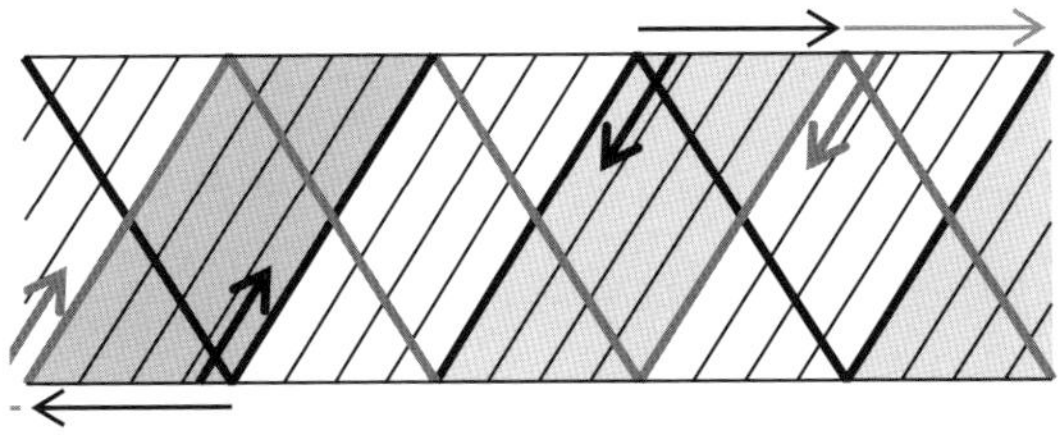

右寄せ・・右に進む
下端　上掛け
上端　下掛け

左寄せ・・左に進む
下端　下掛け
上端　上掛け

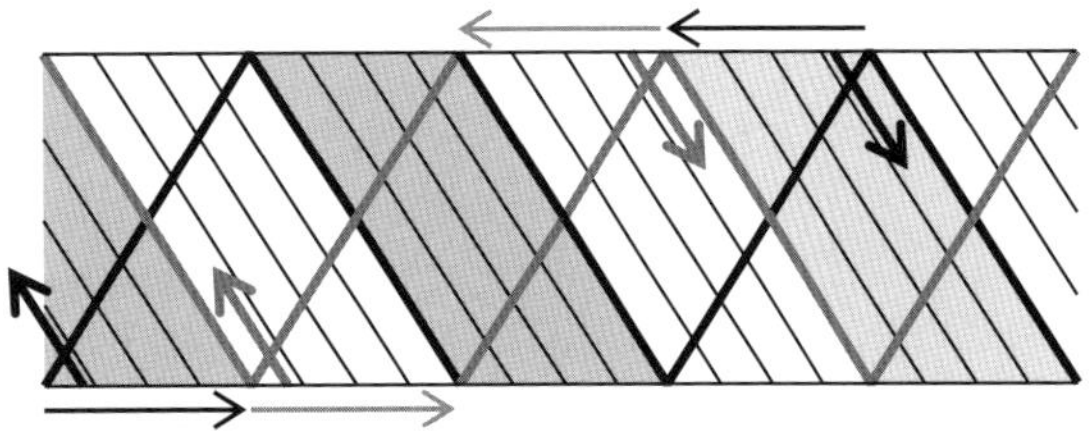

左寄せ・・左に進む
下端　上掛け
上端　下掛け

右寄せ・・右に進む
下端　下掛け
上端　上掛け

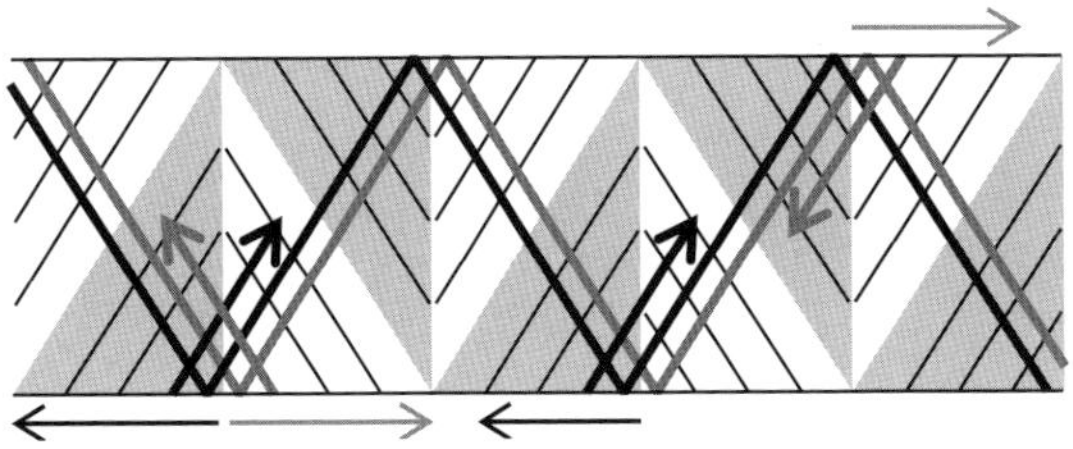

両寄せ・・・右と左に進む
両端　上掛交差

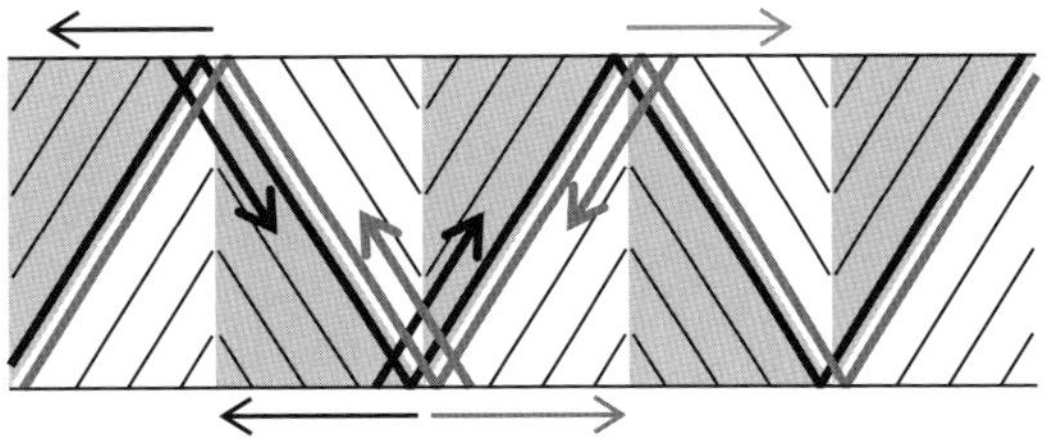

両寄せ・・・右と左に進む
両端　下掛交差

本書の見方

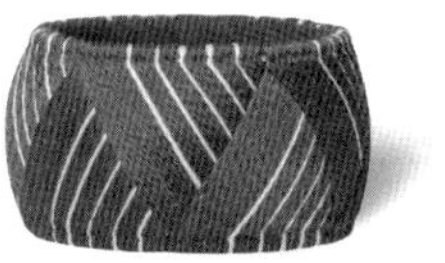

鱗模様 1(作品名)
等分…10(指ぬきを等分する数)
間隔… 1 (1つ目ずつかがる) **山幅**… 2 (山幅が2目おき)
かがり始め… 下1から右へ(スタート位置と進行方向)
山数… 5山右寄せ(右に進み、かがってある右の糸に寄せて、1つおきに5山かがってスタートに戻る) **糸**… 青 白(使用糸の色・色の後ろの丸数字は図と対応し、その色でかがり埋める)

かがり方
●青糸で下端1から針を出してかがり上2・下3・上4・下5・と進んでスタートの下1に戻る。

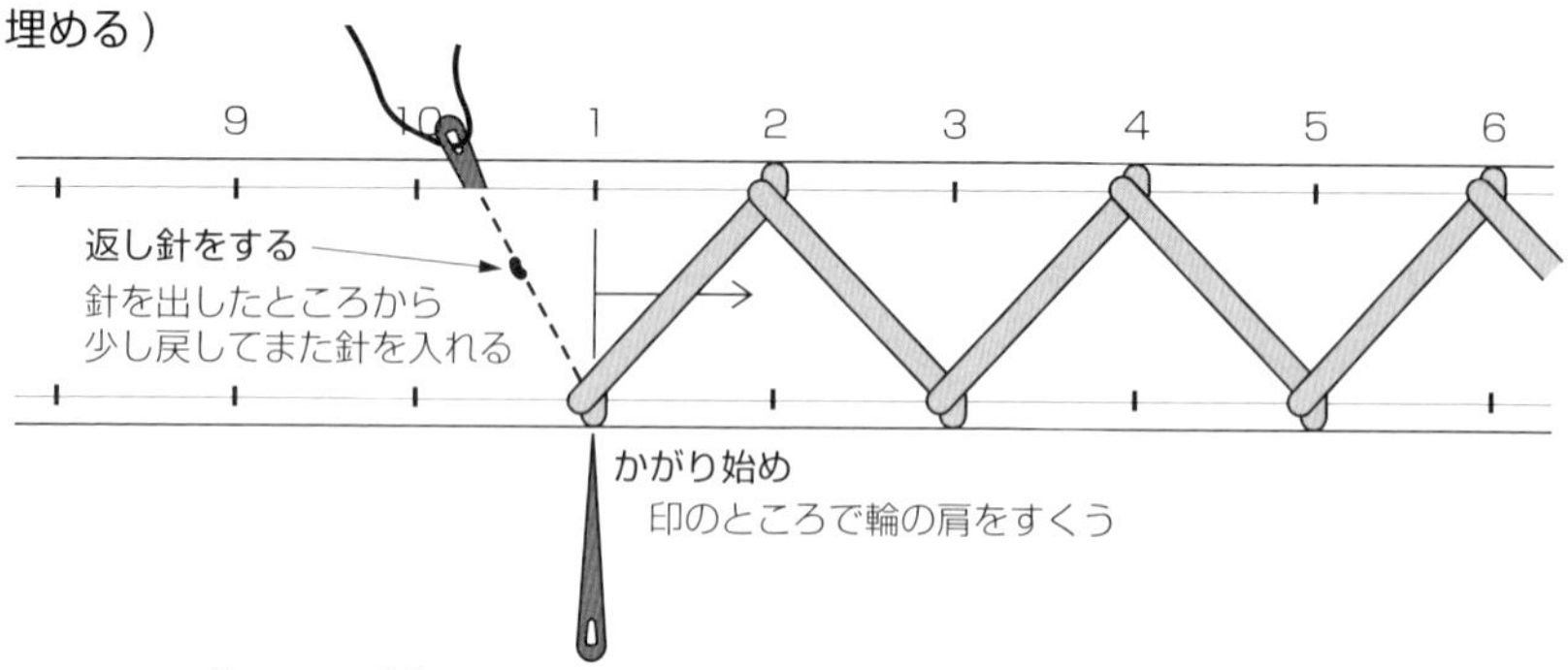

●続けて2段目を下1の1段目の左側から上2・下3・上4と1段目の糸に隙間なく並べてかがる。進行方向の反対側をかがる。

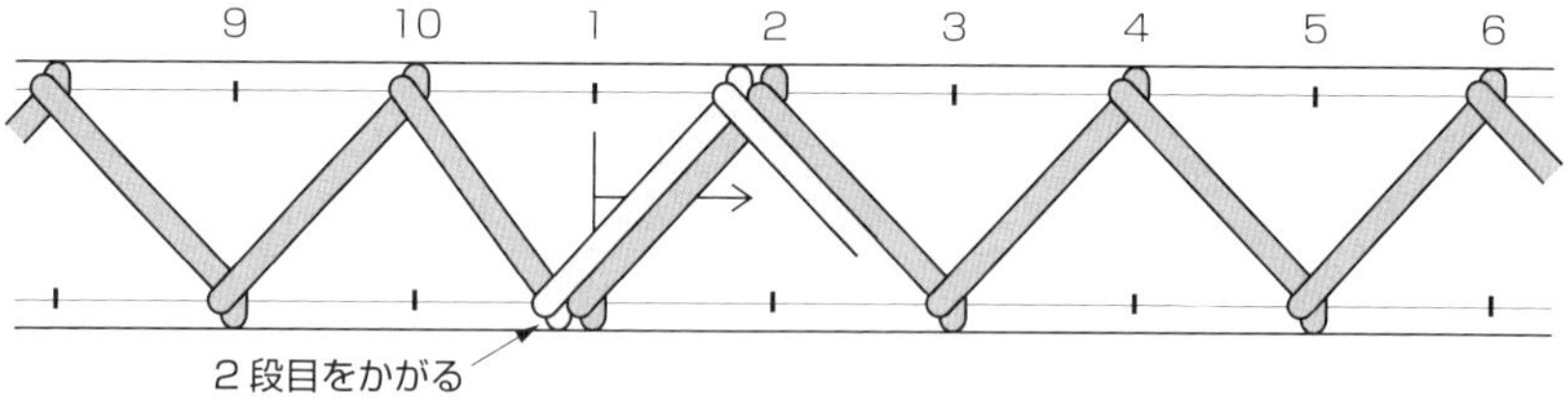

●4段かがってから白糸に替えます。(右の図は2段かがって白の縞を入れる図になっています。)

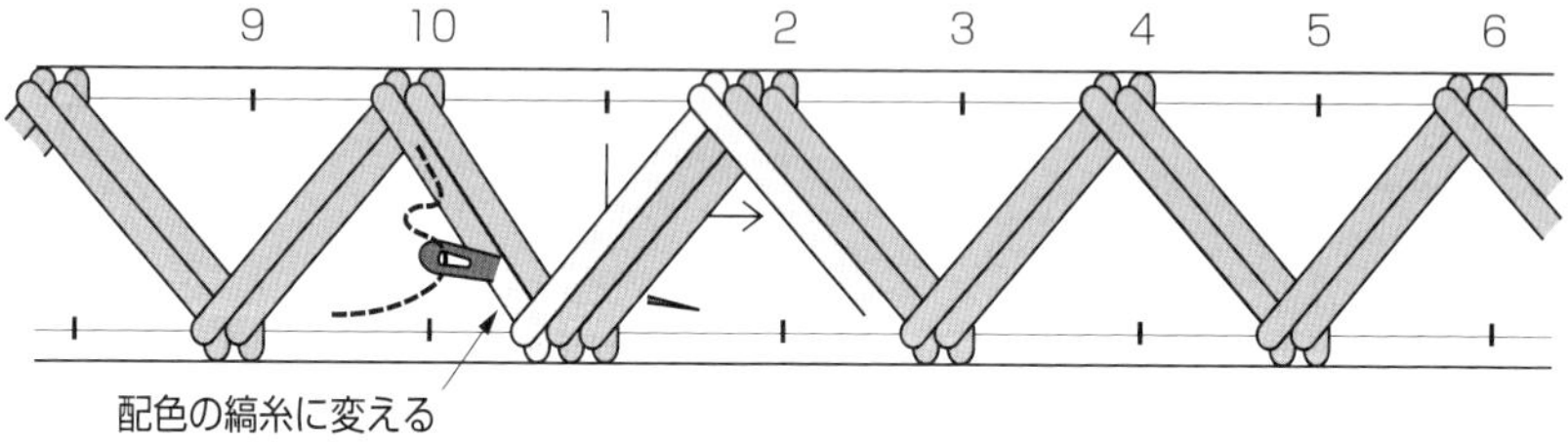

●4周して4段かがりスタートの下1に戻ったら5段目をかがらず手前で針を入れて中央部に糸を引き出しておく。配色の糸を付けた針を止めた糸のところから出して下1の4段目に並べて1段かがる。青4段ごとに白1段の縞模様を5回繰り返す。残りを青でかがり埋める。
●かがり終わりは最後の段のかがり始めた下端から針を入れて中央部に糸の隙間をあけて出し、返し針をして糸を切る。

下掛けと下掛け交差の違い

下掛け…くぐらせる(てまりのねじりかがり、組掛け)

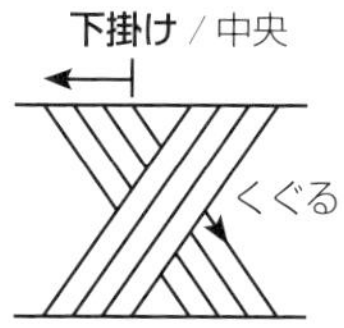

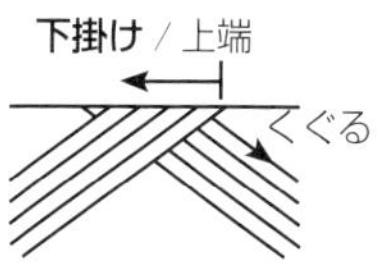

下掛け交差…一段ずつ交差してくぐらせる

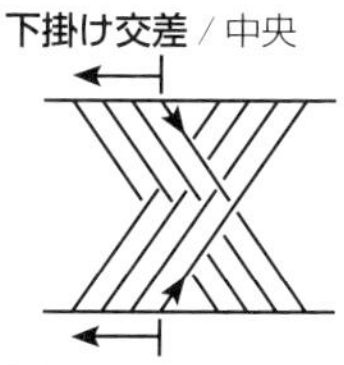

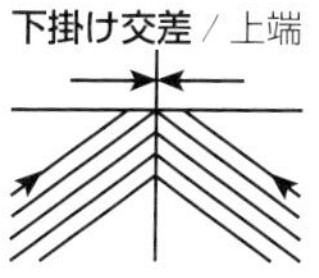

矢印記号と用語

↗ 下端から右上にかがる
↘ 上端から右下にかがる
↖ 下端から左上にかがる
↙ 上端から左下にかがる
上…上掛け かがってある糸の上を通す(自然に重なる)
下…下掛け かがってある糸の下を通す(くぐらせる)
上交…上掛け交差 糸の上を通して1段交互に重なる
下交…下掛け交差 糸の下を通して1段交互に重なる
右寄せ…右にかがり進み2段目以降の糸も前段の右の糸に寄せていく
左寄せ…左にかがり進み2段目以降の糸も前段の左の糸に寄せていく
両寄せ…右と左へ交互にかがり右左の前段の糸に寄せていく

鱗模様 1

口絵 24 ページ　制作 /藤田紀子

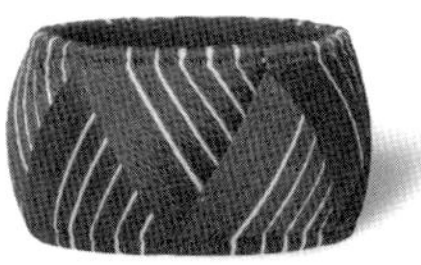

等分・・・10
間隔・・・１　**山幅**・・・２
かがり始め・・・下１から右へ
山数・・・５山右寄せ
糸・・・青　白

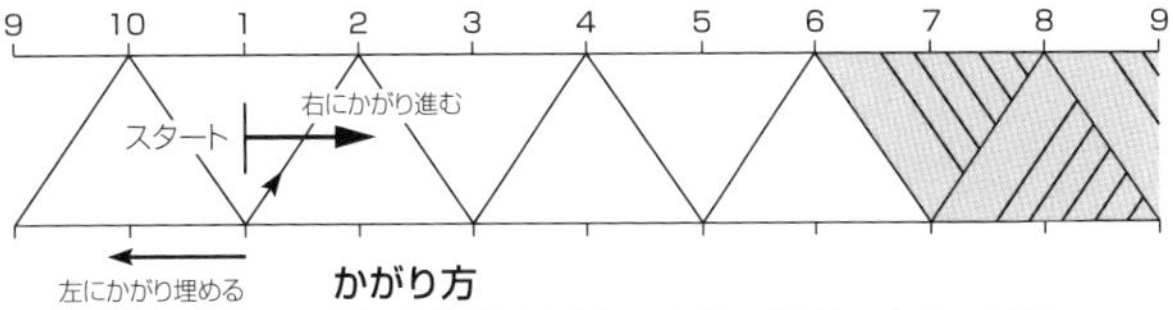

かがり方
① 青で右へ下１→上２→下３→上４→下５・・と５山で１周して下１に戻る。

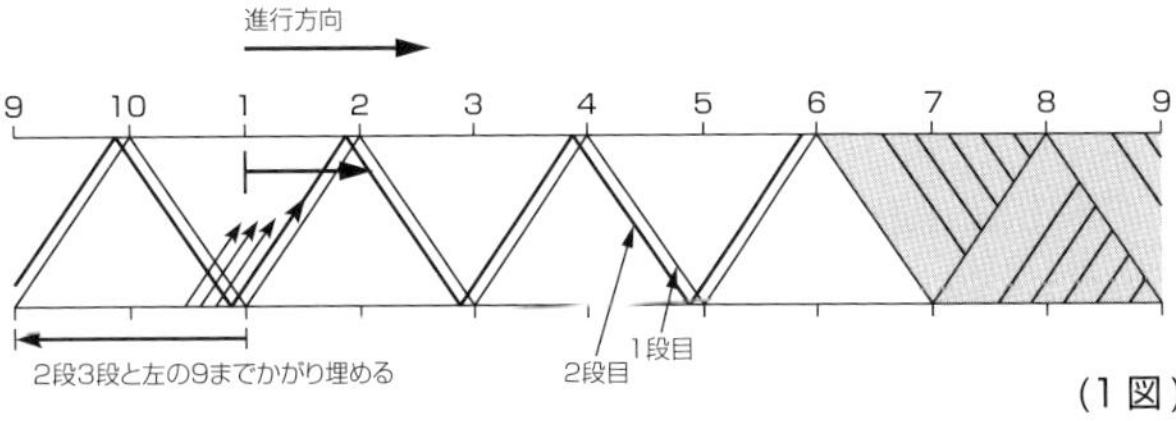

② 下１の左から１段目の糸の左に隙間なく詰め、並べてかがる。
③ 青４段かがったら白１段の縞を５回繰り返して残りは青でかがり埋める。

鱗合わせ

口絵 24 ページ　制作 /藤田紀子

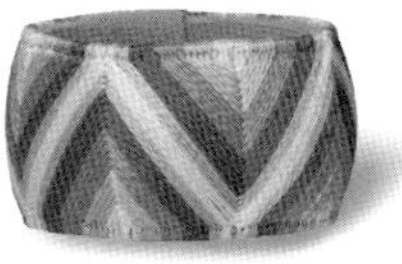

等分・・・８
間隔・・・１　**山幅**・・・２
かがり始め・・・下１から右左へ２か所
山数・・・４山ずつ両寄せ
糸・・・白　青濃淡

(1 図)

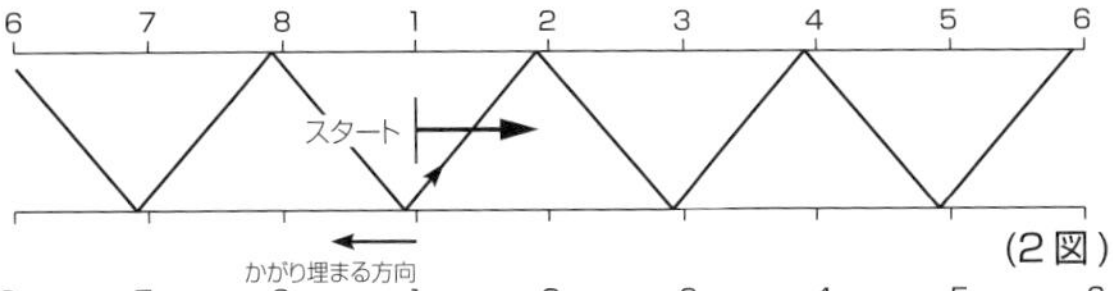

(2 図)

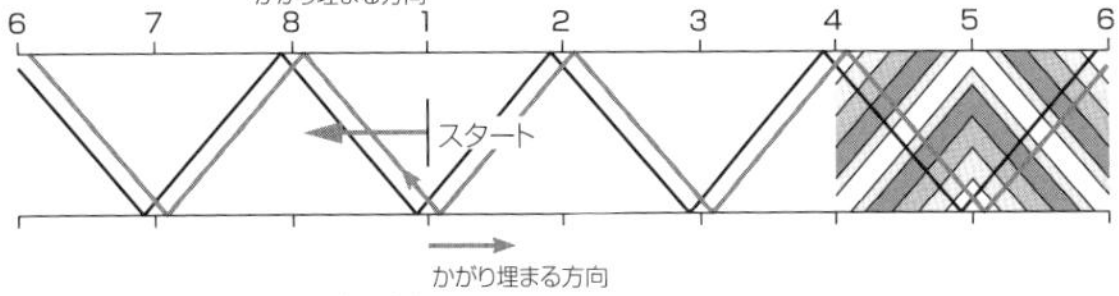

(3 図)

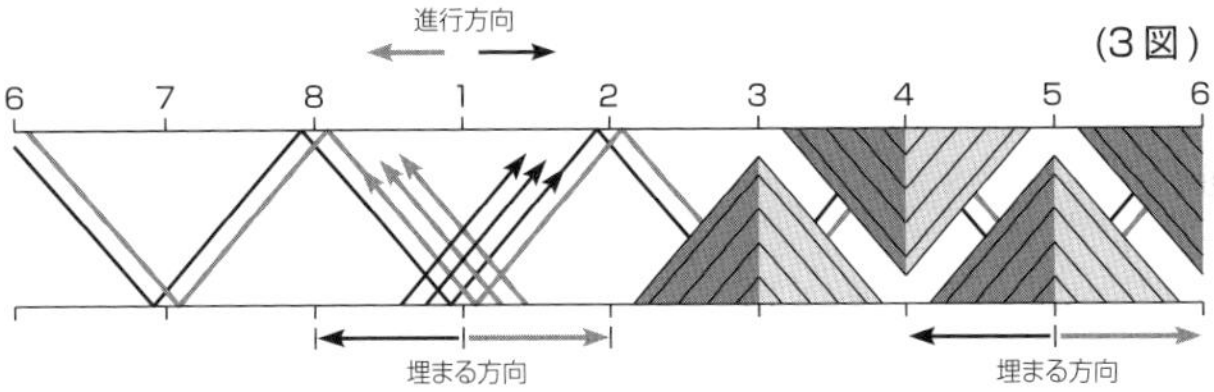

かがり方
① 白で右へ下１→上２→下３→上４→下５・・・と１周して１段かがる。(１図)
② 白で左へ下１→上８→下７→上６→下５・・・と１周して１段かがる。(２図)
③ 右と左へ１段交互にかがり埋める。右の２と左の８まで白３段、薄青・青・濃青３色を各５～６段ずつ、残りを薄青と白でかがり埋める。(３図)

二色ダイヤ

口絵 24 ページ　制作 /藤田紀子

等分・・・8
間隔・・・１　**山幅**・・・２
かがり始め・・・両端１から右左に４か所
山数・・・４山ずつ両寄せ
糸・・・薄緑①②　白③④

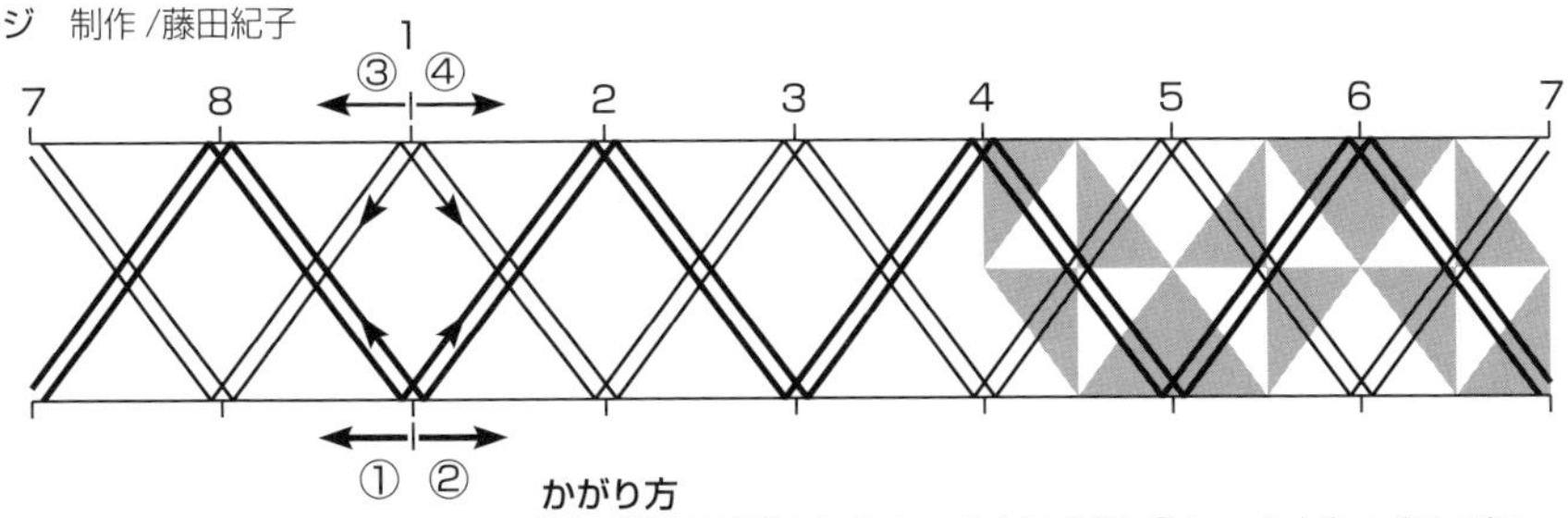

かがり方
① 薄緑で①下１から右へ４山を１段、②左へ４山を１段かがる。
② 白で③上１から右へ４山を１段、④左へ４山を１段かがる。
③ ①②③④１段交互に埋まるまでかがる。

三色ダイヤ

口絵 24 ページ

等分・・・９
間隔・・・1.5　**山幅**・・・3
かがり始め・・・下６か所から右左へ
山数・・・３色で３山ずつ両寄せ
糸・・・橙①④　青②⑤　紫③⑥　白

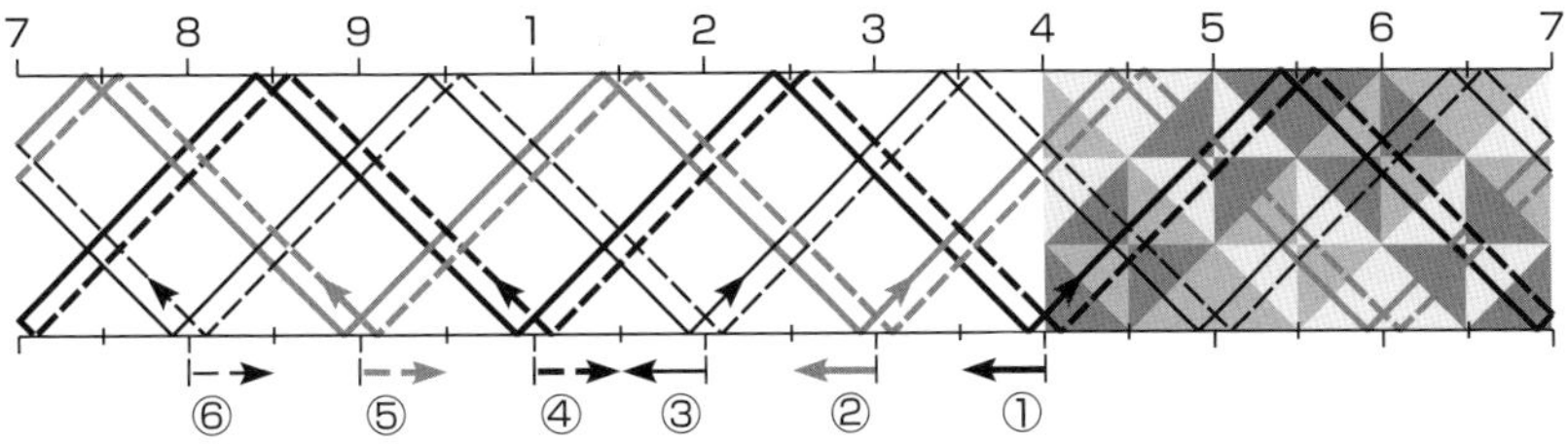

かがり方
① ①橙②青③紫で右へ１周で３山ずつかがる。
② ④橙⑤青⑥紫で左へ１周で３山ずつかがる。
③ １段交互に埋まるまでかがる。
④ 最後に白１本かがる。

四色ダイヤ
口絵 24 ページ

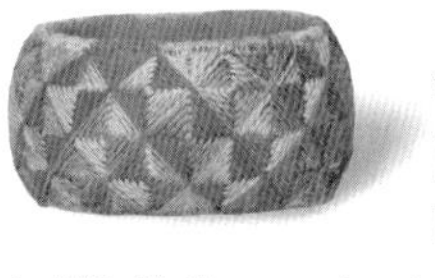

等分・・・12
間隔・・・2
山幅・・・4
かがり始め・・・下８か所から右左へ
山数・・・３山ずつ両寄せ
糸・・・黄①　青②　紫③　赤④

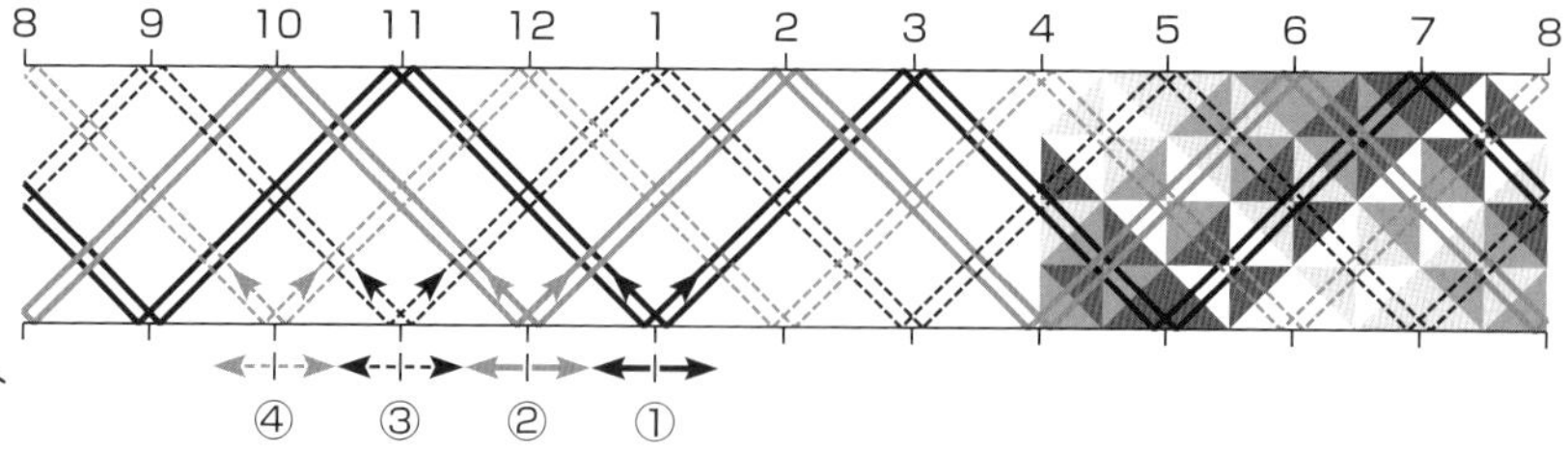

かがり方　４色で下４か所①②③④の右と左８か所から１段交互にかがり埋める。

三色鱗
口絵 24 ページ

等分・・・12
(2 等分の補助印)
間隔・・・1.5　**山幅**・・・3　**かがり始め**・・・下１２３から右へ
山数・・・4 山ずつ右寄せ　**糸**・・・クリーム①　青②　紫③

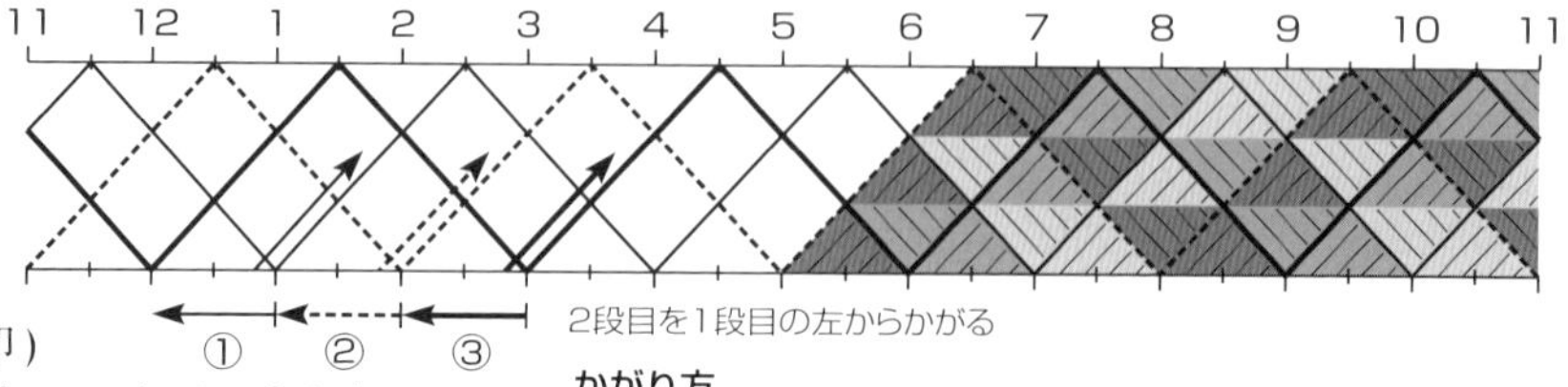

かがり方
1　①クリーム②青③紫の３色で、右へ１段交互にかがり埋める。
2　２段目を１段目の左からかがる。１段目の左にかがり埋まる。

変わり鱗
口絵 24 ページ

等分・・・10
間隔・・・１　**山幅**・・・２
かがり始め・・・両端１と２から
右左へ４か所
山数・・・５山ずつ両寄せ
糸・・・白①②　青③④

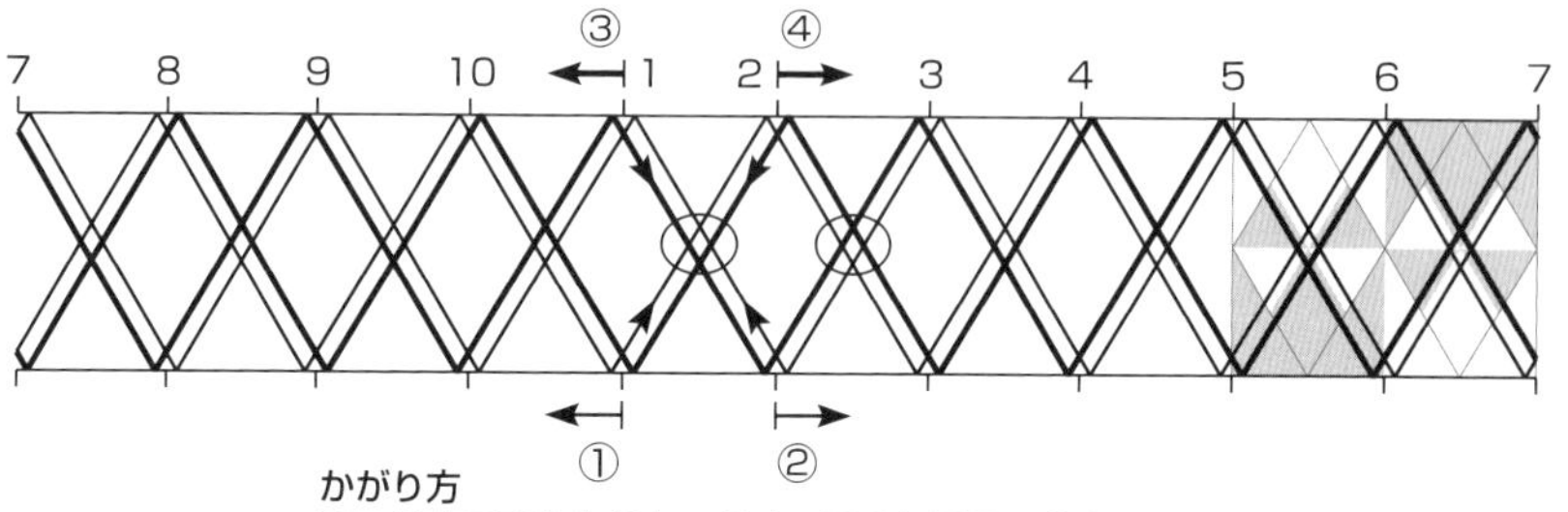

かがり方
1　①白で下１から右へ５山で下１に戻る。②白で下２から左へ５山で下２に戻る。中央部で交差する○印でくぐらせる。
2　③青で上１から右へ上１に戻る。中央部で交差する○印でくぐらせる。④青で上２から左へ上２に戻る。中央部で交差する○印でくぐらせる。
3　①②③④１段交互にかがる。○印の箇所は交わる糸を全部くぐらせる下掛け交差でかがり、同じ色が近づいてかがり埋まる。
4　最後は同色の中心に１本、上掛けで通す。

変わり三角
口絵 24 ページ

等分・・・８
間隔・・・１
山幅・・・２
かがり始め・・・下１から右左へ２か所
山数・・・４山ずつ両寄せ
糸・・・茶①③　薄緑②④

(1 図)

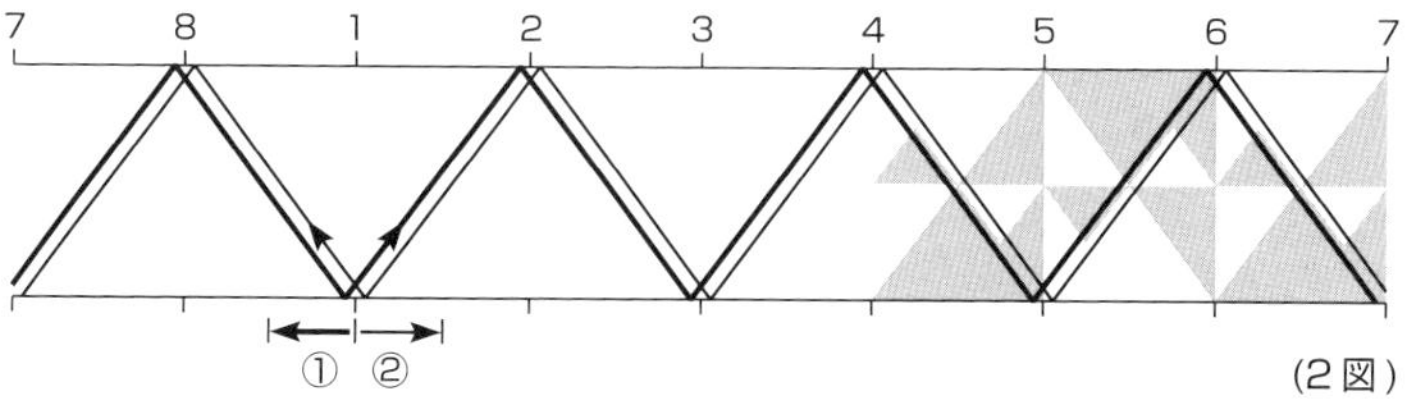

(2 図)

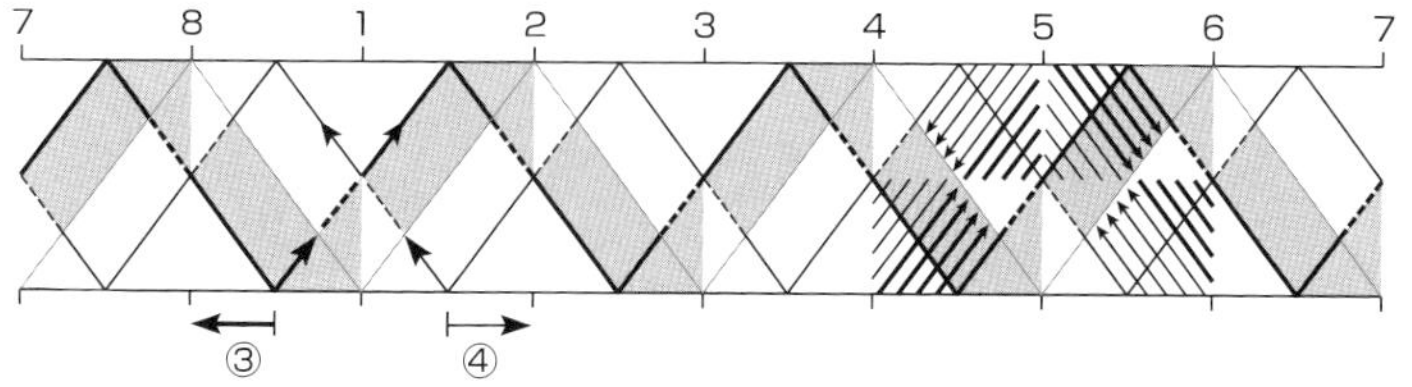

ブレスレット
口絵 24 ページ
制作／大橋外美江

等分・・・12
糸・・・都てまり糸

かがり方　変わり三角と同じ

かがり方　1　下１から①茶で右へ②薄緑で左へ２色で４山ずつ１段交互に½までかがる。(1 図)
2　残り½を③④２色で続けてかがるとき、反対色の１段から½までかがってある糸をくぐらせる下掛け交差かがりでかがる。点線はくぐり、１段ずつくぐる数を減らしていく。(2 図)

升つなぎ 口絵24ページ

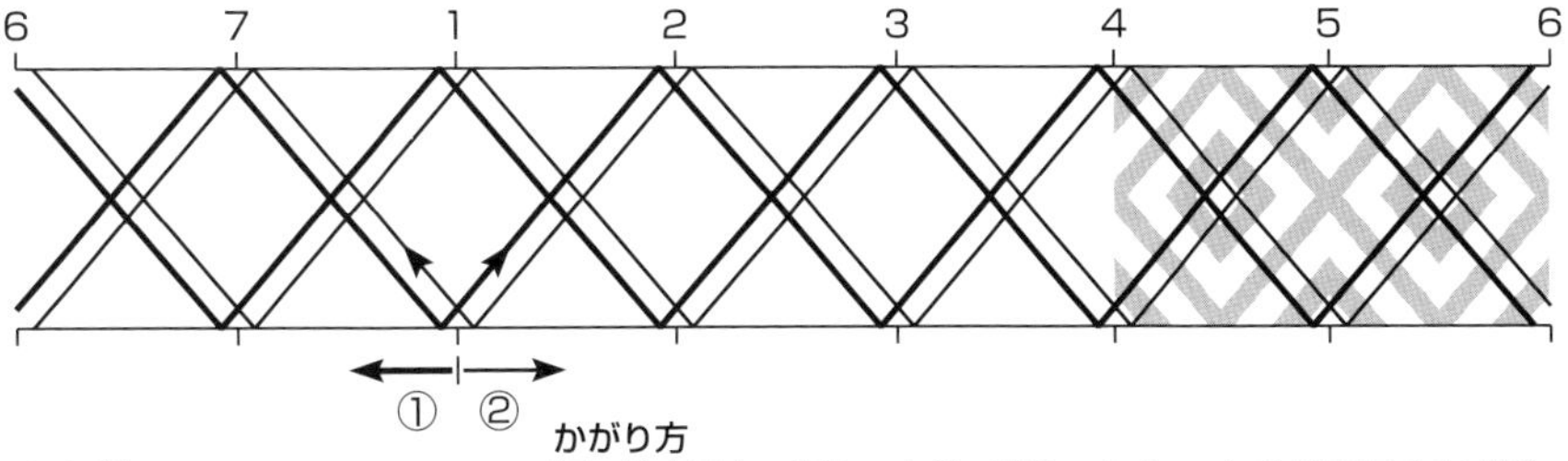

等分・・・7（奇数）
間隔・・・1　**山幅**・・・2
かがり始め・・・下1から右左へ2か所
山数・・・2周で7山ずつ　両寄せ
糸・・・白　青

かがり方
1 ①白で右へ下1→上2→下3→上4・・・と2周で7山かがる。
2 ②白で左へ下1→上7→下6→上5・・・と2周で7山かがる。
白で①② 1段交互に3段かがる。
3 残りは青4段、白4段かがり、青で埋まるまでかがる。

あられ1 口絵24ページ

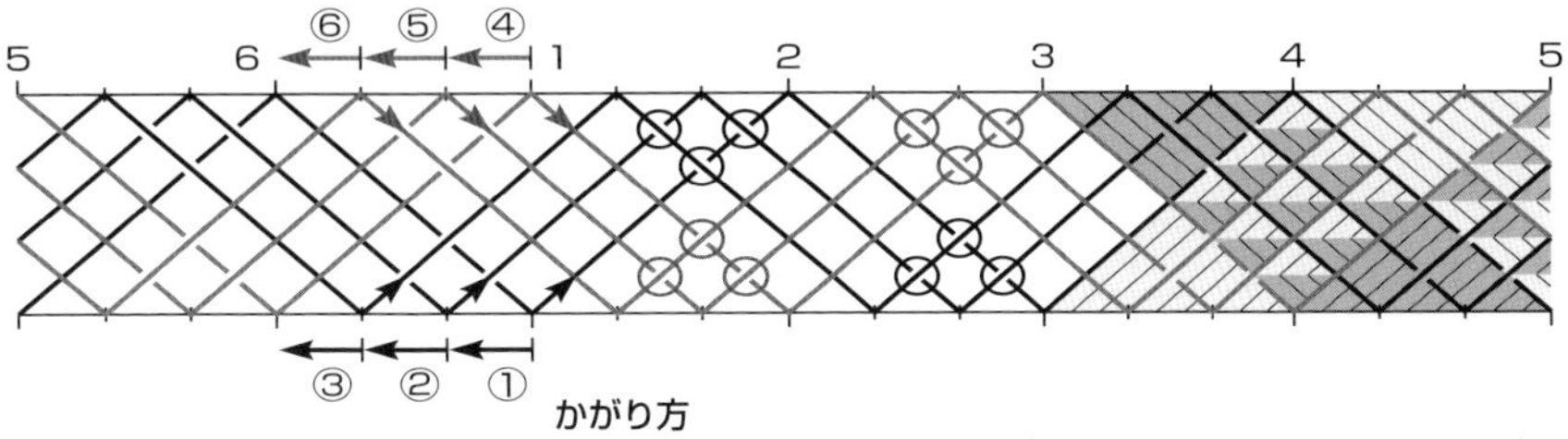

等分・・・6（3等分の補助印）
間隔・・・1　**山幅**・・・2
かがり始め・・・両端6か所から右へ
山数・・・1周で3山ずつ右寄せ
糸・・・白①②③　青④⑤⑥

かがり方
1 両端上掛けで①②③は白、④⑤⑥は青で右へ1段交互にかがる。
2 ①②④⑤は2段目から○印の同色と交差で下掛け（1段目と同じくぐりになる）。③⑥はくぐりなし。

あられ2 口絵24ページ

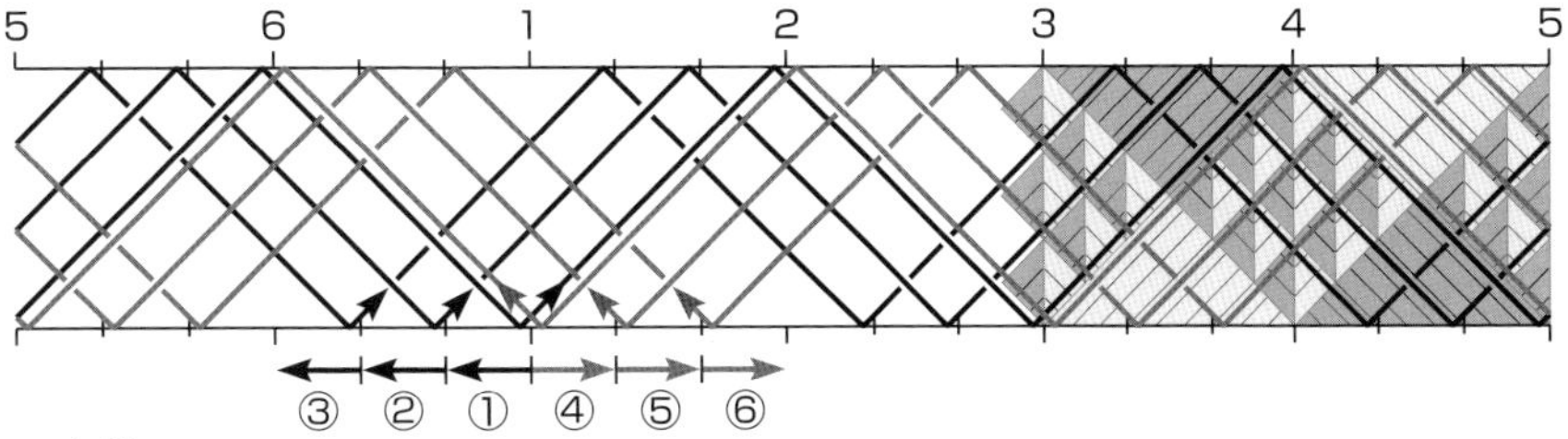

等分・・・6（3等分の補助印）
間隔・・・1　**山幅**・・・2
かがり始め・・・下端から右左へ6か所
山数・・・1周で3山両寄せ
糸・・・赤①②③　薄灰④⑤⑥

かがり方
1 下1から右左に①②③赤で④⑤⑥薄灰で1段交互にかがる。
2 2段目から両端下掛けに続いて同色もくぐる。①④は両端下掛けのみでかがる。

変わり市松 口絵24ページ

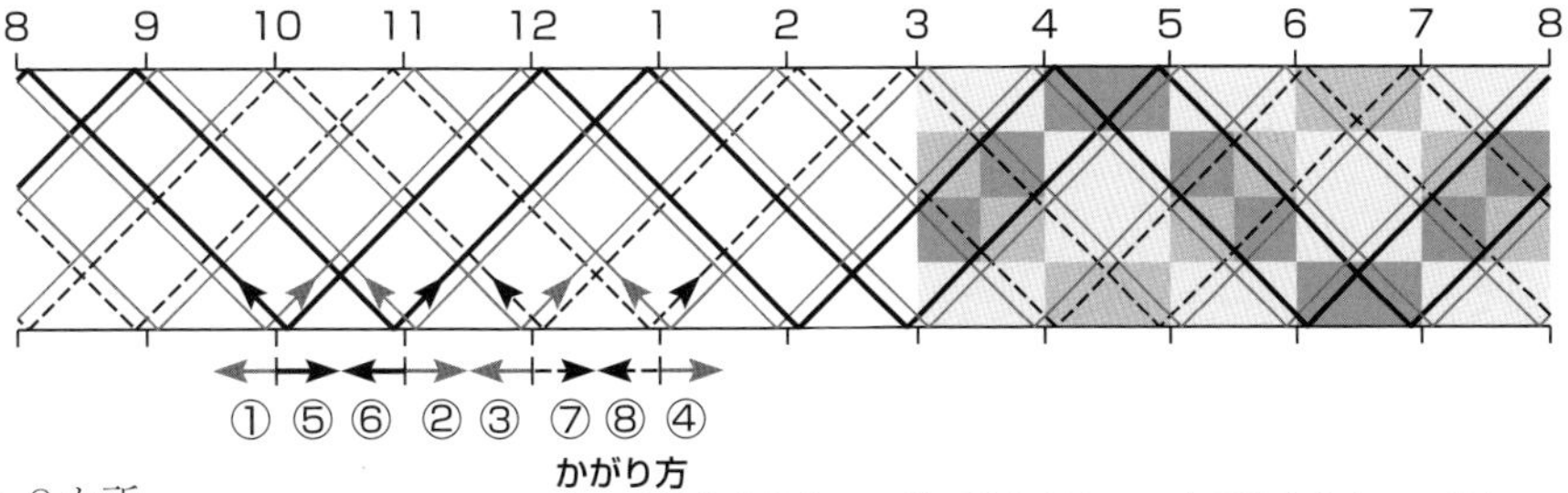

等分・・・12
間隔・・・2　**山幅**・・・4
かがり始め・・・下端から右左へ8か所
山数・・・1周で3山ずつ両寄せ
糸・・・白①②③④　黒⑤⑥　赤⑦⑧

かがり方
白で①③右②④左へ、黒で⑤左⑥右へ、赤で⑦左⑧右へ、8か所から右と左1段交互にかがり埋める。

紅梅白梅
口絵 17 ページ

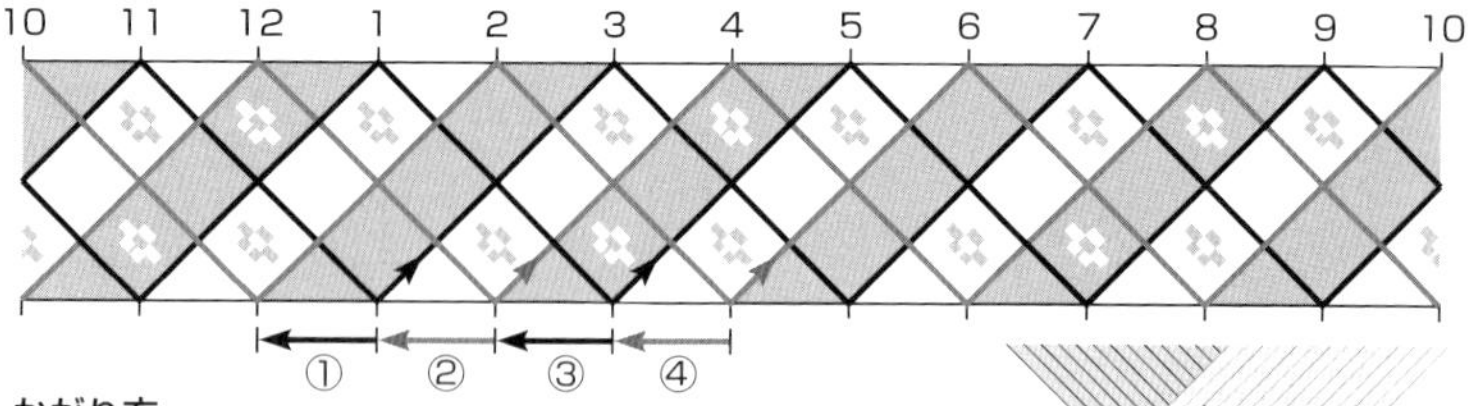

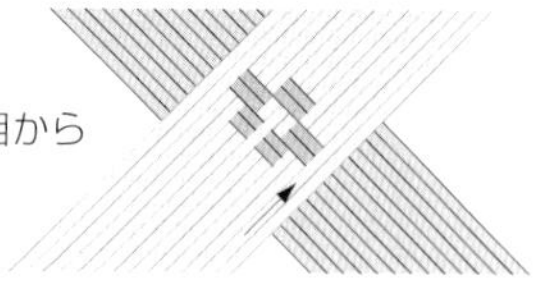

等分･･･12
間隔･･･2　**山幅**･･･4
かがり始め･･･下 1 から右へ
山数･･･ 1 周で 3 山右寄せ
糸･･･赤①③　白②④

かがり方

1　赤①で下 1 から右へ 3 山ずつ 1 目盛りかがる。2 段目から上端は下掛けでかがる。
2　白②で下 2 から右へ上端は下掛けで 1 目盛りかがる。上端に向かうとき紅梅がでるようにくぐらせる。下端に向かうとき交わる赤糸をくぐらせる。
3　赤③と白④も右へ、上端は下掛けで 1 目盛りずつかがる。上に向かうとき花をくぐらせてかがる。下に向かうとき交わる糸をくぐらせる。花も出るようにくぐらせる。

あやめ
口絵 17 ページ

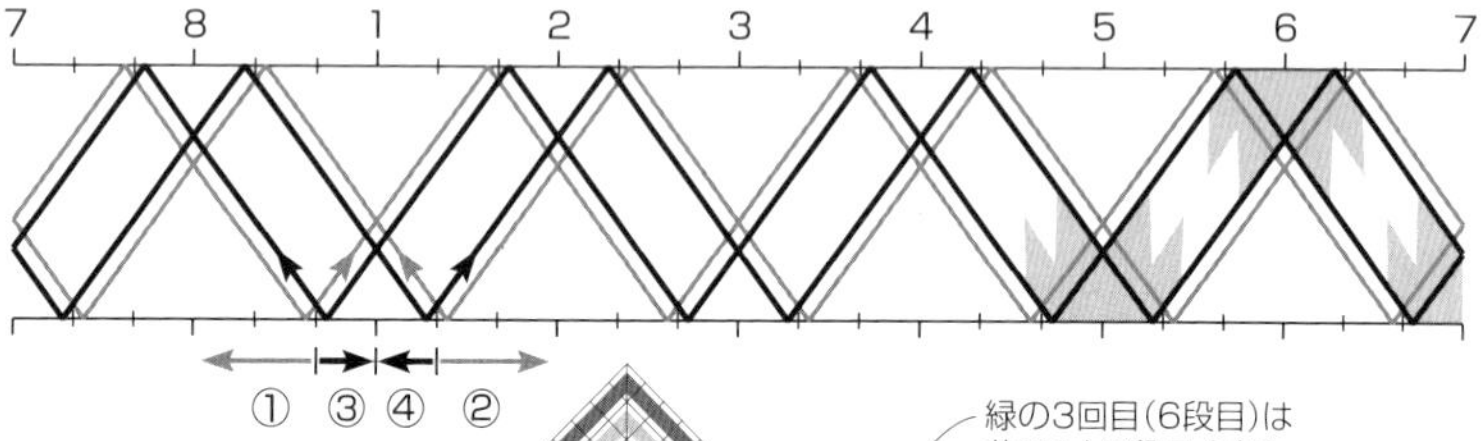

等分･･･8
(3 等分の補助印)
間隔･･･1　**山幅**･･･2
かがり始め･･･下 1 と⅓から右左へ 4 か所
山数･･･ 4 山ずつ両寄せ
糸･･･緑①②　紫③④　濃緑(①②途中から)

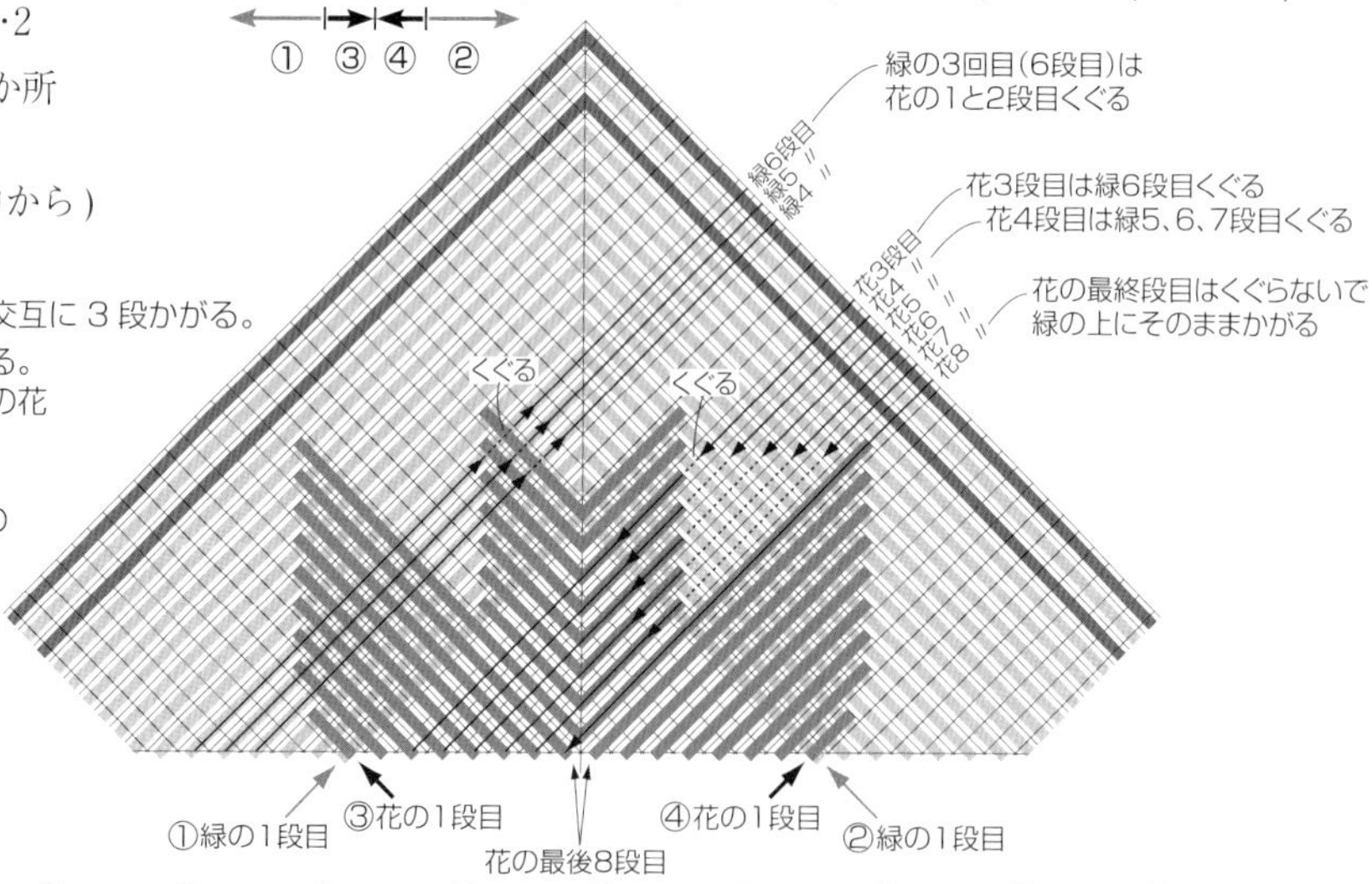

かがり方

1　緑で下 1 の⅓の①と②から右と左へ 1 段交互に 3 段かがる。
2　紫で下 1 の③と④から左と右へ 1 段かがる。
3　①と②を 1 段交互に 2 段かがる。中心部の花 1 段目の下をくぐらせる。
4　③、④を 1 段かがる。
5　①、②、③、④を 1 段交互にかがる。緑の 3 回目 (6 段目) は花の 1 と 2 段目をくぐる。花の 3 段目は緑の 6 段目をくぐる (図参照)。
6　最後の花 8 段目はくぐらせないでかがる。
7　濃緑の縞を入れて埋める。

コスモス
口絵 17 ページ

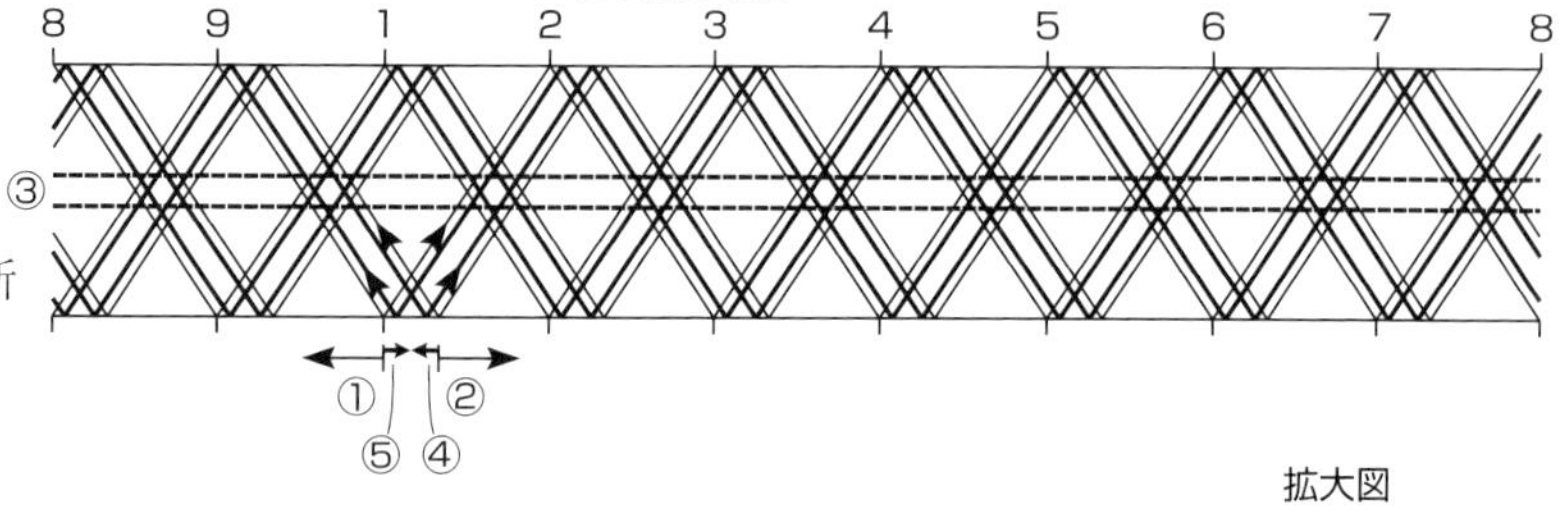

等分･･･9
間隔･･･1
山幅･･･2
かがり始め･･･下 1 から右と左へ 4 か所
山数･･･ 2 周で 9 山ずつ両寄せ
糸･･･緑①②　ピンク③④⑤　銀ラメ

かがり方

1　①緑で下 1 から右へ 2 周で 9 山 1 段かがる。②緑で下 1 から 0.2cm の幅をあけて左へ 2 周で 9 山 1 段かがる。右と左へ 1 段交互に 5 段かがる。
2　③ピンクで横中央に 0.2㎝幅で平行に 2 本巻く。④⑤ピンクで下 1 から 0.2㎝の緑内側に沿って右と左に 2 周で 9 山ずつ 1 段かがる。
3　緑の続きを右と左に 1 段ずつかがる。
4　ピンクで横に巻いた内側に沿って 2 本巻く。下 1 からピンクの内側に右と左に 1 段ずつかがる。
5　③ピンクの中心に 1 本巻く。下 1 からもピンクで右に 1 段かがる。
6　緑の続きを右と左に 1 段交互にかがり埋め、最後に銀ラメで 1 段かがる。

拡大図

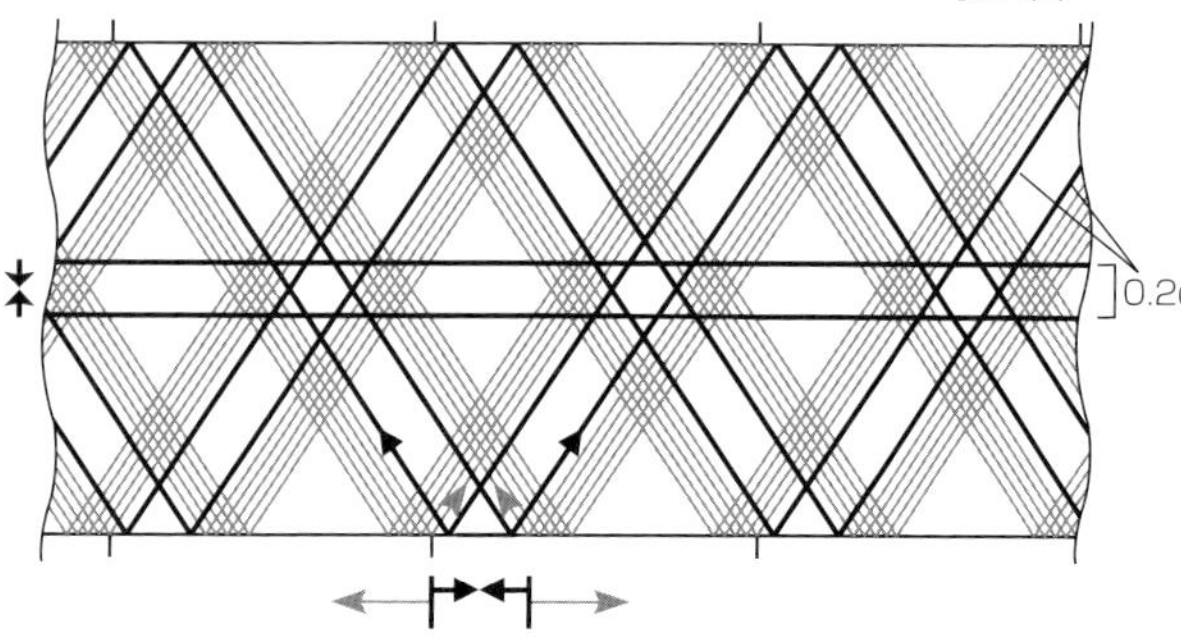

椿 口絵 17 ページ

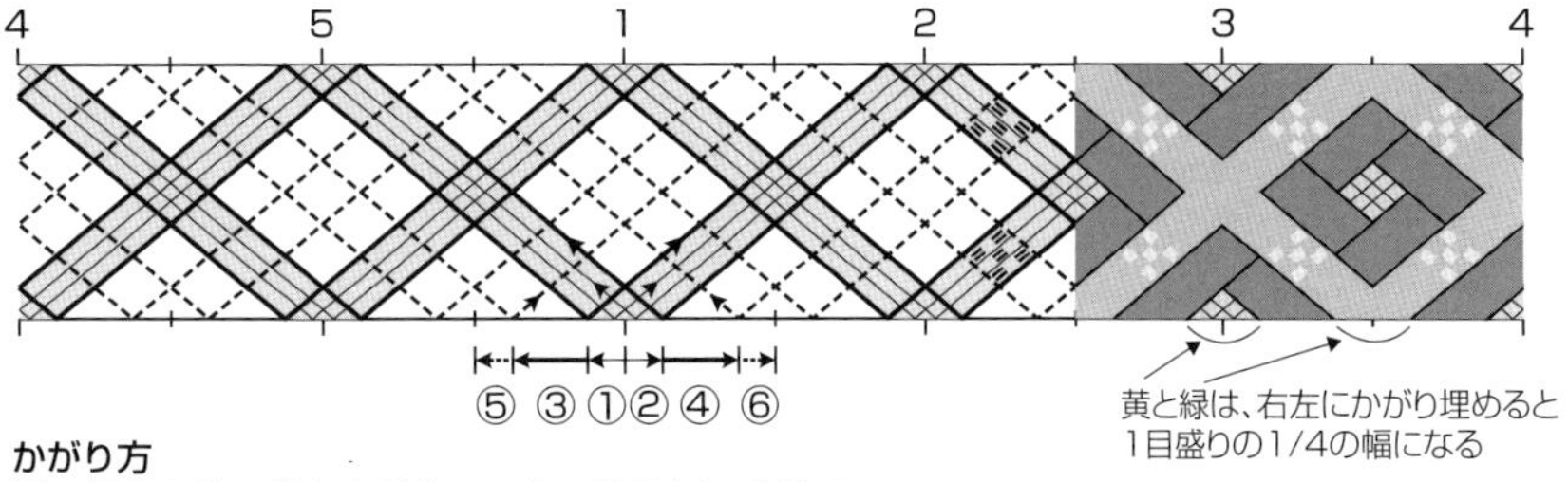

等分 … 5(2 等分補助印)
間隔 … 1　**山幅** … 2
かがり始め … 下 1 から右左へ
山数 … 2 周で 5 山ずつ両寄せ
糸 … 黄①②　赤③④　緑⑤⑥
黒

かがり方

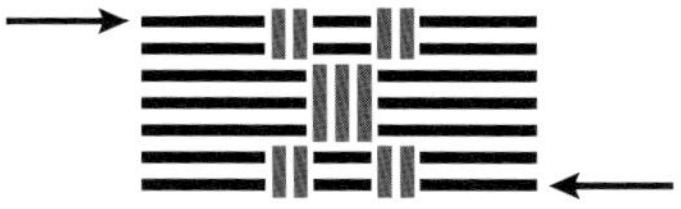

[1]　花芯の黄で①右と②左へ、1 つ目ごとに 2 周で 5 山ずつ 1 段交互に⅛までかがる。
[2]　花芯と花の間に入れる線 1 段分あけて赤で③右と④左へ 2 周で 5 山を 1 段交互に¼幅かがる。
[3]　花芯と花の色の間に黒でくぐらせて花弁の線を入れる。花の色の最後にも黒を 1 段かがる。
[4]　緑で⑤右と⑥左へ 1 段交互に残りをかがり埋める（右左で目盛の¼の幅になる）。①②の黄をくぐらせて市松模様にかがる。

二色花菱 口絵 17 ページ

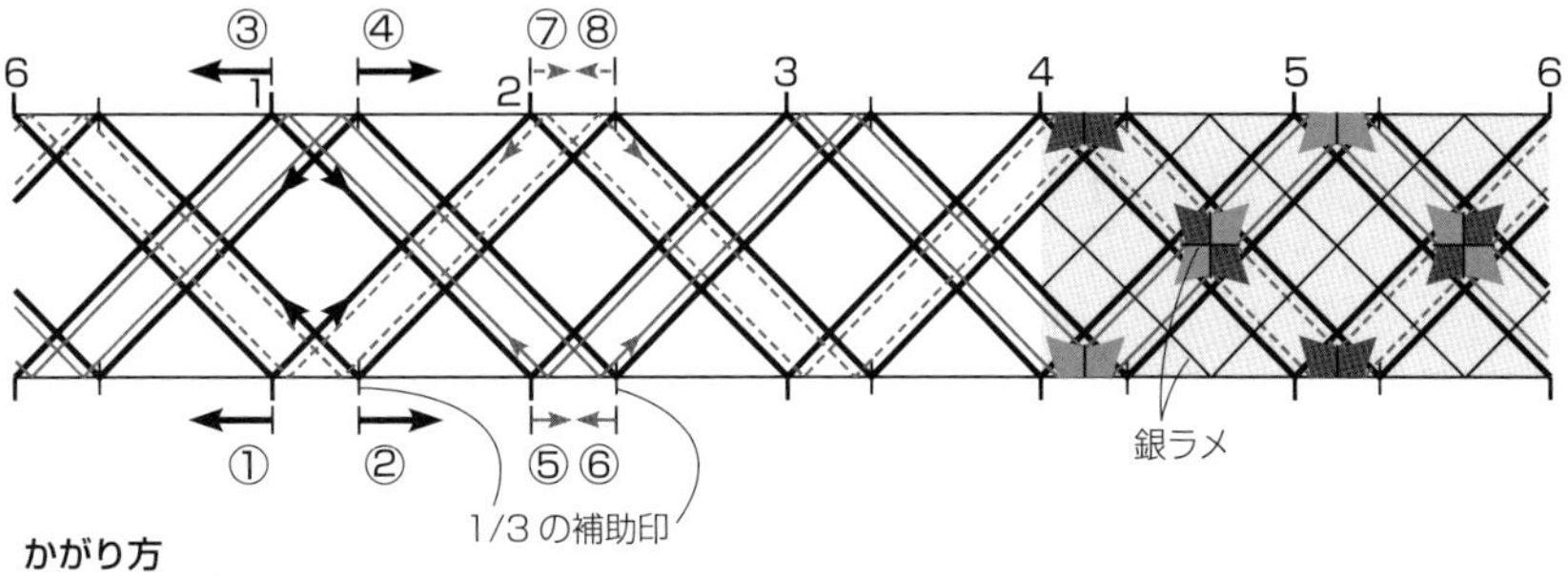

等分 … 6(3 分の 1 に補助印)
間隔 … 1　**山幅** … 2
かがり始め … 両端 8 か所から右左
山数 … 3 山ずつ両寄せ
糸 … 青①②③④　黄⑤⑥
赤⑦⑧　銀ラメ

かがり方

[1]　青で下①から右へ、補助印②から左へ 3 山ずつ 1 段かがる。
[2]　青で上③から右へ、補助印④から左へ 3 山ずつ 1 段かがる。
[3]　①、②、③、④を 1 段交互に 3 段までかがる。
[4]　黄で下⑤から左へ、補助印⑥から右へ 3 山ずつ 1 段かがる。
[5]　赤で上⑦から左へ、補助印⑧から右へ 3 山ずつ 1 段かがる。
[6]　8 か所から 1 段交互に同じ色が近づいて埋まるまでかがる。
[7]　黄赤が埋まったら青 4 か所から埋まるまでかがり、最後に銀ラメで 1 本かがる。
[8]　銀ラメ糸で黄と赤の花芯を十字にかがる。

しゃくなげ 口絵 17 ページ

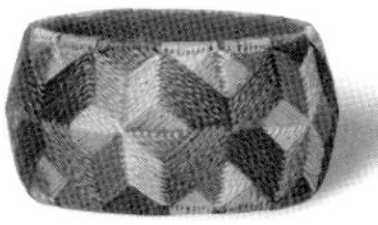

Ⅰ図

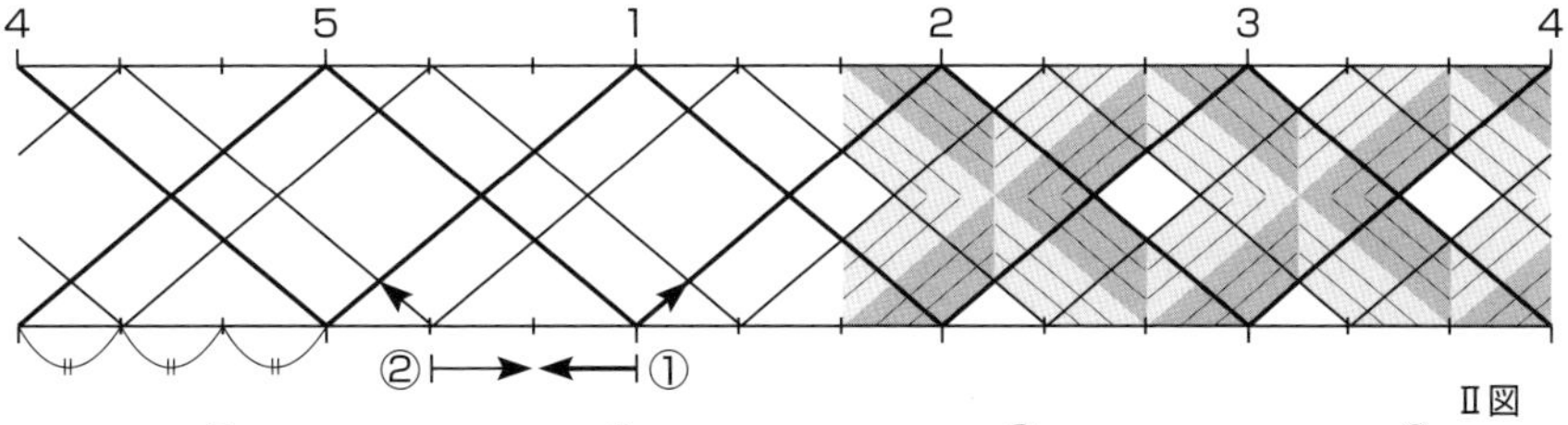

Ⅱ図

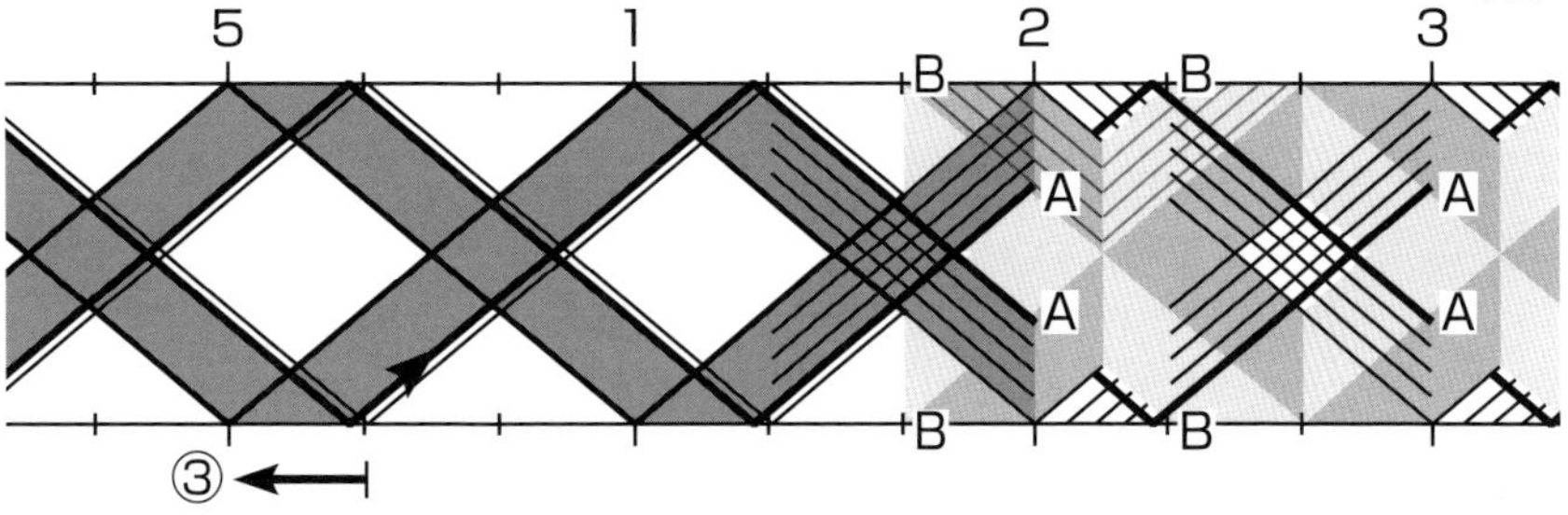

等分 … 5
(3 等分の補助印)
間隔 … 1　**山幅** … 2
かがり始め … 下 2 か所から右左へ
山数 … 2 周で 5 山ずつ両寄せ
糸 … 濃ピンク①　薄ピンク②　緑③

かがり方

[1]　ピンク濃淡で右と左に 2 周で 5 山を 1 段交互に⅓ずつかがり、残りの⅓は 1 段広めに残す。
[2]　緑で右へ 2 周で 5 山を残りの⅓埋める（Ⅱ図）。1 段目は A 濃ピンク全てくぐる、B は上にのる。2 段目は A 1 本上、B 1 本下（A で 1 本上にのりあとはくぐる。B で 1 本くぐらせて、あとは上にのる）。3 段目は A 2 本上、B 2 本下。のる数とくぐる数が 1 段ずつ増える。
[3]　緑は½までかがったら中央の交差は下掛け交差でかがる。そのまま上掛け交差で続けてもかまわない。

蝶々1 ▶ 口絵17ページ

等分・・・6
間隔・・・1
山幅・・・2
かがり始め・・・両端から右左へ4か所
山数・・・3山ずつ両寄せ
糸・・・赤①② 薄緑③④ 銀ラメ

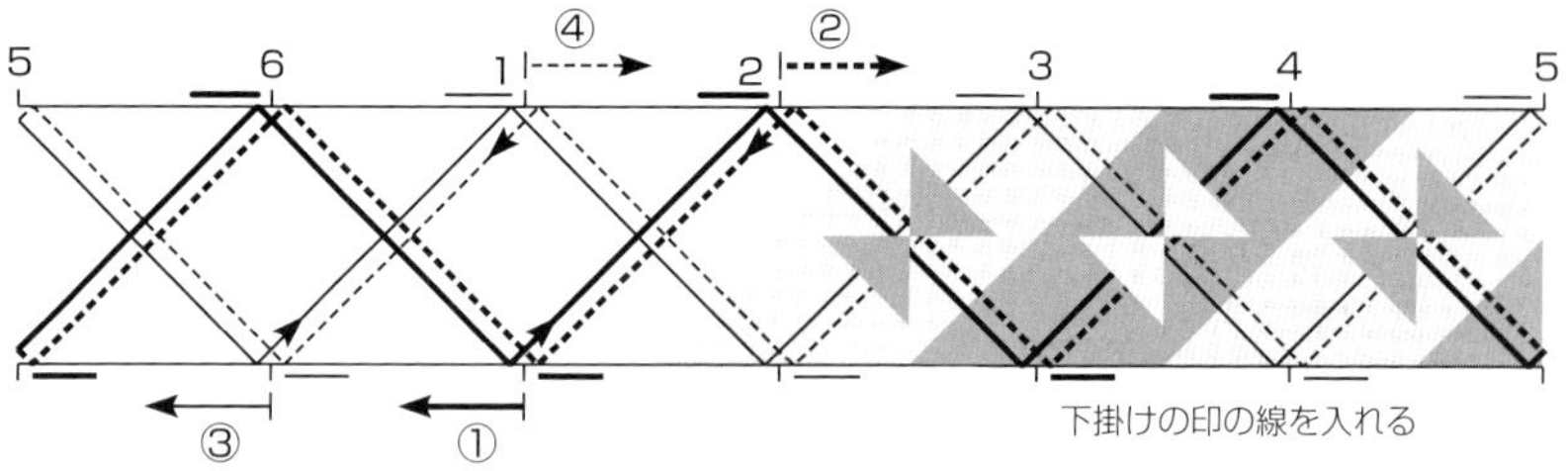

かがり方 [1] ①赤で下1から右へ3山1段かがる。 [2] ②赤で上2から左へ3山1段かがる。 [3] ③薄緑で下6から右へ3山1段かがる。 [4] ④薄緑で上1から左へ3山1段かがる。 [5] ①②③④1段交互にかがる。2段めから━印の両端は下掛け。①③は上端で下掛け、②④は下端で下掛けになる。 [6] 好みの蝶幅までかがったら周囲になる糸の下をくぐらせてかがる。 [7] 残りは4か所からかがり埋め、色の境に銀ラメ1本入れる。

蝶々2 ▶ 口絵17ページ

等分・・・6
(⅕と⅖に補助印)
間隔・・・1 **山幅**・・・2
かがり始め・・・両端から右へ4か所
山数・・・3山ずつ右寄せ
糸・・・黄①②⑤ 緑③④⑥

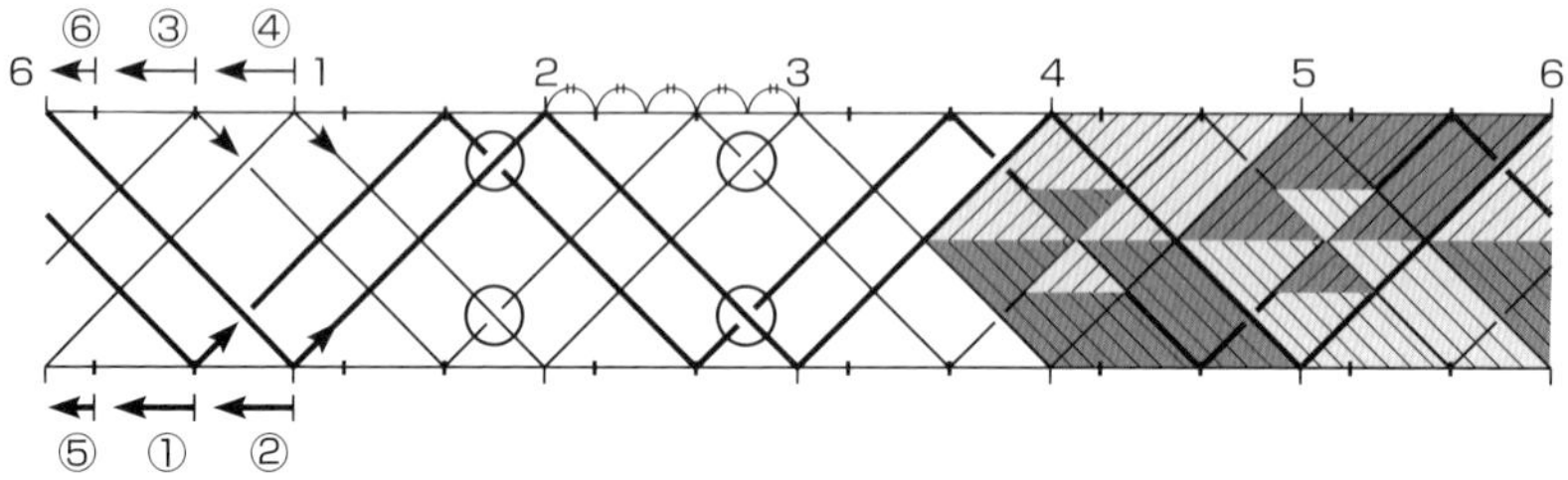

かがり方 [1] 下端の①から黄で右へ1周、②から黄で右へ1周する。○印で①は②の下になる下掛けでかがる。 [2] 上端の③から緑で右へ1周、④から緑で右へ1周する。○印で③は④の下になる下掛けでかがる。 [3] 2段目から①②黄③④緑で両端共下掛けで、1段交互にかがる。①③かがるとき○印でくぐる(下掛け)。
[4] ⑤黄⑥緑で残りをかがり埋める。

里の秋

もみじ ▶ 口絵16ページ

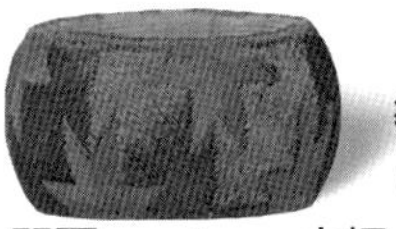

等分・・・8
(2等分の補助印)
間隔・・・1 **山幅**・・・2
かがり始め・・・下4か所から右左へ
山数・・・4山ずつ両寄せ
糸・・・青①② 赤③④

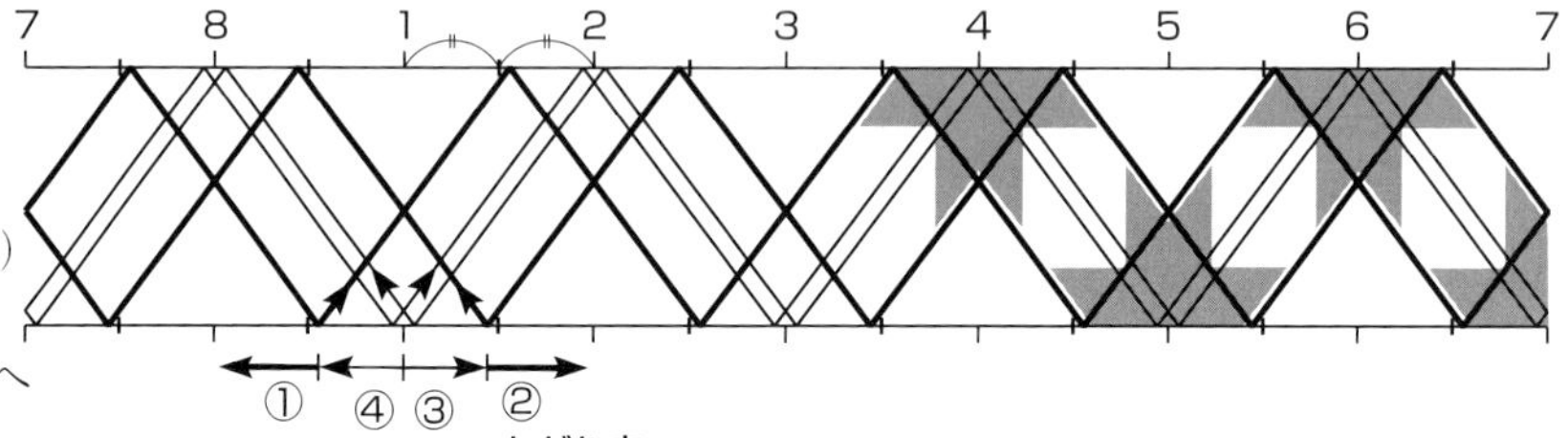

かがり方
[1] ①②から青で③④から赤で右と左に4か所から1段交互にかがる。①②は③④よりかがり幅を少し多くする。
[2] 2段目から①②④③の順になる(③が④の下になる)。③④は両端下掛け交差でかがる(端をかがった後、交差する前段の糸を全てくぐらせる)。
[3] ④③の赤が埋まったら①②を続けて埋まるまでかがる。

ブレスレット ▶ 口絵16ページ
制作/鳥谷部可也子

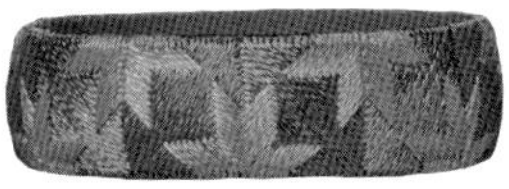

等分・・・12
糸・・・都てまり糸 青 橙
かがり方 もみじと同じ

二色もみじ ▶ 口絵16ページ

等分・・・12
間隔・・・2
山幅・・・4
かがり始め・・・両端1と2から左へ4か所
山数・・・3山ずつ両寄せ
糸・・・緑①② 赤③ 黄④
銀ラメ

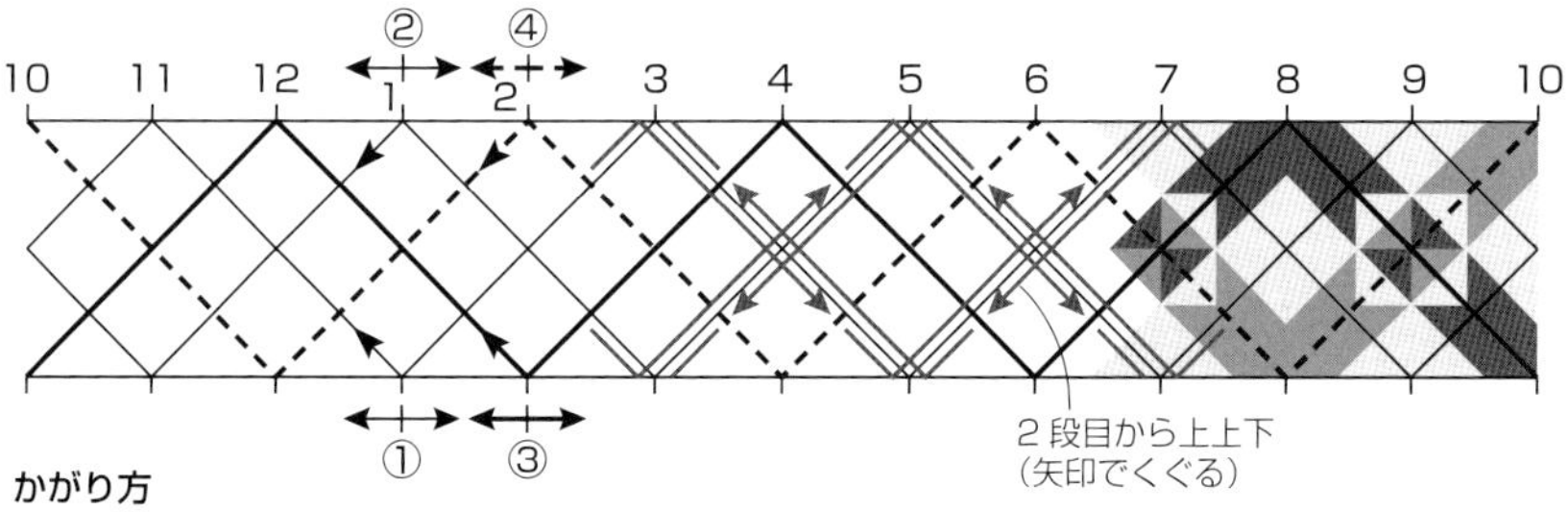

かがり方
[1] 1の両端①②から緑で左に3山1段かがる。下2の③から赤で左に3山1段かがる。
上2の④から黄で左に3山1段かがる。
[2] 1の両端①②は2段目から右と左に1段ずつかがる。
交わる3か所目を下掛けにする。(↗↘上 上 下)
[3] ③④の赤黄は2段目から右と左に両端を下掛け交差でかがる。
[4] ①②③④の右と左への8か所から1段交互にかがり埋め、最後は緑1段と銀ラメ1段かがる。

四色もみじ

口絵 16 ページ

等分・・・12

間隔・・・2　**山幅**・・・4

かがり始め・・・両端１と２から左へ４か所（右左へ８か所）

山数・・・３山ずつ　両寄せ

糸・・・緑①②⑤⑥　えんじ　ベージュ　ピンク　黄　銀ラメ

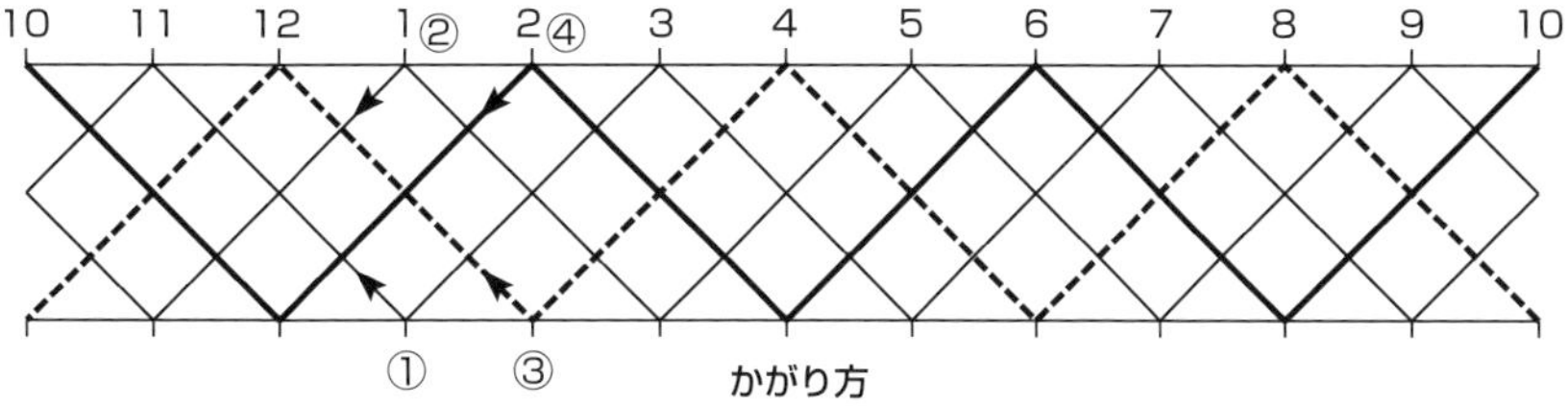

かがり方

[1]　緑で①②両端１から左へ３山ずつ１段かがる。
[2]　③えんじで下２から左へ３山１段かがる。
[3]　④ベージュで上２から左へ３山１段かがる。

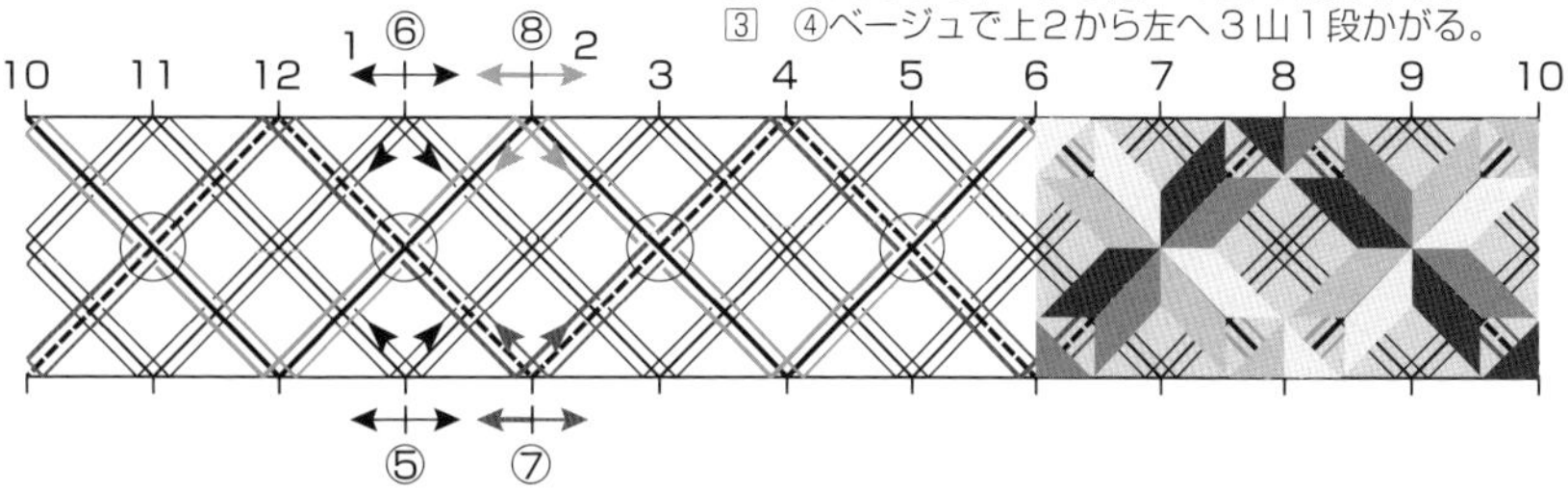

[4]　緑で⑤⑥両端１から右左へ３山ずつ１段かがる。３か所で交わる最初をくぐる(下　上　上)。
[5]　⑦下２からピンクで右へ、えんじで左へ３山ずつ１段かがる　(上　下交　上)。
[6]　⑧上２から黄で右へ、ベージュで左へ３山ずつ１段かがる　(上　下交　上)。
[7]　⑦⑧は３か所で交わるが○印で下掛け交差をする。
[8]　８か所から１段交互にかがり、最後は緑と銀ラメを１段かがる。

かえで１

口絵 16 ページ
制作／吉田智代美

等分・・・７（⅓に補助印）

間隔・・・１　**山幅**・・・２

かがり始め・・・下４か所から右左

山数・・・２周で７山ずつ両寄せ

糸・・・青①②　薄黄③　ピンク④　銀糸

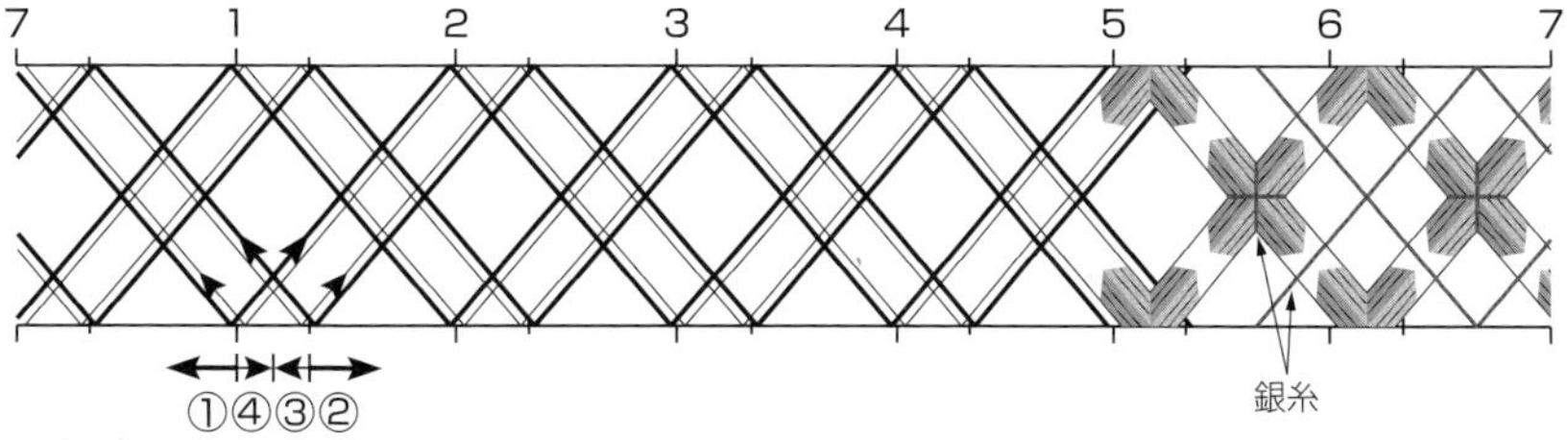

かがり方

[1]　下１の①青で右へ２周で７山を１段かがる。補助印の②青で左へ２周で７山を１段かがる。①②を１段交互に３段かがる。
[2]　③薄黄で②の青糸に沿って右に２周で７山を１段かがる。
[3]　④ピンクで①の青糸に沿って左に２周で７山を１段かがる。
[4]　①②③④を１段交互にかがる。
[5]　③④の花が埋まったら①②の青で１段交互にかがり埋める。
[6]　最後に銀糸で１段かがり、花芯を十字にかがる。

かえで２

口絵 16 ページ

等分・・・５（⅓に補助印）

間隔・・・１　**山幅**・・・２

かがり始め・・・両端から右左４か所と中央２か所

山数・・・２周で５山ずつ両寄せ

糸・・・濃緑①②　薄緑③　薄黄④　薄桃⑤　薄紫⑥　金糸

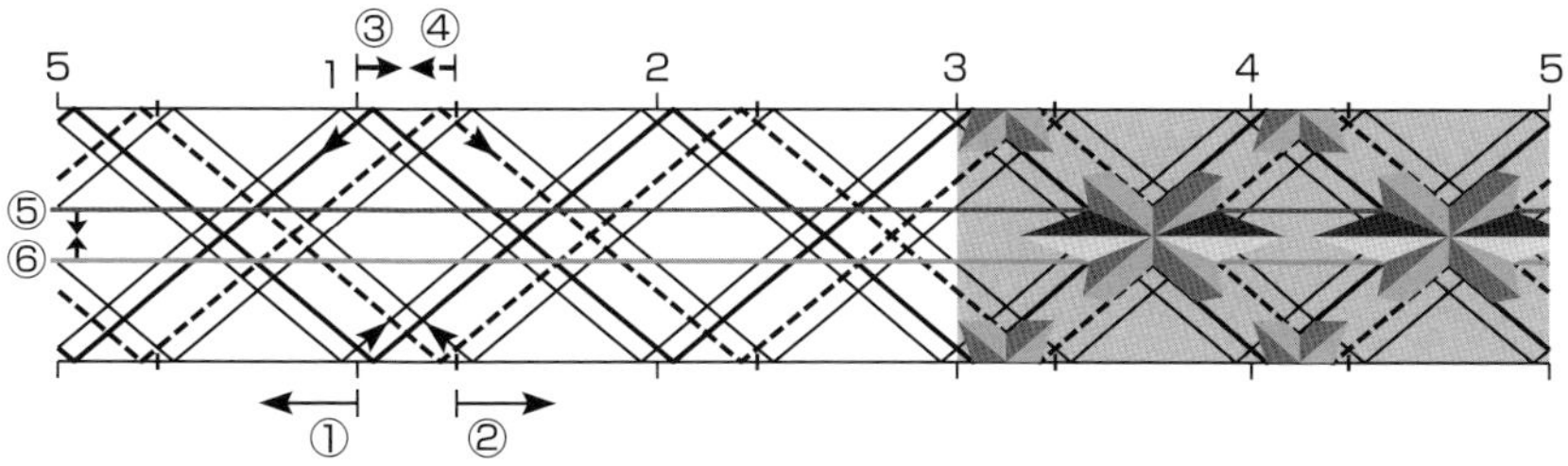

かがり方

[1]　濃緑で下①から右へ２周で５山を２段かがる。
[2]　濃緑で下補助印の②から左へ２周で５山を２段かがる。
[3]　薄緑で上③から左へ２周で５山を１段かがる。
[4]　薄黄で上補助印の④から右へ２周で５山を１段かがる。
[5]　⑤薄桃と⑥薄紫で③薄緑と④薄黄のかがった同じ幅で中央に平行に１段ずつ巻く。
[6]　６か所から１段交互にかがる。
[7]　花が埋まったら濃緑で１段交互にかがり埋める。
[8]　花の中心に金糸で芯をかがる。

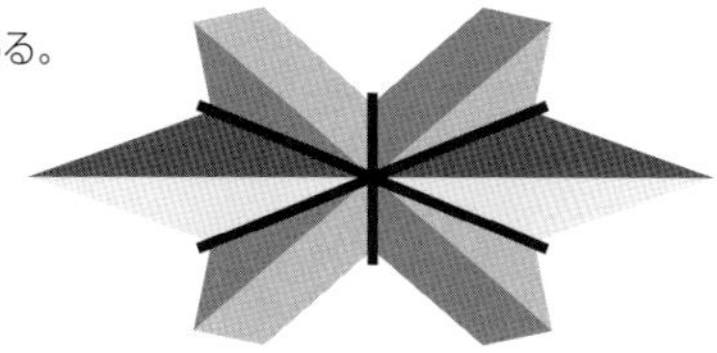

渡り鳥 1 口絵 16 ページ

等分・・・18
間隔・・・4.5
山幅・・・9
かがり始め・・・下8か所から右と左へ
山数・・・2山ずつ両寄せ
糸・・・青　黄　白

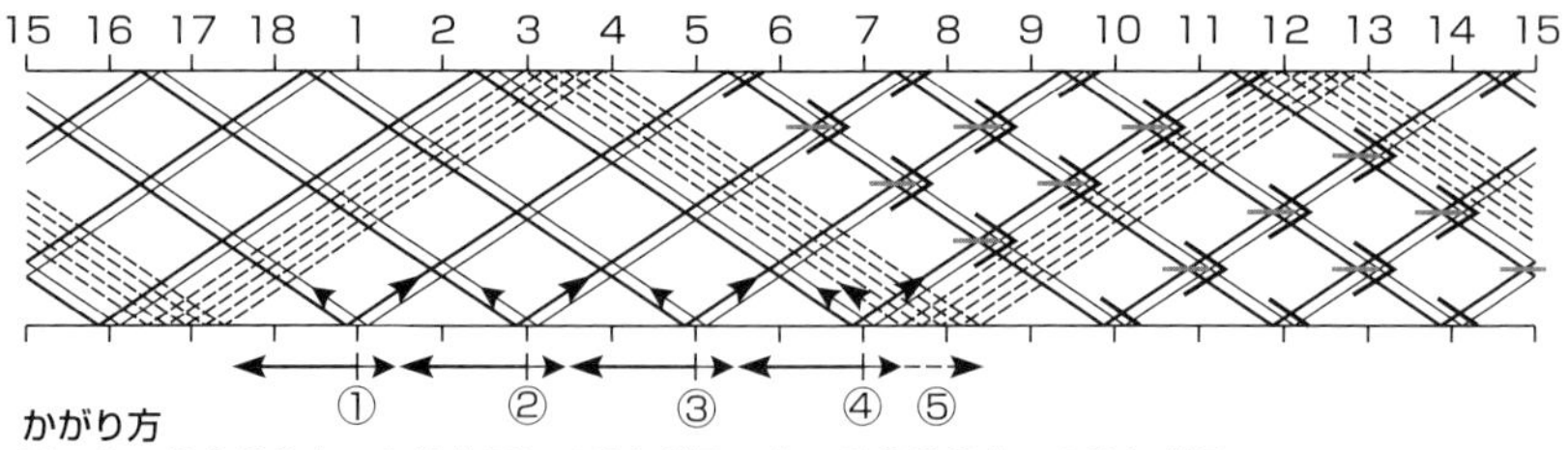

かがり方
1　右へ①②③④青で1段交互に4段かがる。左へ①②③④黄で1段かがる。
2　右へ①②③④青で1段交互に2段かがる。左へ①②③④黄で1段かがる。
3　右へ①②③④青で1段かがる。左へ①②③④黄で2段かがる。
4　右へ①②③④青で埋まるまでかがる。
5　⑤青と白の縞を入れて残りをかがり埋める。
6　黄で鳥の首を横線にかがる。

渡り鳥 2 口絵 16 ページ

等分・・・15
間隔・・・2.5
山幅・・・5
かがり始め・・・下8か所から右と左　山数・・・3山ずつ両寄せ
糸・・・ピンク　紺　白

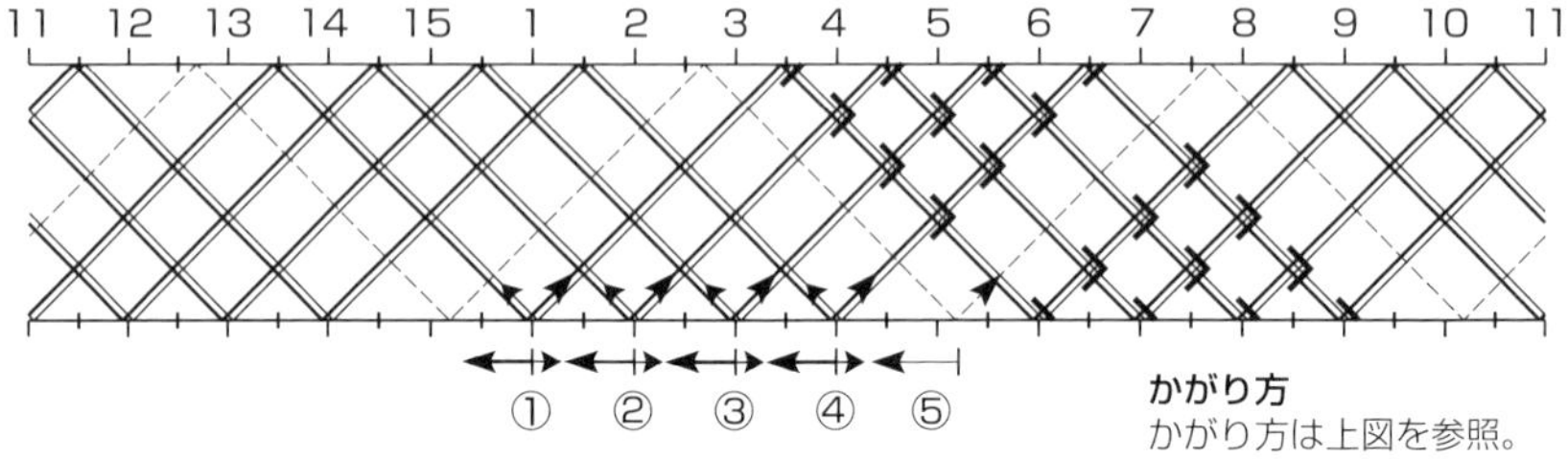

かがり方
かがり方は上図を参照。

渡り鳥 3 口絵 16 ページ

等分・・・16　間隔・・・2　山幅・・・4　かがり始め・・・下8か所から右と左
山数・・・4山ずつ両寄せ　糸・・・黄　緑

双　葉

双葉 1 口絵 18 ページ

等分・・・8
間隔・・・1
山幅・・・2
かがり始め・・・両端から右左に4か所
山数・・・4山ずつ両寄せ
糸・・・ピンク①③　薄灰②④

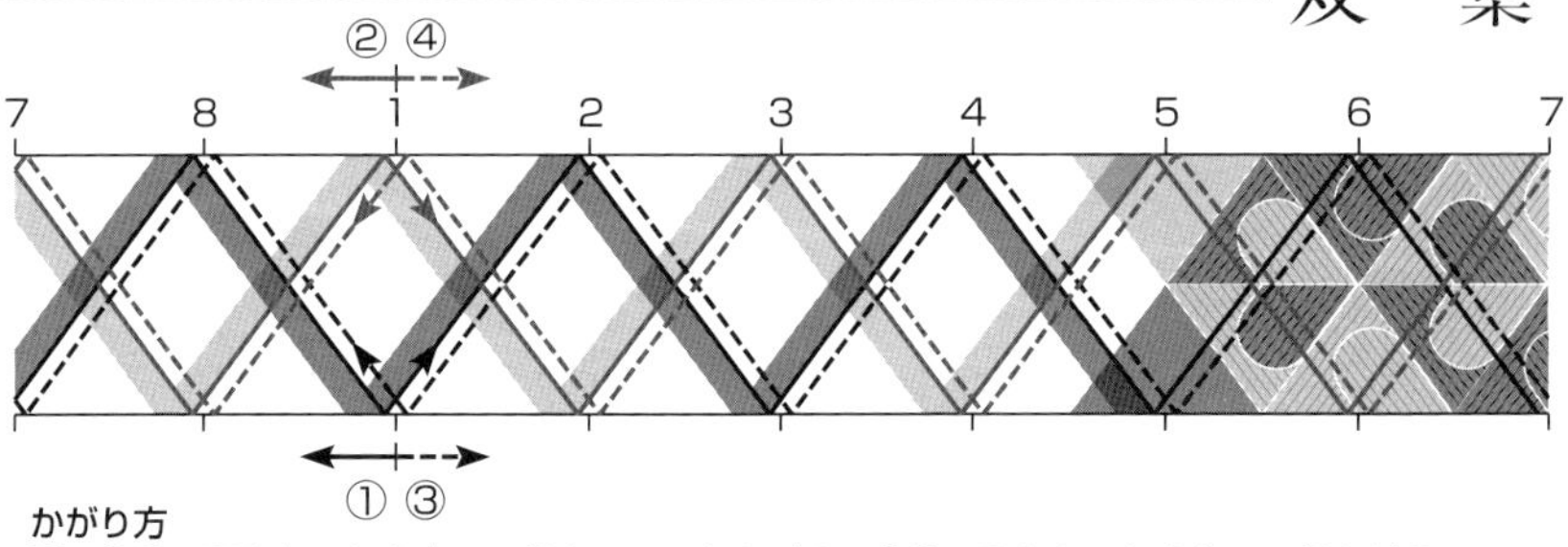

かがり方
1　①②の下と上1から右へ1段交互に5段かがる。③④の下と上1から左へ1段かがる。
2　①②③④に続けて右左に1段ずつかがる。
3　①②で右へ1段かがる。③④で左へ1段交互に5段かがる。
4　③④を続けて左へ1段交互に2段かがる。①②の最後の1本（7段目の糸）をくぐる。
5　③④を続けて①②の糸2本（6、7段目）をくぐる。③④を続けて①②の糸4本（4、5、6、7段目）をくぐる。
6　①②から右に1段交互にかがり埋める。

双葉 2 口絵 18 ページ

等分・・・8
間隔・・・1
山幅・・・2
かがり始め・・・両端で右左に4か所　山数・・・4山ずつ両寄せ
糸・・・赤①③　白②④

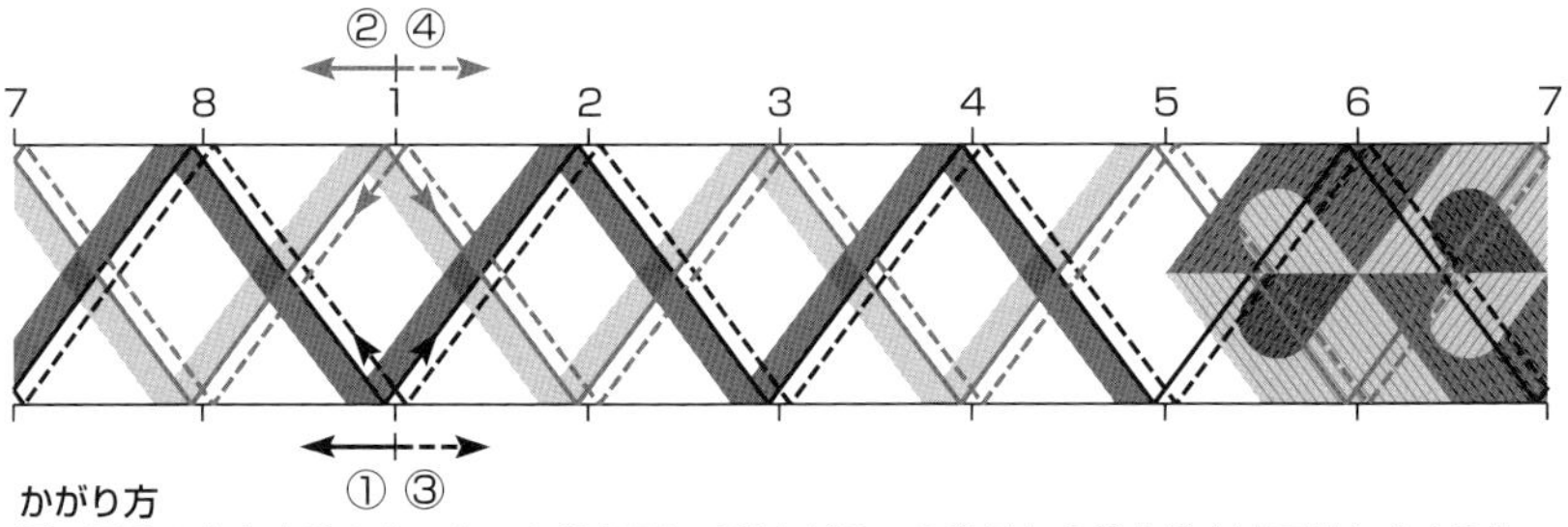

かがり方
1　下①の赤と上②の白で右へ1段交互に4段かがる。2段目から①赤②白は両端をくぐらせる下掛けでかがる。
2　下③の赤と上④の白から左へ1段上掛けでかがる。
3　①②③④を交互にかがる。①②は両端下掛けでかがる。③④は双葉1を参考に葉の形にくぐらせる。
4　双葉をかがり終わった③④は中央で下掛け交差を2段ほどかがる。

双葉３　口絵 18 ページ

等分・・・8
間隔・・・1
山幅・・・2
かがり始め・・・下１から右左へ２か所
山数・・・１周で４山ずつ両寄せ
糸・・・灰①③　赤②④

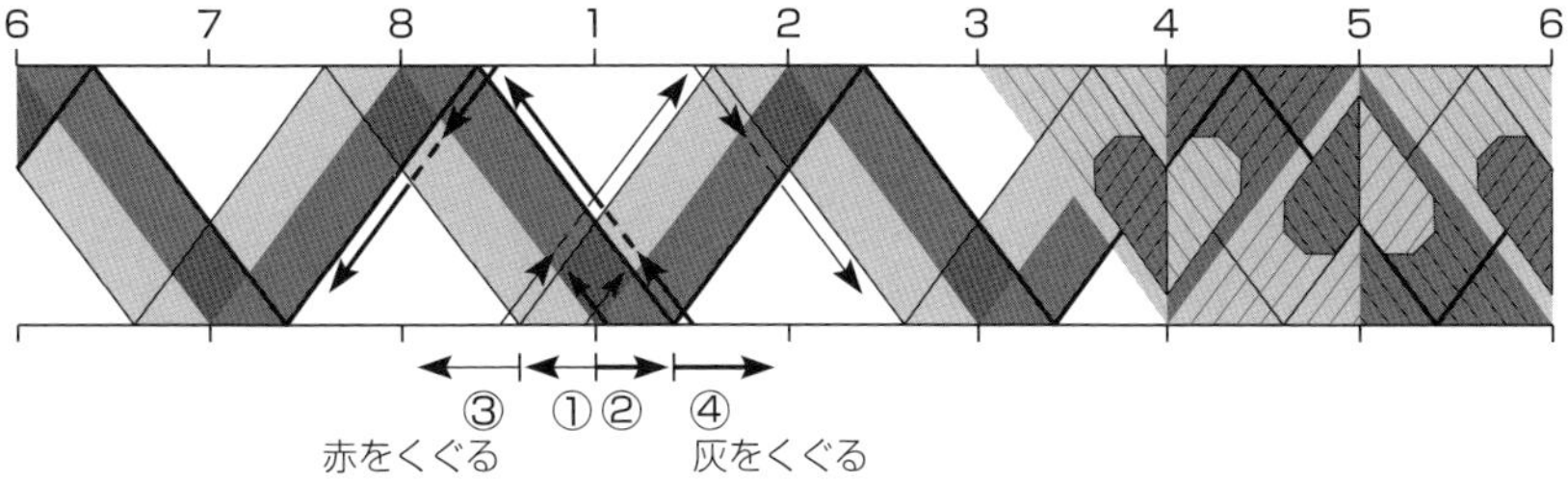

かがり方
1 ①灰、②赤の２色で右左に１段交互に 10 段までかがる。11 段目の③灰、④赤から反対色(点線部) をくぐらせて葉を形づくる。
2 11 段目３本のり、残りをくぐる。　3 12 段目１本のり、残りをくぐる。
4 13 段から全部くぐらせ４段かがる。　5 １本のり、残りをくぐる (２段かがる)。
6 ２本のり、残りをくぐる (１段かがる)。　7 ４本のり、残りをくぐる (１段かがる)。
8 残りをかがり埋める。

三色双葉　口絵 18 ページ

等分・・・9
間隔・・・1.5
山幅・・・3
かがり始め・・・下６か所から右左へ　**山数**・・・３山ずつ両寄せ
糸・・・濃緑①②③　ピンク④　薄緑⑤　クリーム⑥

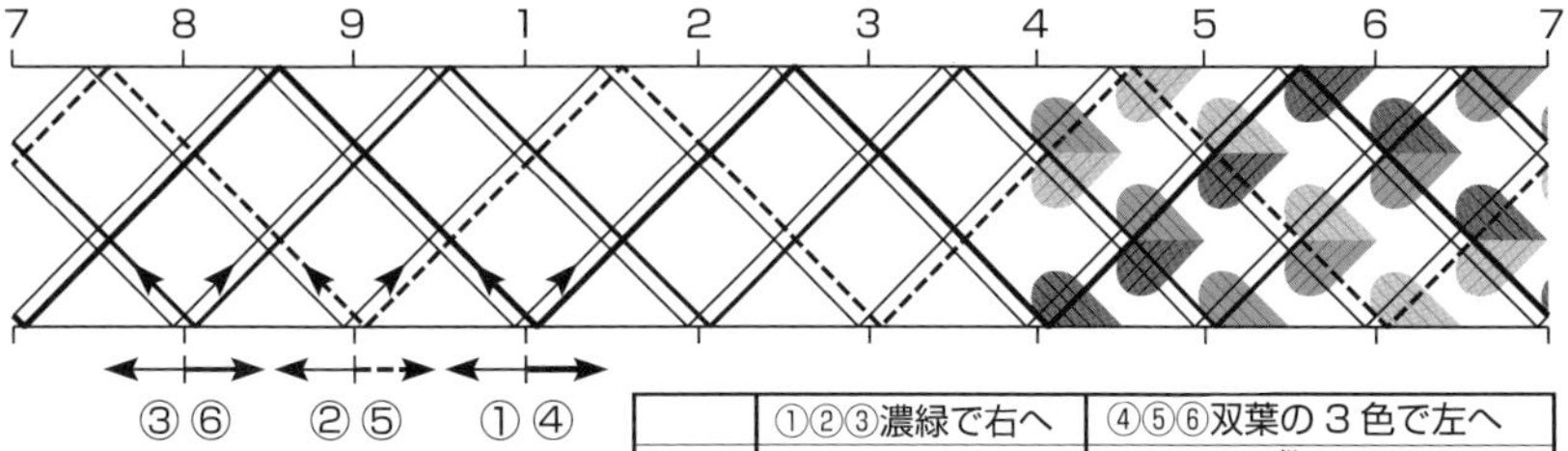

かがり方
1 ①②③濃緑で右へ３山を１段交互に４段かがる。④⑤⑥の双葉の３色で左へ３山を１段ずつかがる。
2 表を参照。

	①②③濃緑で右へ	④⑤⑥双葉の３色で左へ
１回目	４段	１段
２回目	１段	４段
３回目		２段（濃緑１本くぐる）
		１段（濃緑２本くぐる）
		１段（濃緑４本くぐる）
	３～４段埋まるまで	
	合計８～９段	合計９段

琴の調べ

斜め帯　口絵 19 ページ

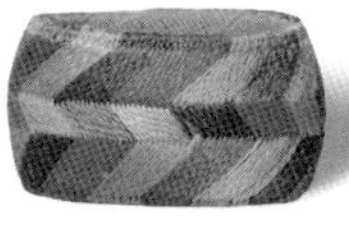

等分・・・15
間隔・・・2.5
山幅・・・5
かがり始め・・・下５か所から右
山数・・・５色で３山ずつ右寄せ
糸・・・ピンク①　紫②　水③　緑④　黄⑤

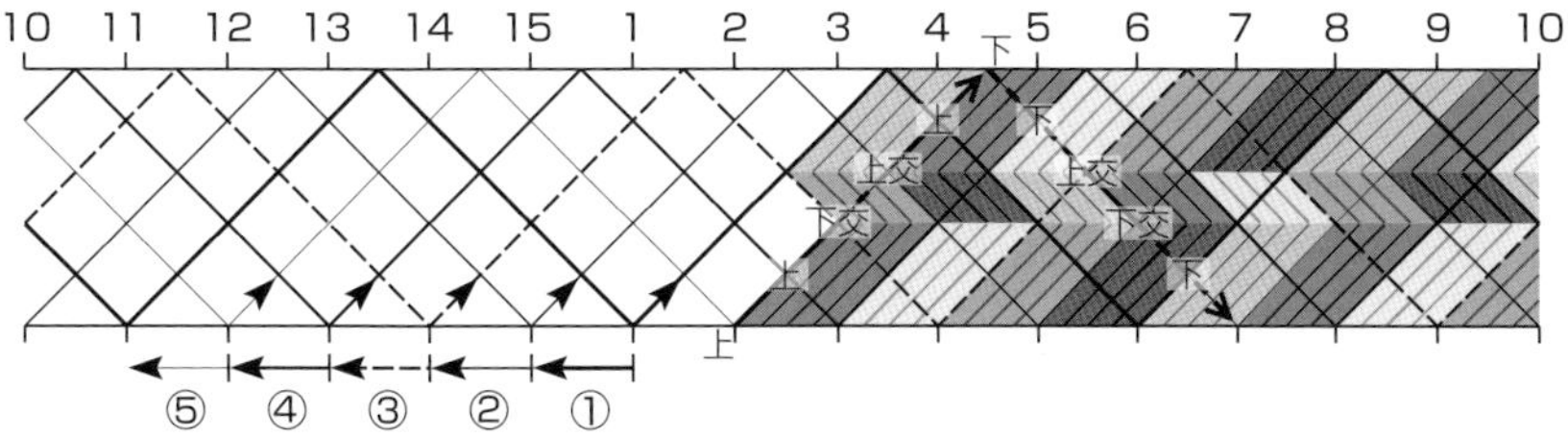

かがり方
●５色で 2.5 目ごと３山を１段交互にかがる。
1 １段交互にかがるときの５色の各１段目。①ピンク３山かがる。
②紫は１か所で交わる。↗①の上　↘①の下　③水は２か所で交わる。
↗上　下交　↘　下　上交
④緑は３か所で交わる。↗上　下交　上　↘下　上交　下交
⑤黄は４か所で交わる。↗上　下交　上交　上　↘下　上交　下交　下
2 ２段目から下端は上掛け（１段目の糸の上)、上端は下掛け（１段目の糸の下)。５色で１段交互にかがる。両端のほかに４か所で交わる。
↗下端は上　上　下交　上交　上　↘上端は下　下　上交　下交　下

説明文の矢印
↗下端から上端に向かうとき
↘上端から下端に向かうとき

帯鱗 1　口絵 19 ページ

等分 ··· 15
間隔 ··· 1.5　山幅 ··· 3
かがり始め ··· 下３か所から右
山数 ··· ３色で５山ずつ右寄せ
糸 ··· 黄①　緑②　ピンク③

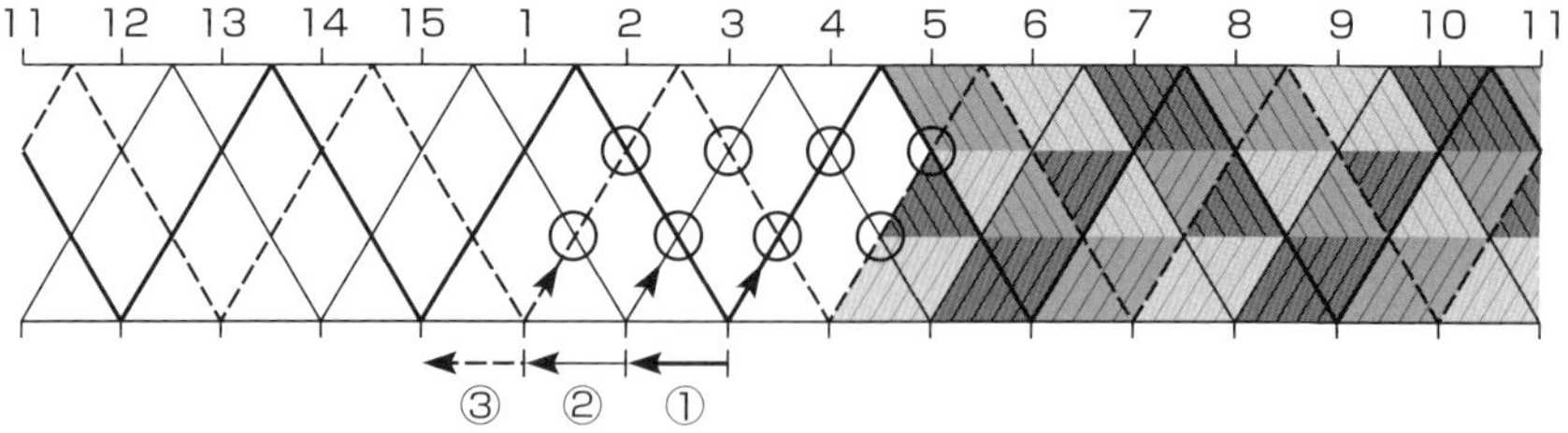

かがり方
●①黄、②緑、③ピンクで右へ１段交互にかがる。
1　１段目の②緑から①黄の下をくぐる（下掛け交差かがり）。
2　両端は上掛けで、○印の２か所で交差するところをくぐらせる。
↗↘下交　下交

帯鱗 2　口絵 19 ページ

等分 ··· 15
間隔 ··· 2.5　山幅 ··· 5
かがり始め ··· 下５か所から右
山数 ···５色で３山ずつ右寄せ
糸 ··· 青①　緑②　灰③　赤④
紫⑤

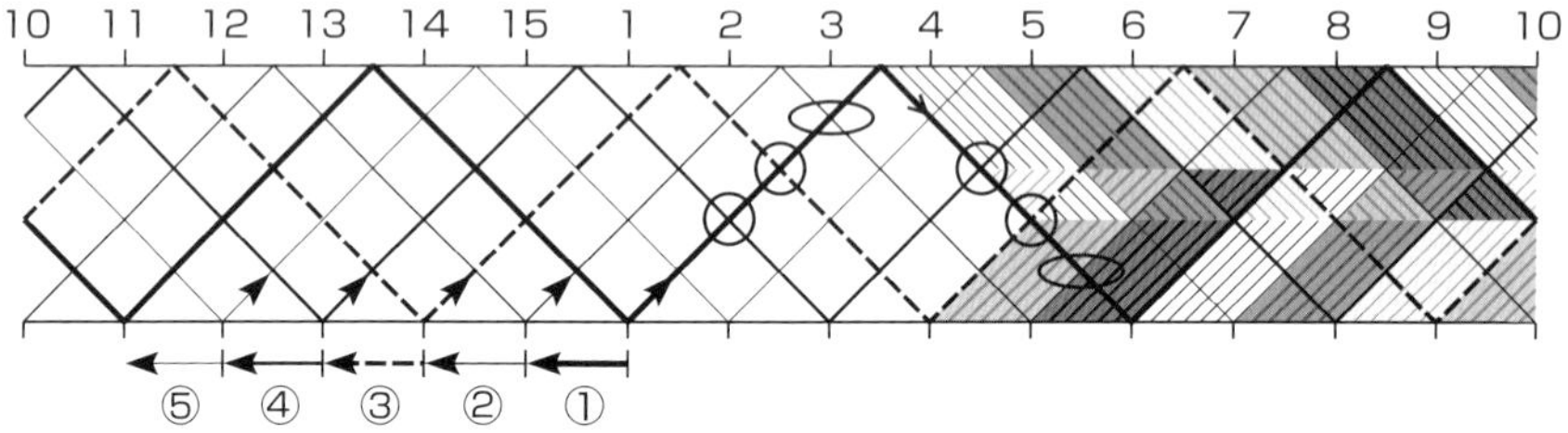

かがり方
●①、②、③、④、⑤で１段交互にかがる。
1　１段目①、②、③はくぐりなし。
④↗↘上下下　⑤↗↘上下下下
2　２段目から両端上掛けで、４か所で交わる。
↗↘上　下交　下交　下
○印は下掛け交差 ⬭印は下掛け
3　最後の１段は⑤④③②①の順にして１段目の右にかがって仕上げる。

帯鱗 3　口絵 19 ページ

等分 ··· ６（３等分の補助印）
間隔 ··· １　山幅 ··· ２
かがり始め ··· 下６か所から右
山数 ···６色で３山ずつ右寄せ
糸 ··· 赤①　紫②　青③　緑④
灰⑤　黄⑥

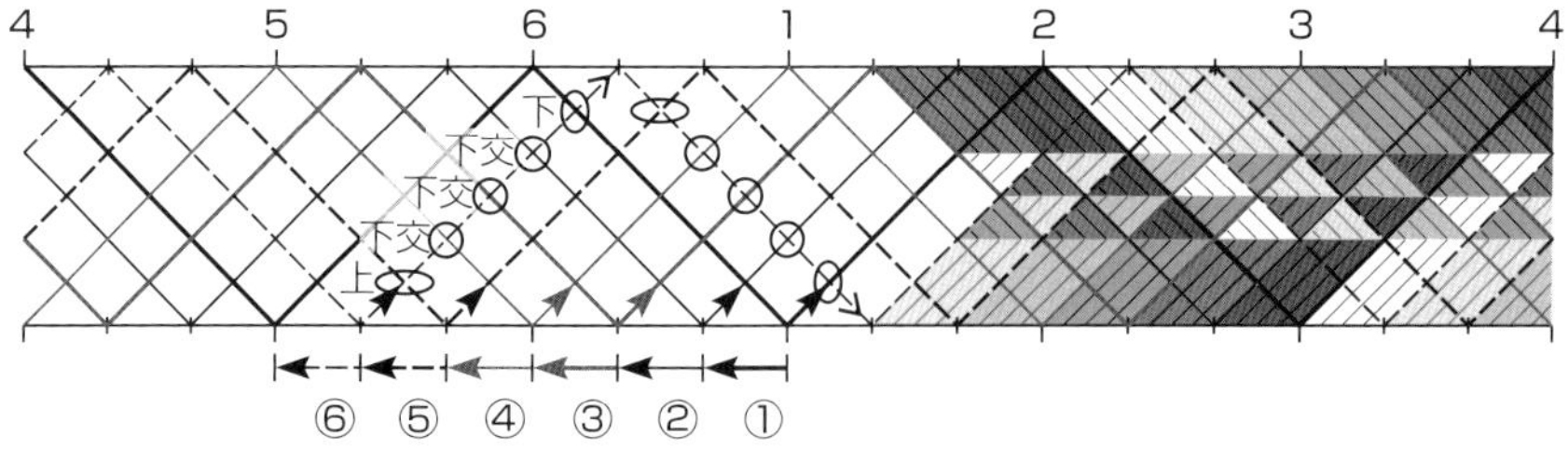

かがり方
●①、②、③、④、⑤、⑥の６色で１段交互にかがる。
1　１段目の③から↗上下　↘上下　④上　下　下　⑤上　下　下　下
⑥上　下　下　下　下
2　両端は上掛けで、５か所で交わる。↗↘上　下交　下交　下交　下

帯鱗 4　口絵 19 ページ

等分 ··· 12
間隔 ··· ２　山幅 ··· ４
かがり始め ··· 下４か所から右
山数 ···３山ずつ右寄せ
糸 ··· 橙①　紫②　青③　薄黄④

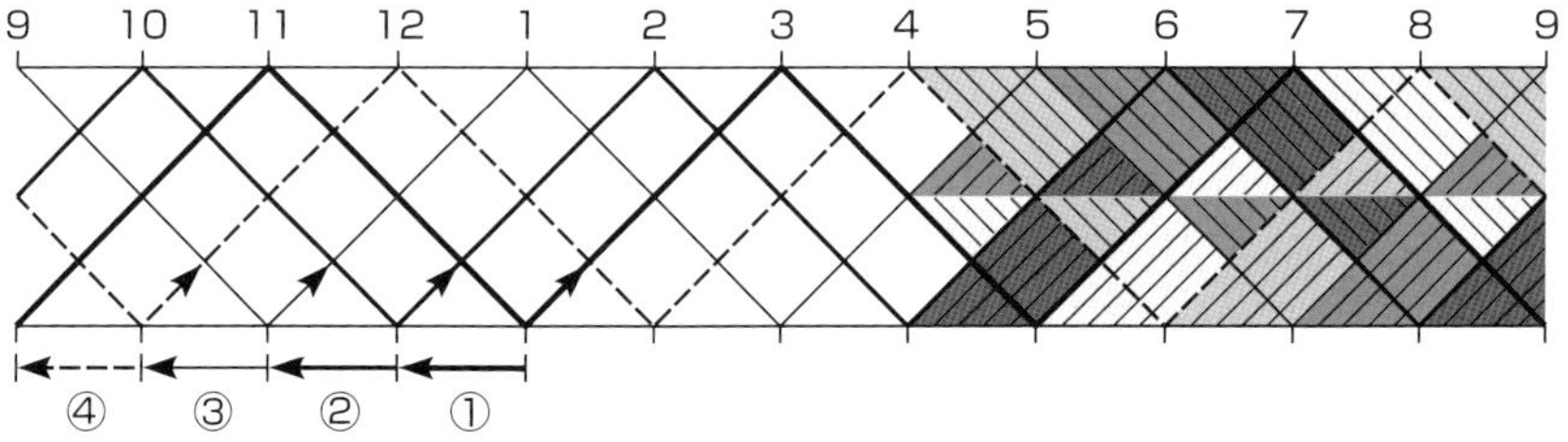

かがり方
●両端上掛けで、①、②、③、④の４色で右へ１段交互にかがる。
1　１段目の④から↗↘上　上交　下
2　２段目から↗↘上　上交　下（３か所で交わり、最後を下掛けにする）。

帯市松に鱗 口絵 19 ページ

等分 … 9（2 等分の補助印）
間隔 … 1.5
山幅 … 3
かがり始め … 3 色で下 6 か所から右左
山数 … 3 山ずつ両寄せ
糸 … 赤①　黄②　緑③

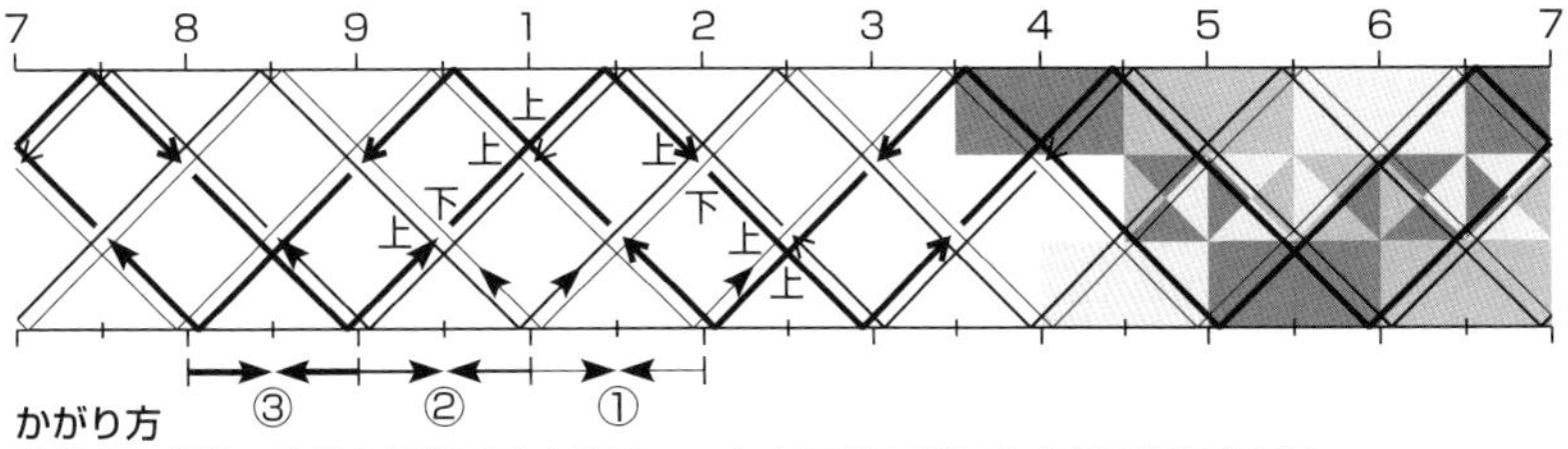

かがり方

●①赤、②黄、③緑の同色で 2 か所ずつ、左右に 6 か所から 1 段交互にかがる。
（4 か所の糸交差のうち 2 番目は下掛け交差。両端はすべて上掛け交差で、同色が近づいて埋まり、最後は 1 本だけにする）。

1 ①赤の 1 段目同色交差は上掛けになるのでくぐりなし。②黄の 1 段目↖から下掛け交差でかがる。

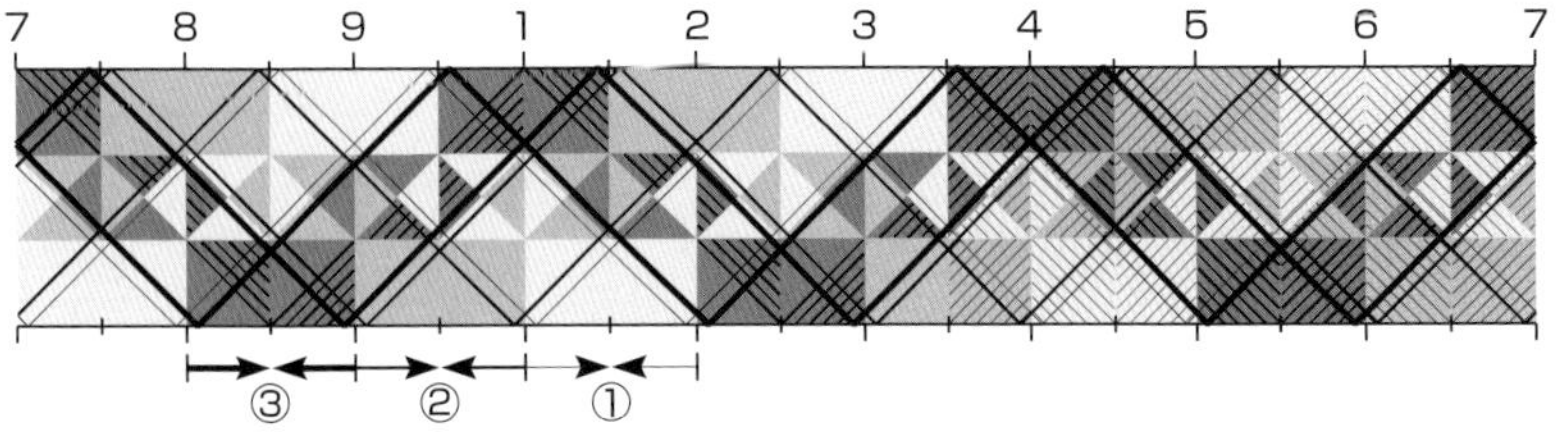

2 両端は上掛け交差でかがり、糸が交差する 4 か所は上－下－上－上と交差かがりをする（1 か所だけくぐる）。 ↗↖**上下上上** ↘↙**上下上上**

二色重ね矢絣 口絵 19 ページ

等分 … 7（2 等分の補助印）
間隔 … 1
山幅 … 2
かがり始め … 下 1 から右へ
山数 … 2 周で 7 山右寄せ
糸 … 赤①②　灰③

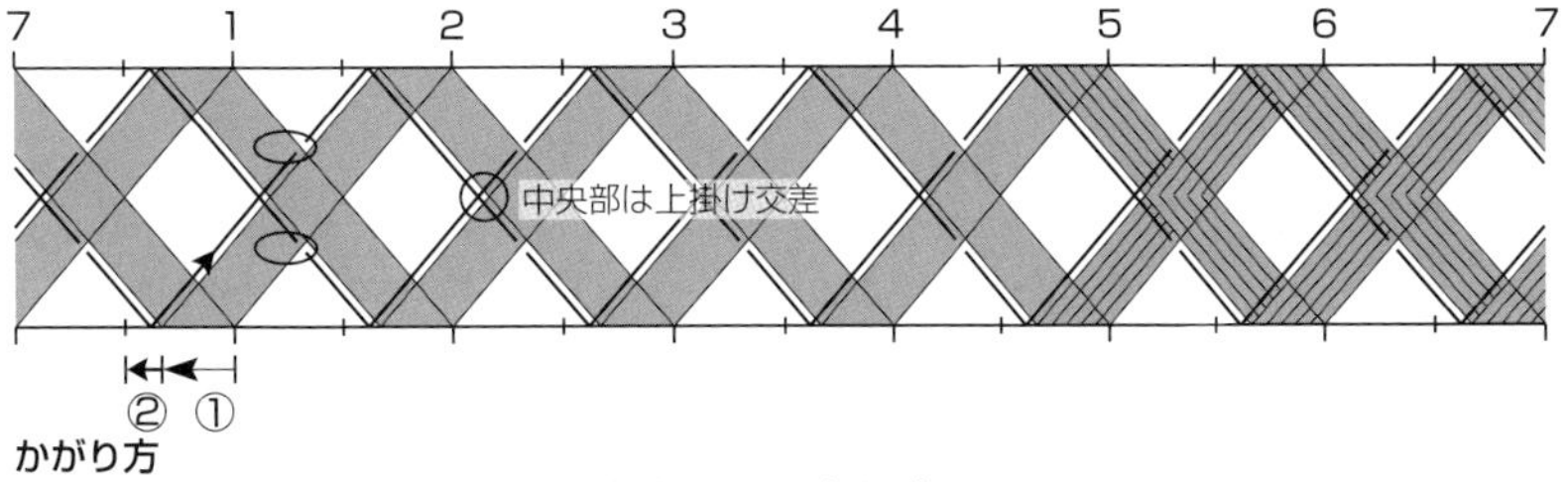

かがり方

1 ①赤で 1 目盛りの⅓まで上掛け交差で 7～8 段かがる。
2 続けて②赤で 1 目盛りの½まで ⬭ 印は下掛け交差で 4 段かがる。
（⬭ 印は①でかがった赤糸の 1 段目をくぐらせてかがる。くぐる数が 1 段ずつ増える下掛け交差。）

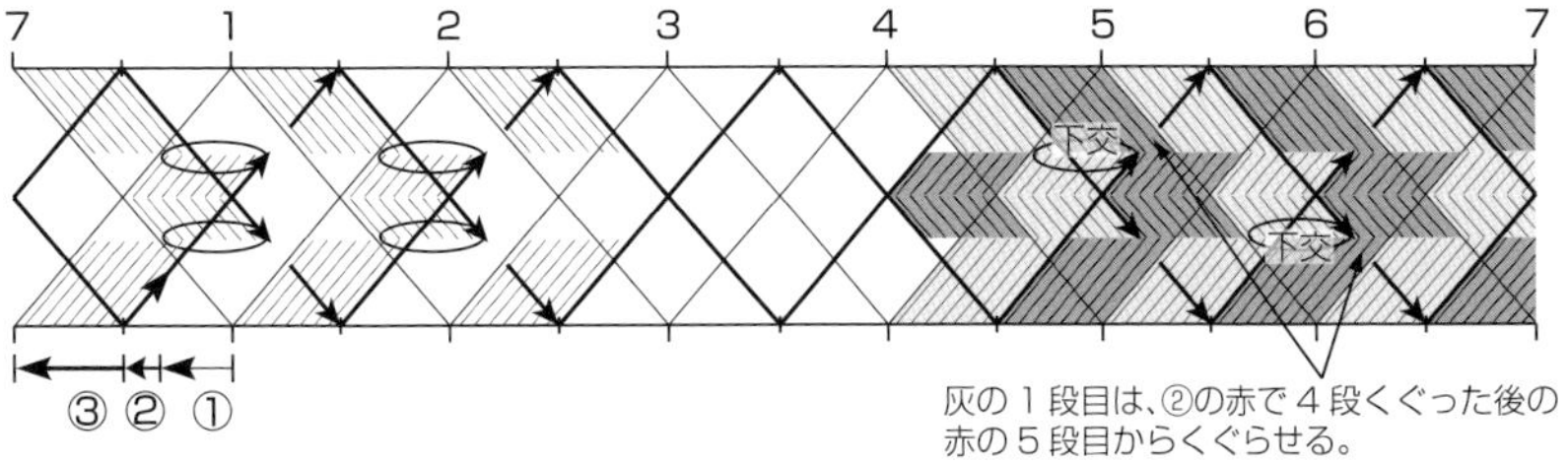

3 ③灰で②の赤に続けて残りの½をかがる。⬭ 印でくぐる下掛け交差かがり。

三色重ね矢絣 口絵 19 ページ

等分 … 5（3 等分の補助印）
間隔 … 1　**山幅** … 2
かがり始め … 下 3 か所から右
山数 … 2 周で 5 山ずつ右寄せ
糸 … えんじ①　緑②
ピンク③

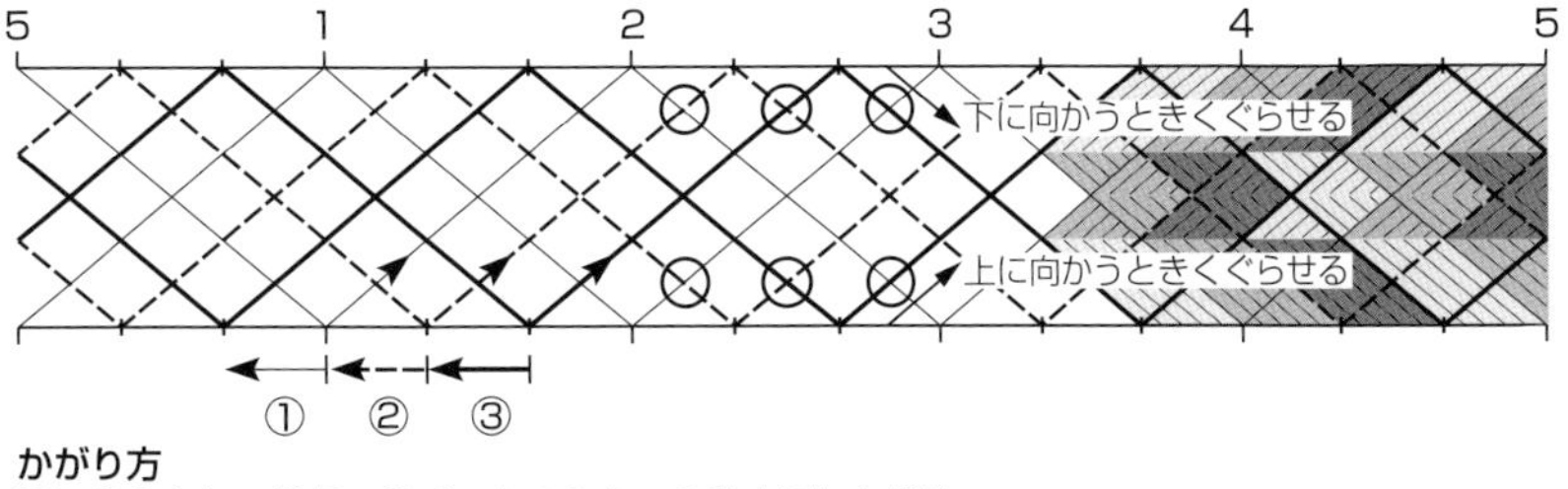

かがり方

1 ①えんじ、②緑、③ピンクの 3 色で 1 段交互にかがる。
2 2 段目から 3 色とも両端を下掛けにする。○印も下掛けでかがる。
3 スタートの下端だけは 3 段目から下掛けでかがる。（2 段目は下掛けにすると糸がかからないため）
4 5 か所で交差する。 ↗↘**下　上　上　上　上**

変わり三色矢羽根

口絵 19 ページ

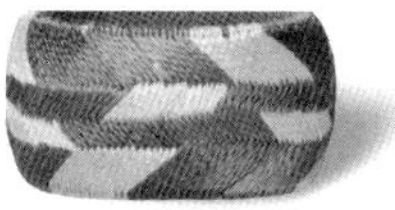

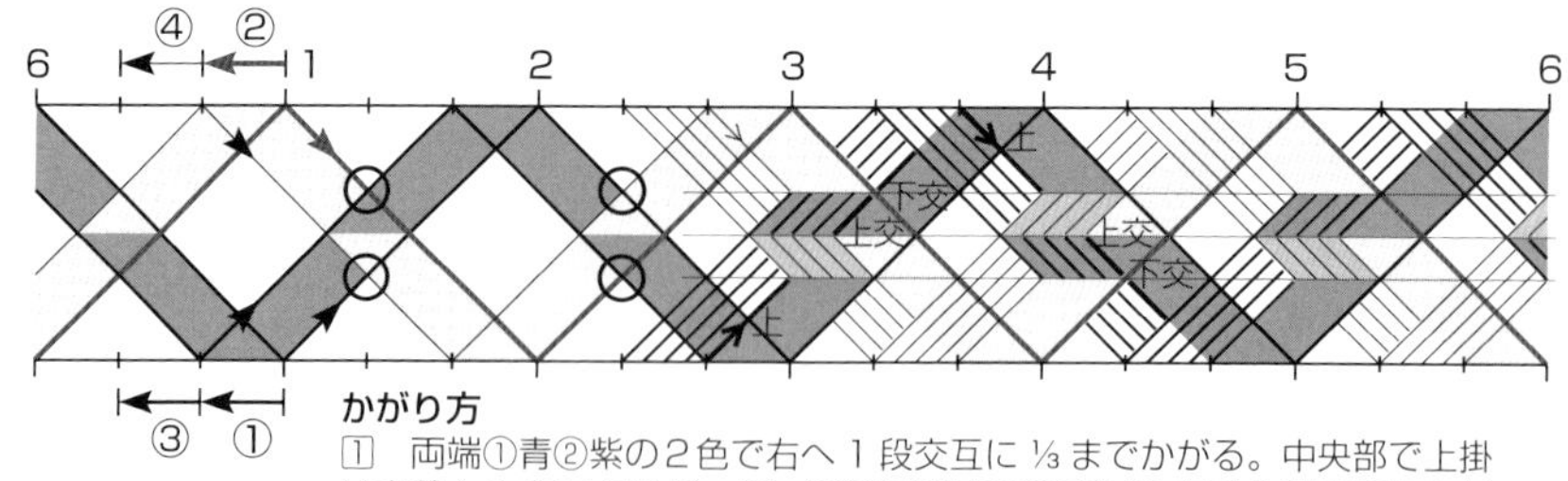

等分・・・ 6 (3 等分の補助印)

間隔・・・ 1　**山幅**・・・ 2

かがり始め・・・ 下 1 と上 1 から右

山数・・・ 3 山ずつ右寄せ

糸・・・ 青①③　紫②⑤　黄④⑥

かがり方

1　両端①青②紫の 2 色で右へ 1 段交互に ⅓ までかがる。中央部で上掛け交差 (くぐらせない)。2　①②に続いて③④を ⅓ まで 1 段交互にかがる。下③青は○印紫の 1 段目くぐる。上④黄は○印青の 1 段目くぐる。くぐる数が 1 段ずつ増える。　3　3 か所で交わるが青、黄とも同じくぐり。

↗下端上　上　上交　下交　　↘上端上　上　上交　下交

4　③④に続いて⑤⑥を、残り ⅓ を 1 段交互にかがる。

5　下⑤紫は○印青と⬭印黄の 1 段目と続く紫 9 ～ 1 段目までくぐる。

6　上⑥黄は○印紫 1 段目と⬭印青 1 段目と続く青 9 ～ 1 段目までくぐる。　7　5 か所で交差する。

↗下端上　上　下交　上交　下交　下

↘上端上　上　下交　上交　下交　下

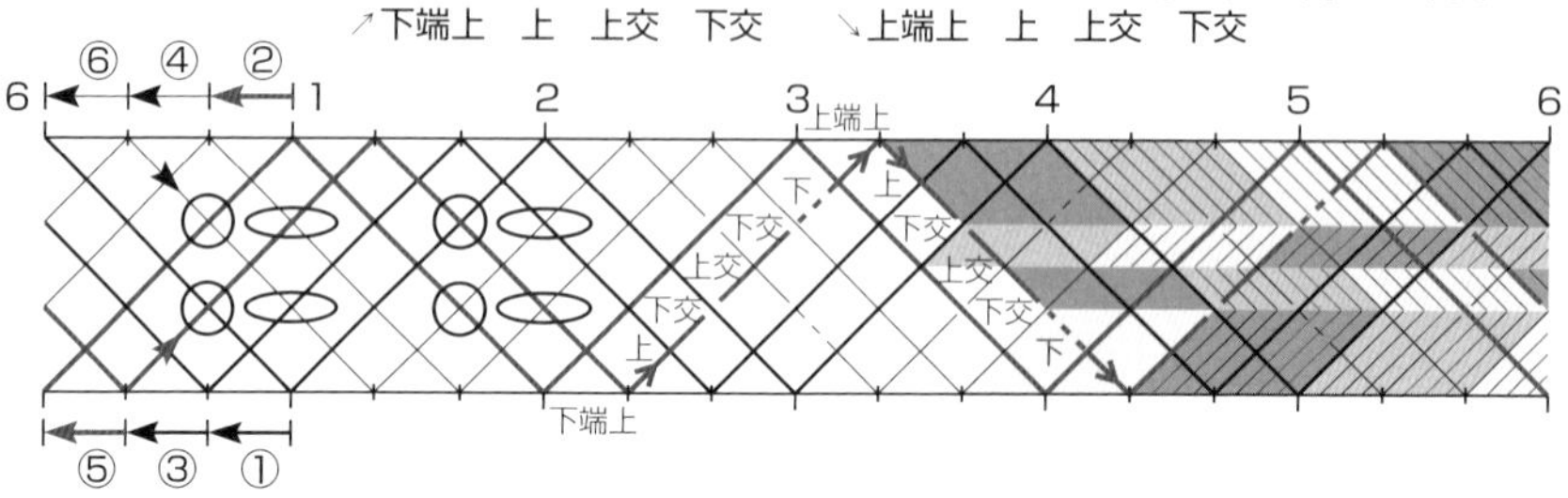

六色重ね矢羽根

口絵 19 ページ

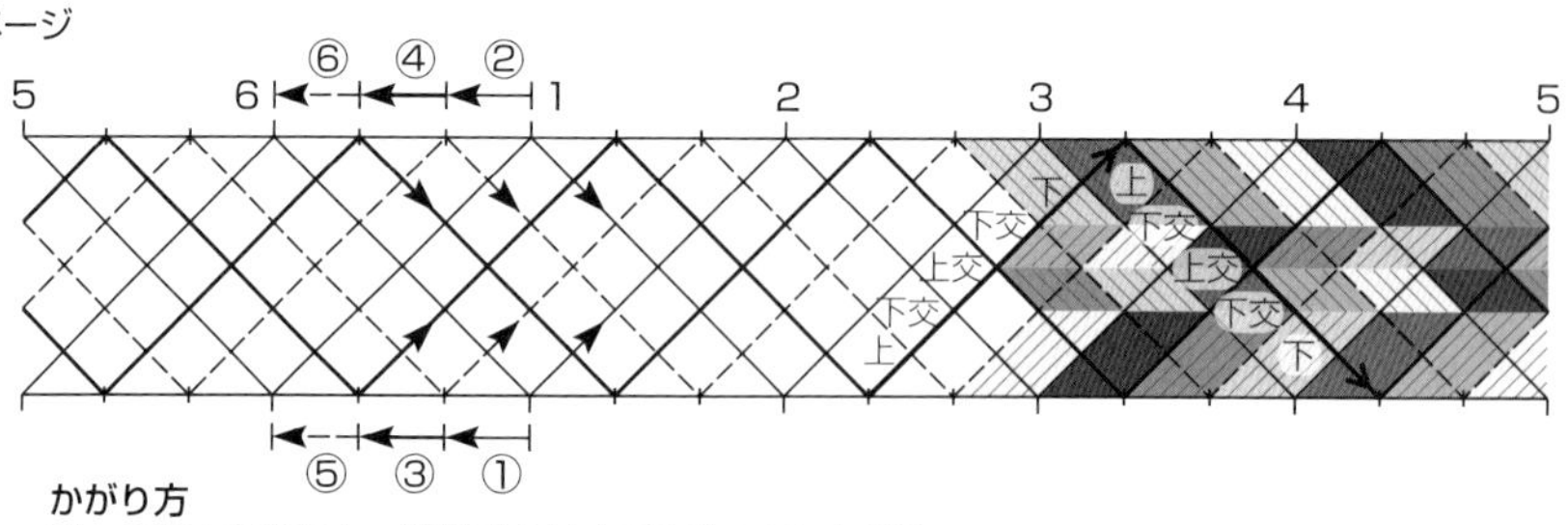

等分・・・ 6 (3 等分の補助印)

間隔・・・ 1　**山幅**・・・ 2

かがり始め・・・ 下 1 と上 1 から右

山数・・・ 3 山ずつ右寄せ

糸・・・ 赤①　紫②　青③　緑④

ピンク⑤　黄⑥

かがり方

1　①赤と②紫を右へ補助印の ⅓ まで 1 段交互にかがる。

2　③青と④緑を ⅓ まで 1 段交互にかがる。　3　⑤ピンクと⑥黄を ⅓ まで 1 段交互にかがる。　※5 か所で交差するところは以下のようにかがる。

↗下端上　上　下交　上交　下交　下　　↘上端上　上　下交　上交　下交　下

矢羽根・矢絣模様

矢羽根

口絵 20 ページ

制作／阿部嘉世

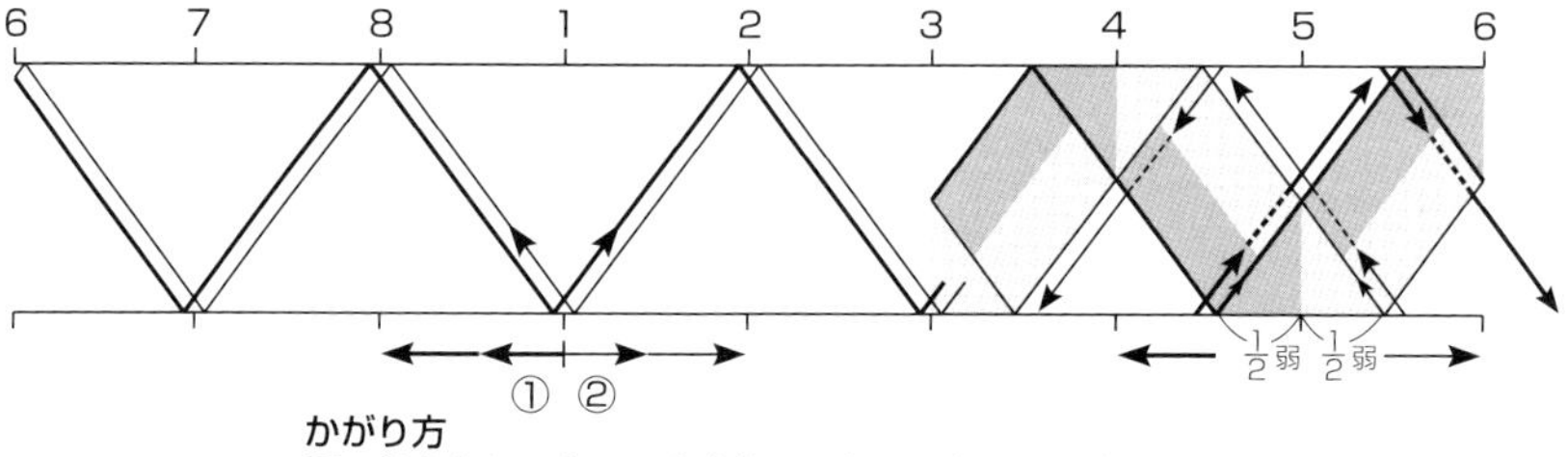

等分・・・ 8

間隔・・・ 1　**山幅**・・・ 2

かがり始め・・・ 下 1 から右左

山数・・・ 4 山ずつ両寄せ

糸・・・ えんじ①　薄灰②

かがり方

1　①えんじで右へ 4 山②薄灰で左へ 4 山を 1 段交互に ½ 弱までかがる。

2　そのままの 2 色で右左 1 段交互にかがり続けるが、反対色の 1 段から ½ 弱までかがってある糸をくぐらせる (点線の部分くぐる)。

ブレスレット

口絵 20 ページ

制作／阿部嘉世

等分・・・ 12　**山数**・・・ 6 山ずつ

糸・・・ ピンク①　灰②

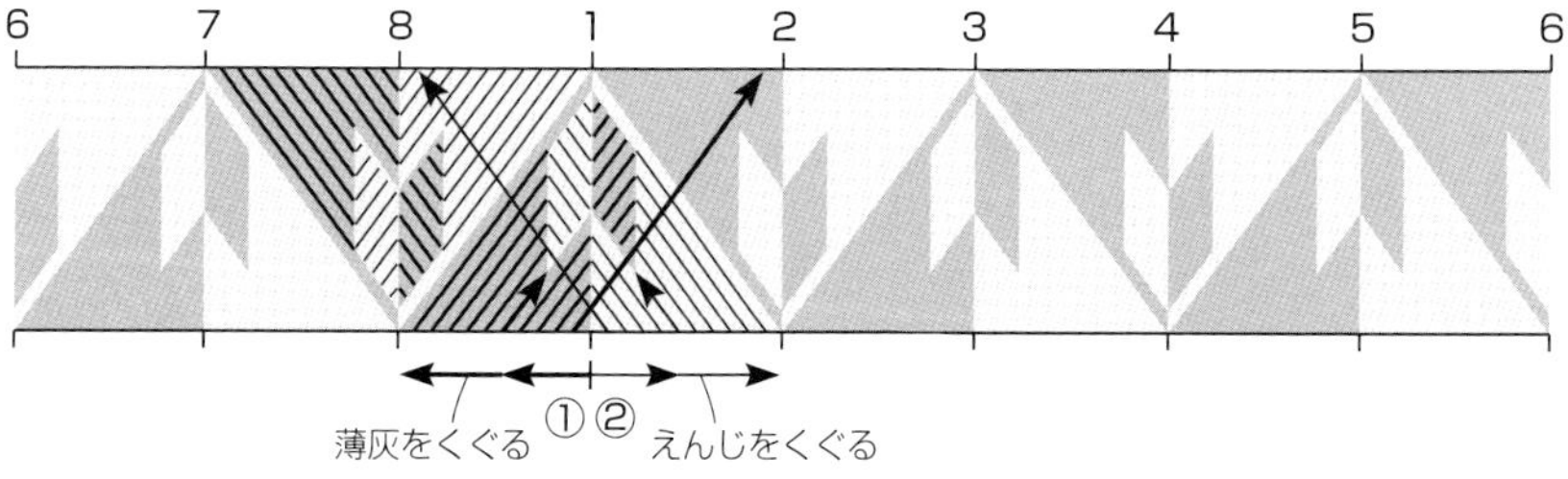

3　次にかがる糸は 1 本のり、残りはくぐる。その次にかがる糸は 2 本のる。上になる糸が増えていく。

4　最後は縁取りを 2、3 段くぐらせないでかがり埋める。

三色矢羽根

口絵 20 ページ

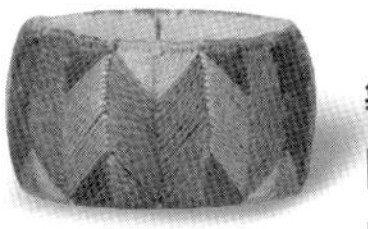

等分 ･･･ 9

間隔 ･･･ 1.5

山幅 ･･･ 3

かがり始め ･･･ 3色で下6か所から右左

山数 ･･･ 3色で右左に3山ずつ両寄せ

糸 ･･･ 黄①④　赤②⑤　緑③⑥

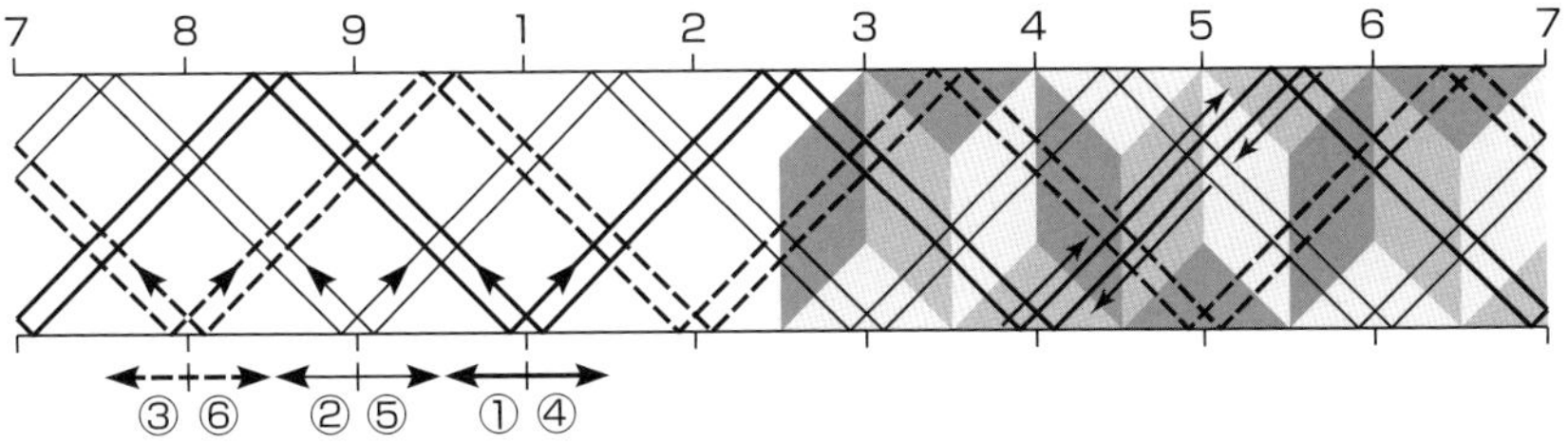

かがり方

[1]　右へ①黄②赤③緑、左へ④黄⑤赤⑥緑で1段交互にかがる。

[2]　両端は上掛けで、2か所で交差したときに始めに出会った糸をくぐる（1段目の②2色目からくぐる）。　↗↘**下交　上交**　（下交 ･･･ 交差する糸をすべてくぐり、くぐる糸が1段ずつ増える）

三色縦矢絣

口絵 20 ページ

等分 ･･･ 15

間隔 ･･･ 4.5

山幅 ･･･ 9

かがり始め ･･･ 3色で下6か所から右左

山数 ･･･ 3色で右左に3周で5山ずつ両寄せ

糸 ･･･ 青①④　黄②⑤　赤③⑥

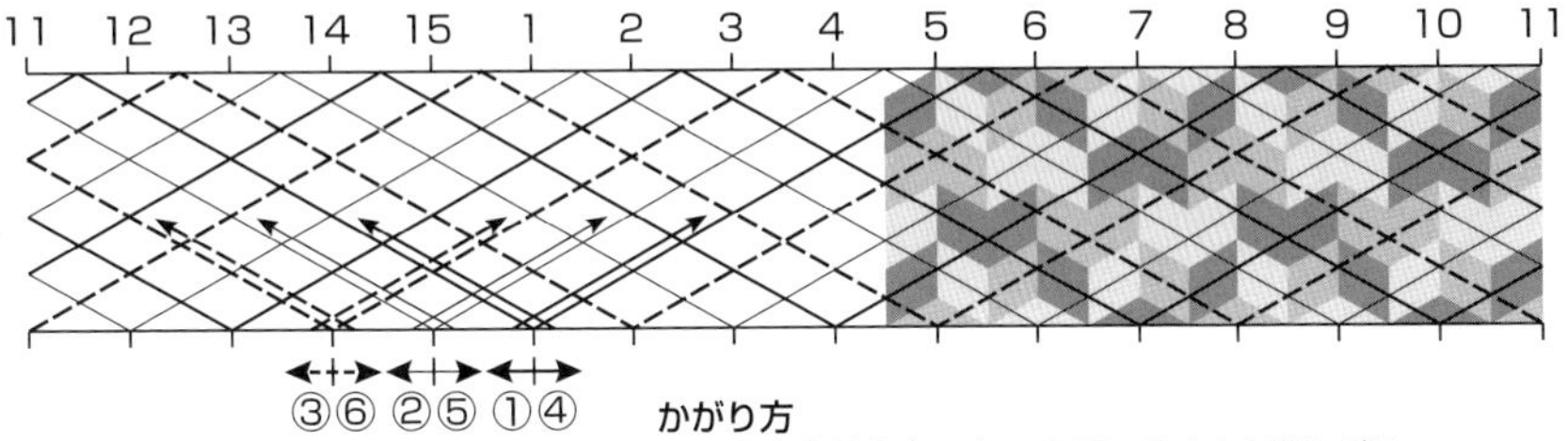

かがり方

[1]　①青②黄③赤で右へ3周で5山を1段かがる。

[2]　④青⑤黄⑥赤で左へ3周で5山を1段かがる。

[3]　1段交互に6か所からかがる。

両端は上掛けで、8か所で交わるところは下掛け交差と上掛け交差を繰り返す。　↗↘**下上　下上　下上　下上**

二色縦矢絣 1

口絵 20 ページ

等分 ･･･ 16

間隔 ･･･ 3

山幅 ･･･ 6

かがり始め ･･･ 下4か所から右と左

山数 ･･･ 3周で8山ずつ両寄せ

糸 ･･･ ピンク①③　白②④

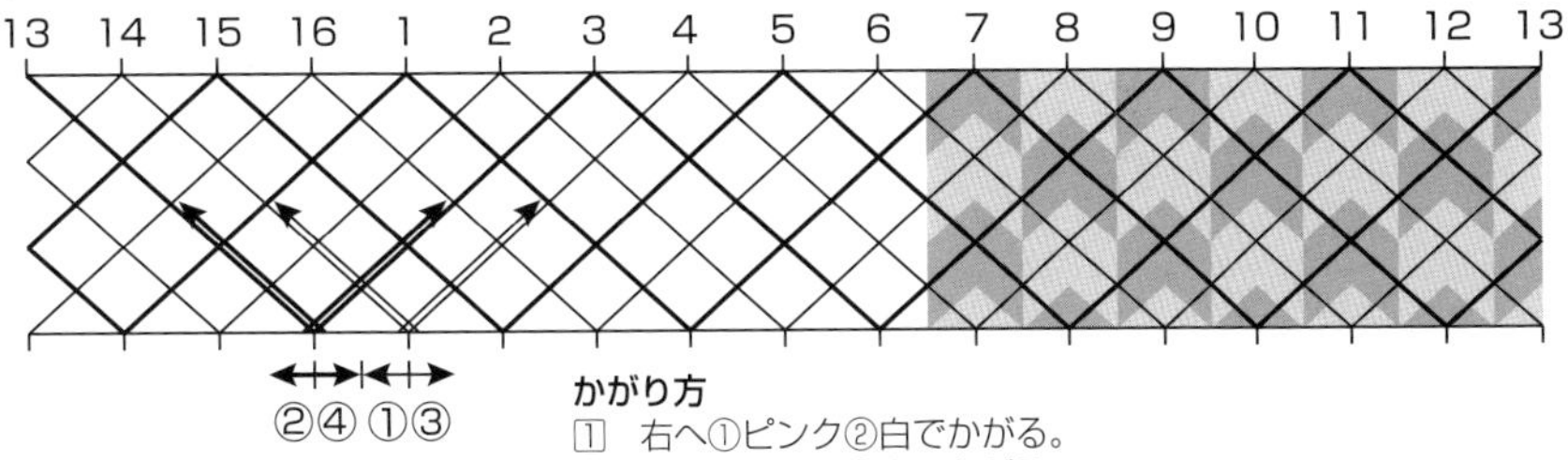

かがり方

[1]　右へ①ピンク②白でかがる。

[2]　左へ③ピンク④白でかがる。

[3]　上端は下掛け交差で、4か所から3目ごと3周で8山を1段交互にかがる。

↗**下端上　下　上　下　上　下**

↘**上端下　上　下　上　下　上**

①↗白くぐる↘ピンクくぐる　②↗ピンクくぐる↘白くぐる

③↖白くぐる↙ピンクくぐる　④↖ピンクくぐる↙白くぐる

二色縦矢絣 2

口絵 20 ページ

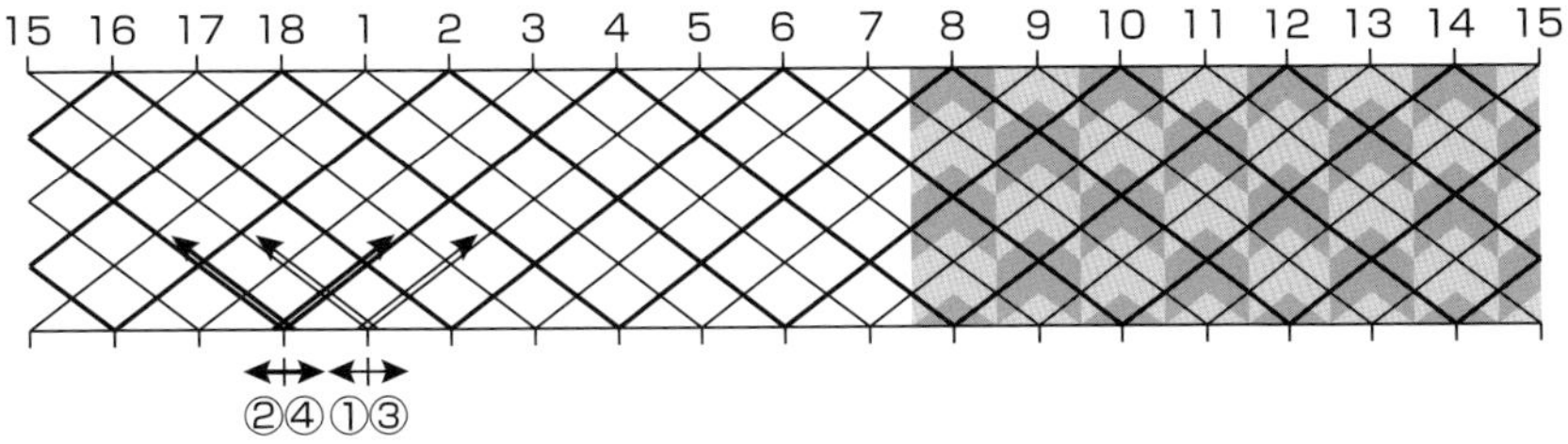

等分 ･･･ 18

間隔 ･･･ 4　山幅 ･･･ 8

かがり始め ･･･ 4か所

山数 ･･･ 4周で9山ずつ

糸 ･･･ 赤①③　白②④

かがり方

上端下掛け交差

[1]　①赤②白で右に進む（①↗白くぐる↘赤くぐる　②↗赤くぐる↘白くぐる）。

[2]　③赤④白で左に進む（③↖白くぐる↙赤くぐる　④↖赤くぐる↙白くぐる）。

[3]　①②③④の順で1段交互にかがる。

四色縦矢絣 ▶ 口絵 21 ページ

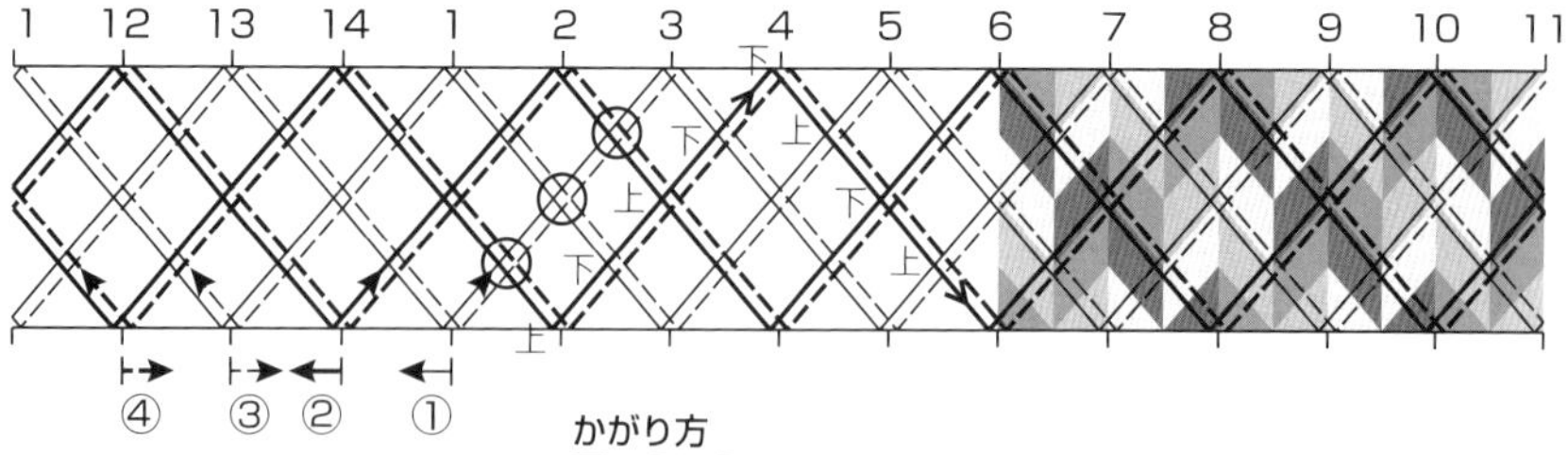

等分 ･･･ 14
間隔 ･･･ 2　**山幅** ･･･ 4
かがり始め ･･･ 下４か所から右左
山数 ･･･ ２周で７山ずつ両寄せ
糸 ･･･ 橙①　紫②　青③　黄④

かがり方

1　①橙②紫で下端から右へ２周で７山を１段ずつかがる。
2　③青④黄で下端から左へ２周で７山を１段ずつかがる。
3　４色で１段交互にかがる。上端は下掛け。○印の３か所で交わる。　↗**下上下**　↘**上下上**

六色縦矢絣 ▶ 口絵 21 ページ

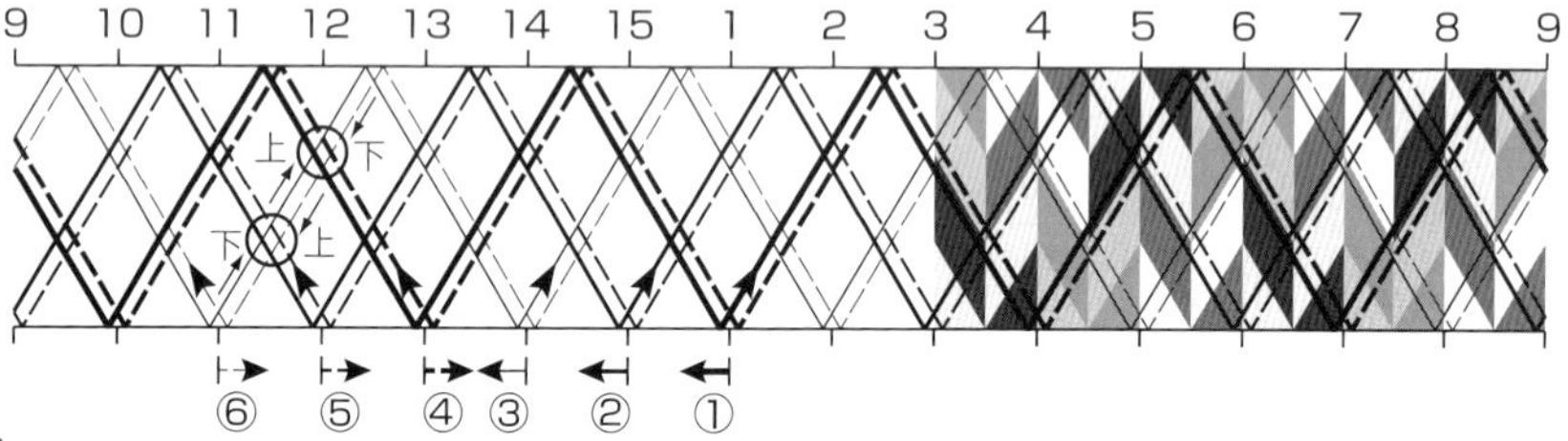

等分 ･･･ 15
間隔 ･･･ 1.5　**山幅** ･･･ 3
かがり始め ･･･ 下６か所から右左
山数 ･･･ ５山ずつ両寄せ
糸 ･･･ 紫①　青②　緑③　黄④
赤⑤　ピンク⑥

かがり方

1　右へ①紫②青③緑、左へ④黄⑤赤⑥ピンクを１段交互にかがる。
2　両端上掛けでかがり、○印の２か所で下ー上に交差する。

三色横矢絣 1 ▶ 口絵 21 ページ

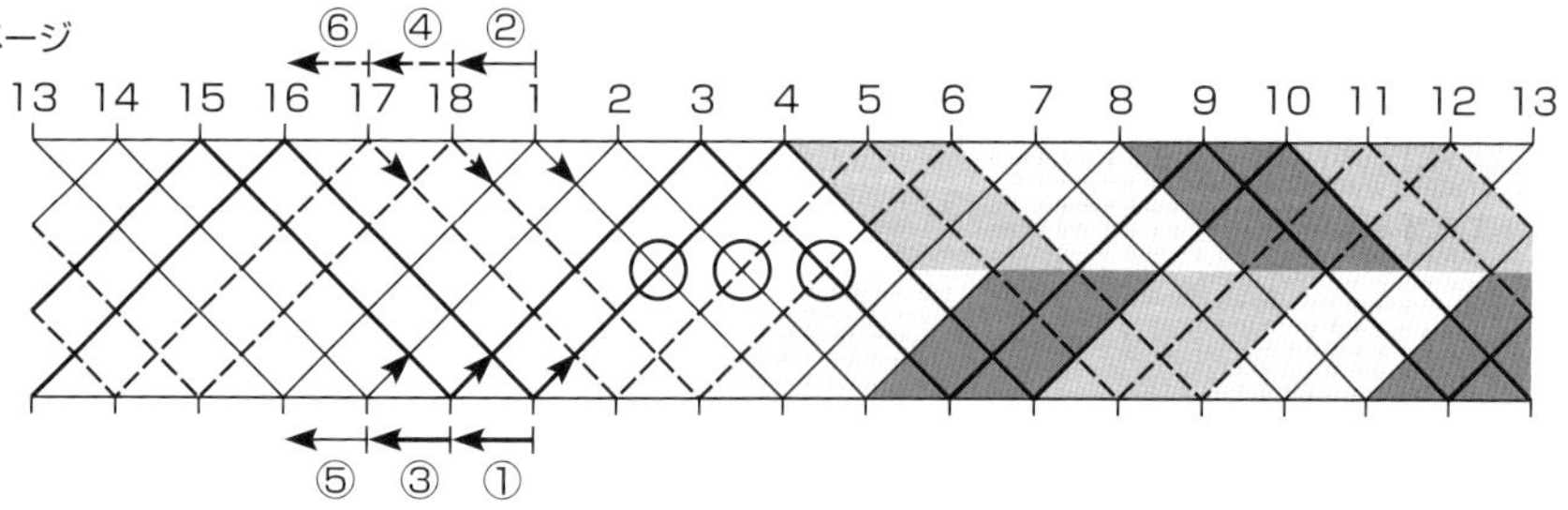

等分 ･･･ 18
間隔 ･･･ 3　**山幅** ･･･ 6
かがり始め ･･･ 両端①②から右へ
山数 ･･･ ３山ずつ右寄せ
糸 ･･･ 青①③　橙②⑤　紫④⑥

かがり方

1　下端①青で右へ３山を１段かがり、上端②橙で右へ３山を１段かがる。中央の交わる○印は下掛け交差で、１段交互に１目盛りかがる。
2　下③青、上④紫で同じように続けてかがる。
3　下⑤橙、上⑥紫で続けてかがり埋める。

三色横矢絣 2 ▶ 口絵 21 ページ

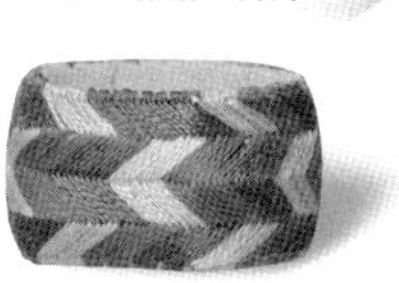

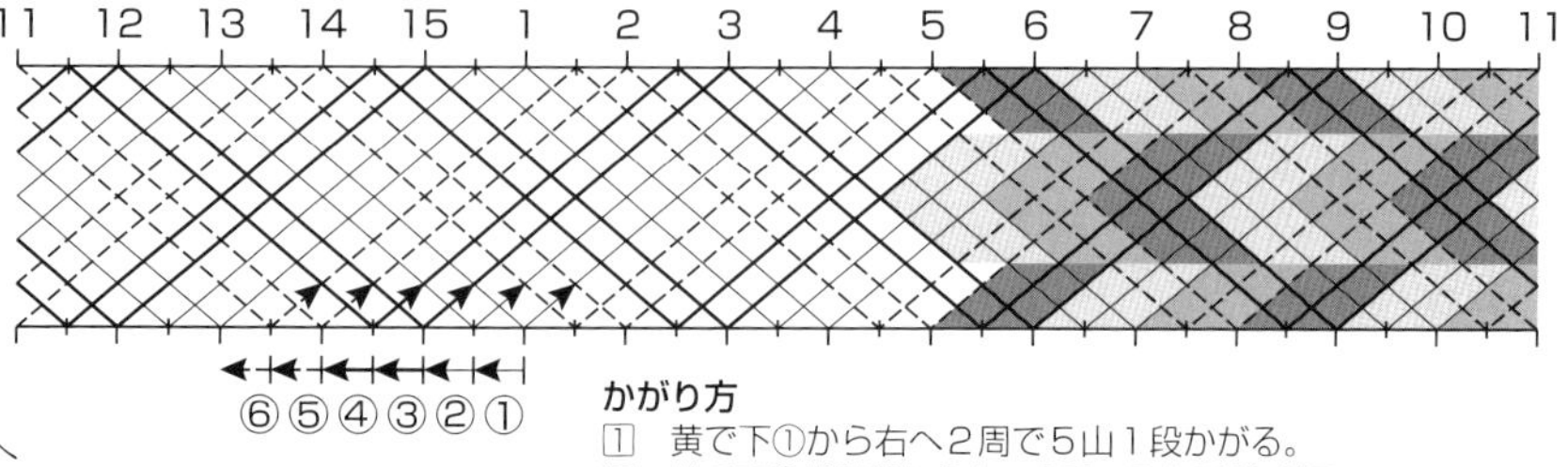

等分 ･･･ 15 (２等分の補助印)
間隔 ･･･ 3　**山幅** ･･･ 6
かがり始め ･･･ 下６か所から右へ
山数 ･･･ ２周で５山ずつ右寄せ
糸 ･･･ 黄①②　緑③④　茶⑤⑥

かがり方

1　黄で下①から右へ2周で5山1段かがる。
2　黄で下②補助印から右へ2周で5山1段かがる。
3　緑で下③から右へ2周で5山1段かがる。
4　緑で下④補助印から右へ2周で5山1段かがる。
5　茶で下⑤から右へ2周で5山1段かがる。
6　茶で下⑥補助印から右へ2周で5山1段かがる。
7　①②③④⑤⑥から1段交互にかがる。11か所で交わるが、6か所くぐる。
↗↘**上上　下交　下下　上交　上上　下交　下下**

三色横矢絣 3

口絵 21 ページ

等分 … 15
(2 等分の補助印)
間隔 … 4.5
山幅 … 9

かがり始め … 下 6 か所から右へ
山数 … 3 周で 5 山ずつ右寄せ
糸 … 赤①② 紫③④ 緑⑤⑥

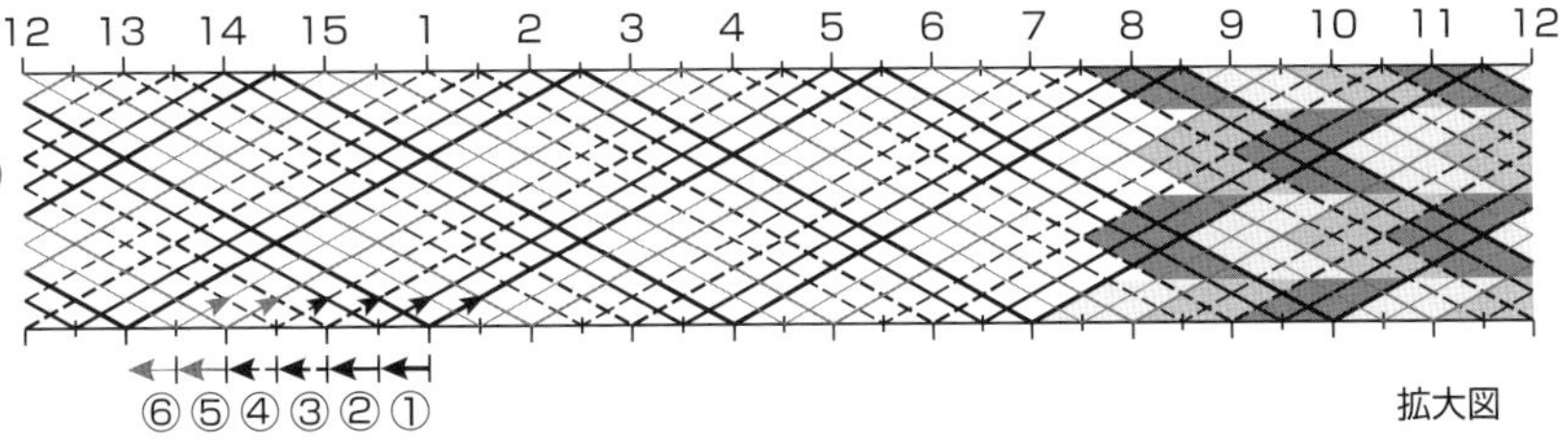

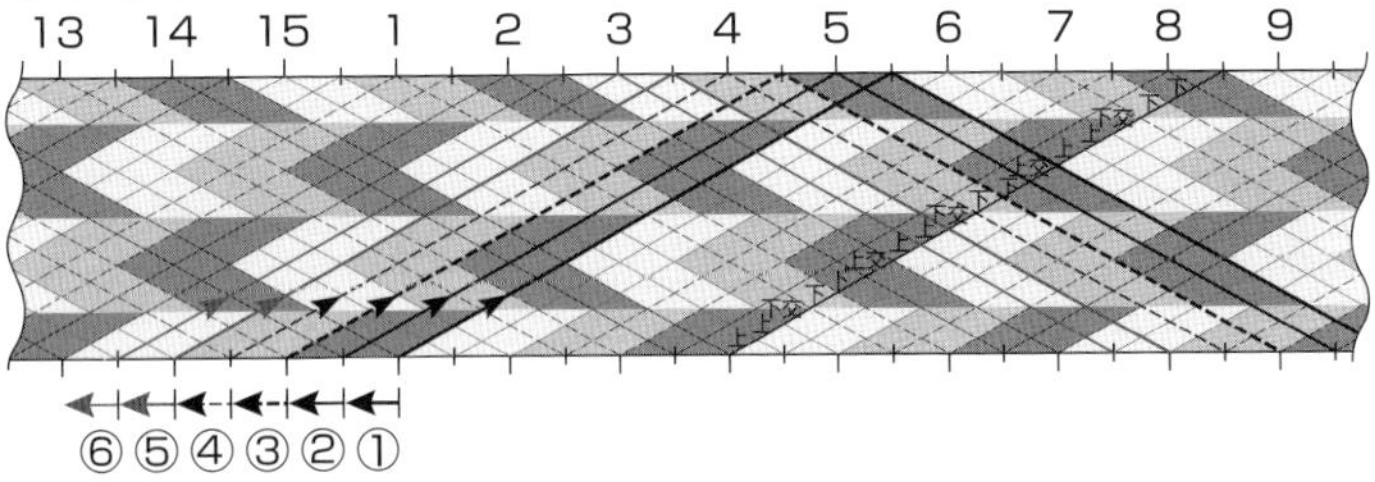

かがり方
1 ①②赤③④紫⑤⑥緑で右へ 3 周で 5 山ずつ 1 段交互にかがる。
2 両端は上掛けで、1 7か所で交わる。
↗↘上上 下交下下 上交上上 下交下下 上交上上 下交下下

五色矢羽根

口絵 21 ページ

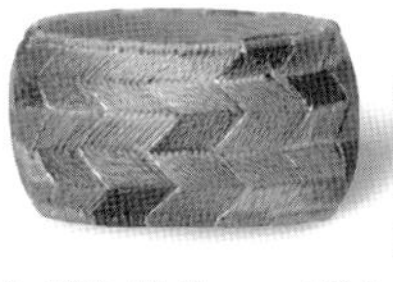

等分 … 15
間隔 … 2.5
山幅 … 5

かがり始め … 下 6 か所から右へ
(下端のどこからスタートしてもよい)
山数 … 3 山ずつ右寄せ
糸 … 赤① 紫② 水③ 緑④ 薄茶⑤

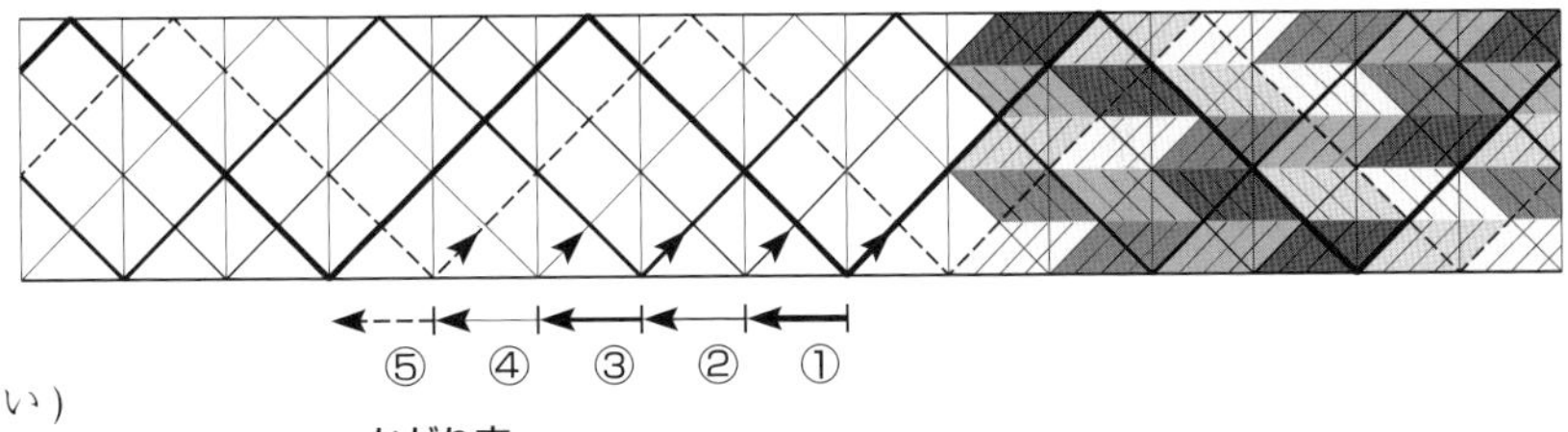

かがり方
1 ①赤②紫③水④緑⑤薄茶の 5 色で右へ 3 山ずつ 1 段交互にかがる。
2 上端下掛けでかがり、4 か所で交差する。 ↗下上下上 ↘上下上下

ロープヤーン

縄縫い繋ぎ 1

口絵 23 ページ

等分 … 10
間隔 … 2
山幅 … 4

かがり始め … 下 1 から右へ
山数 … 右へ 2 周で 5 山、左へ 2 周で 5 山
糸 … ピンク濃淡 紫

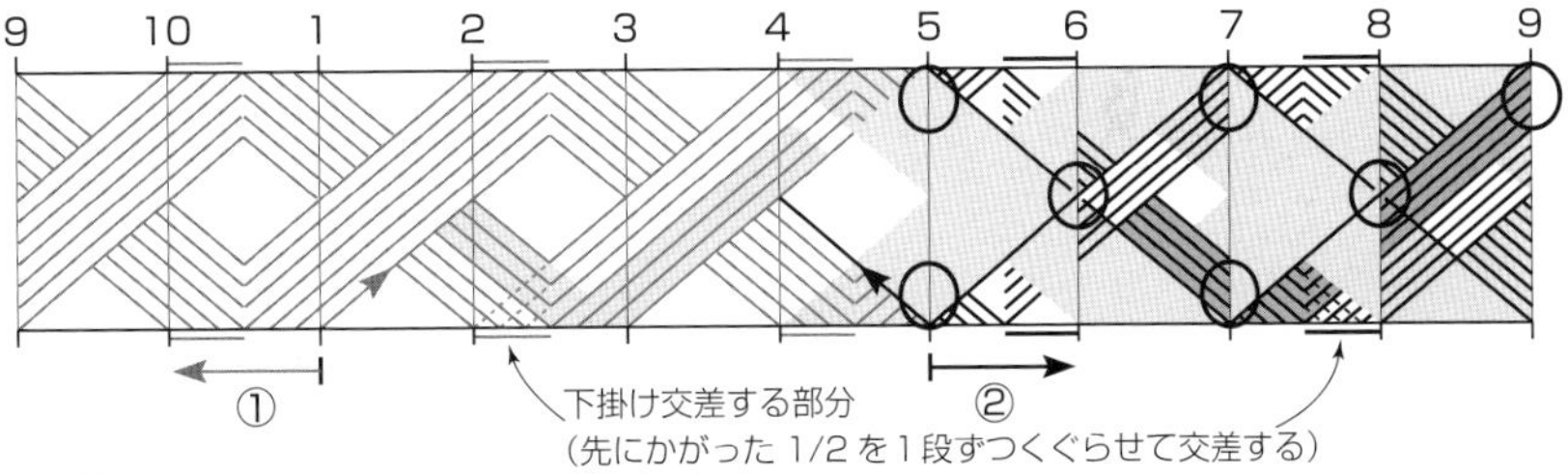

かがり方
1 ①濃ピンクで下 1 から右へ 2 周で 5 山を 1 目盛りかがり埋める。中心に薄ピンクと紫の縞 3 本入れる。上端から下端に向かうとき中央部は下掛けで、両端は½までかがった後、下掛け交差になるようにくぐらせる。
2 ②濃ピンクで①と同じ配色で左へ 2 周で 5 山かがり埋める。中央部は下端から上端に向かうときくぐり、右上の下掛けでかがる。①でかがった糸と 2 か所で交わる (○印は下掛け交差)。両端は ½ から下掛け交差にする。

右上の下掛け
(右前に交わる)

三つ編み

口絵 23 ページ

等分 … 9
間隔 … 2.5 **山幅** … 5
かがり始め … 下 1 から右
山数 … 5 周で 9 山右寄せ
糸 … えんじ ピンク 緑

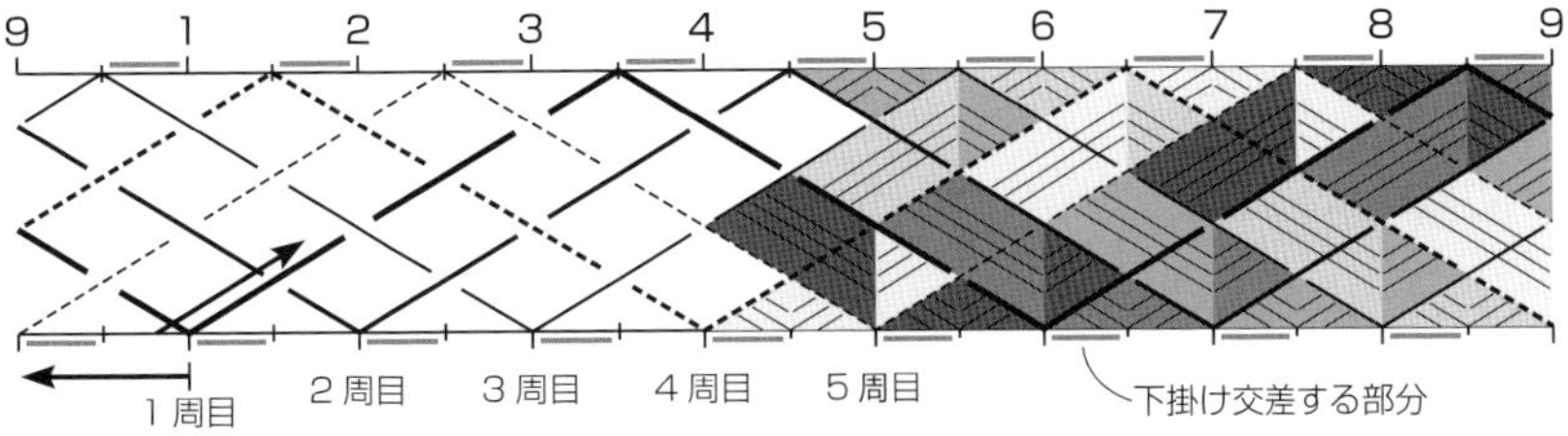

かがり方
1 えんじで右へ 2.5 置きに 5 周で 9 山かがり、かがり始めの 1 に戻る。ピンクと緑の縞 3 本入れて 1 目盛りかがり埋める。1 目盛りの½まで上図のように両端は上掛け、4 か所の交差は上一下一上一下とかがる。
2 ½までかがったら両端は下掛け交差。½から交差する 4 か所は ↗↘下交一下一上一下交で½までかがってある糸をくぐらせながら残りをかがる。

四つ編み 1 ▶ 口絵 23 ページ

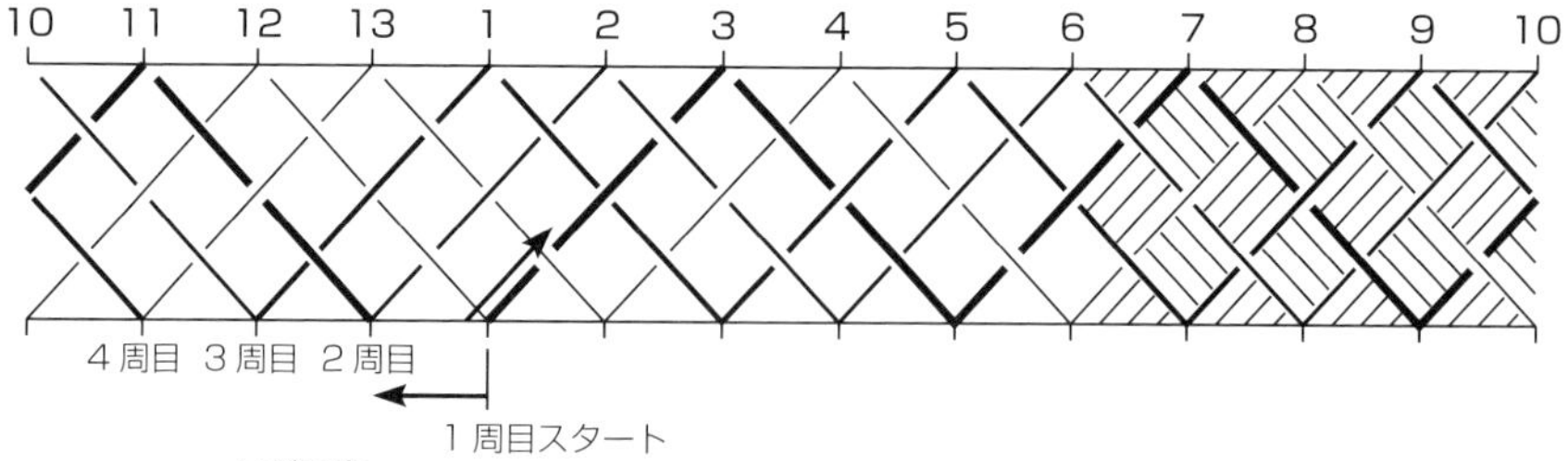

等分 ･･･ 13
間隔 ･･･ 2 **山幅** ･･･ 4
かがり始め ･･･ 下 1 から右
山数 ･･･ 4 周で 13 山右寄せ
糸 ･･･ えんじ濃淡 緑

かがり方
1 えんじで下 1 から右へ 4 周で 13 山かがる。1 段目の 2 周目からくぐらせる。
3 か所で交わる↗**下上下** ↘**上下上**
2 2 段目から上端は下掛けでかがる。
3 えんじ 3 段、橙 1 段、ピンク 1 段、緑 1 段の縞を入れて 1 目盛りかがり埋める。

縄縫い繋ぎ 2 ▶ 口絵 23 ページ

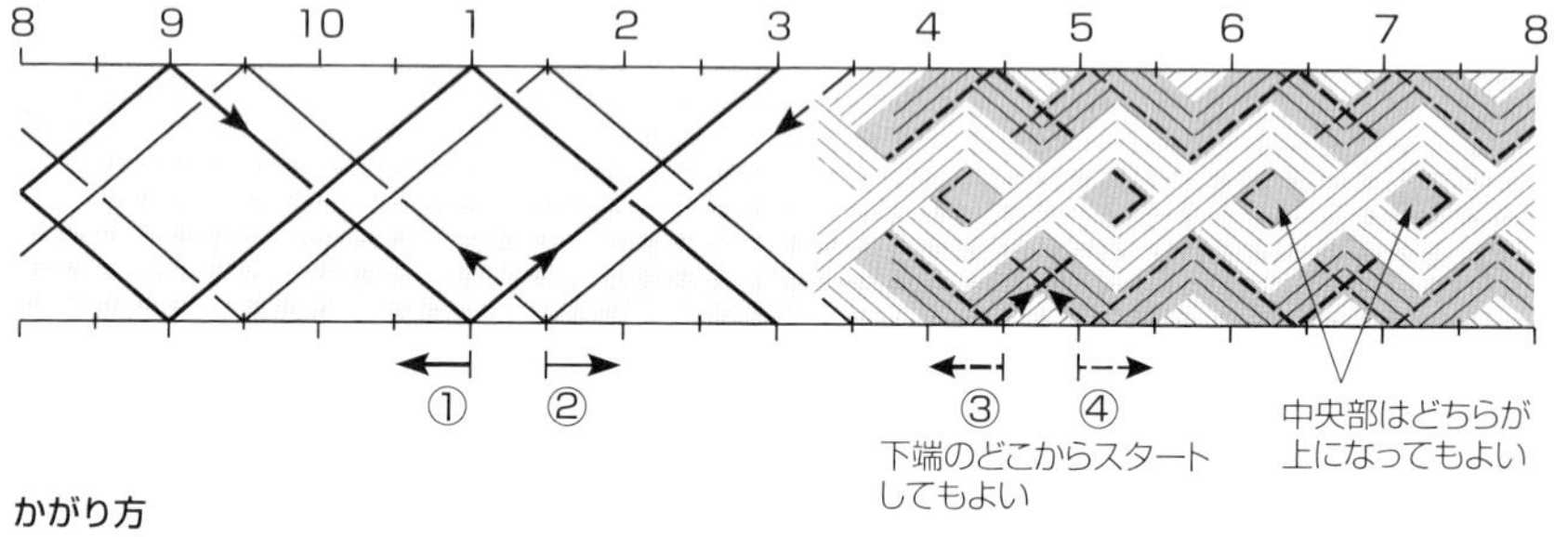

等分 ･･･ 10 (2 等分の補助印)
間隔 ･･･ 2 **山幅** ･･･ 4
かがり始め ･･･ 下 2 か所から右と左へ
山数 ･･･ 右と左へ 2 周で 5 山ずつ
糸 ･･･ ピンク①② 緑③④ えんじ (縁取り)

かがり方
1 ①ピンクで右へ下 1 から 2 周で 5 山かがる。 **右へ↗上 ↘下**
2 ②ピンクで左へ下 1.5 から 2 周で 5 山かがる。 **左へ↖下 下 上 ↙下 上 上**
3 ①と②を 1 段交互にかがる。両端上掛けで、3 か所で交わる。**①右へ ↗下交 上 上交 ↘下交 下 上交 ②左へ ↖下交 下 上交 ↙下交 上 上交**
4 えんじで縁取り線をかがる。(①②の両わきをかがって 3 か所で交わる。下交ー右上の下掛ー上交)
5 ①②に続いて緑で③右と④左へ 5 山ずつ 1 段交互にかがる。同色 3 か所と交わるところは
上交ー上又は下（どちらでも良い）ー**下交**
ピンク 4 か所と交わるところは中央部 2 か所をくぐる。両端は½で下掛け交差かがり。

S 字繋ぎ ▶ 口絵 23 ページ

等分 ･･･ 12（2 等分の補助印）
間隔 ･･･ 1.5 **山幅** ･･･ 3
かがり始め ･･･ 最初下 1 から右 (残り 5 か所右左)
山数 ･･･ 2 色で右左に 4 山ずつ
糸 ･･･ 緑①②③ 赤④⑤⑥ 黒 (縁取り)

Ⅰ図 (1 色目の緑)

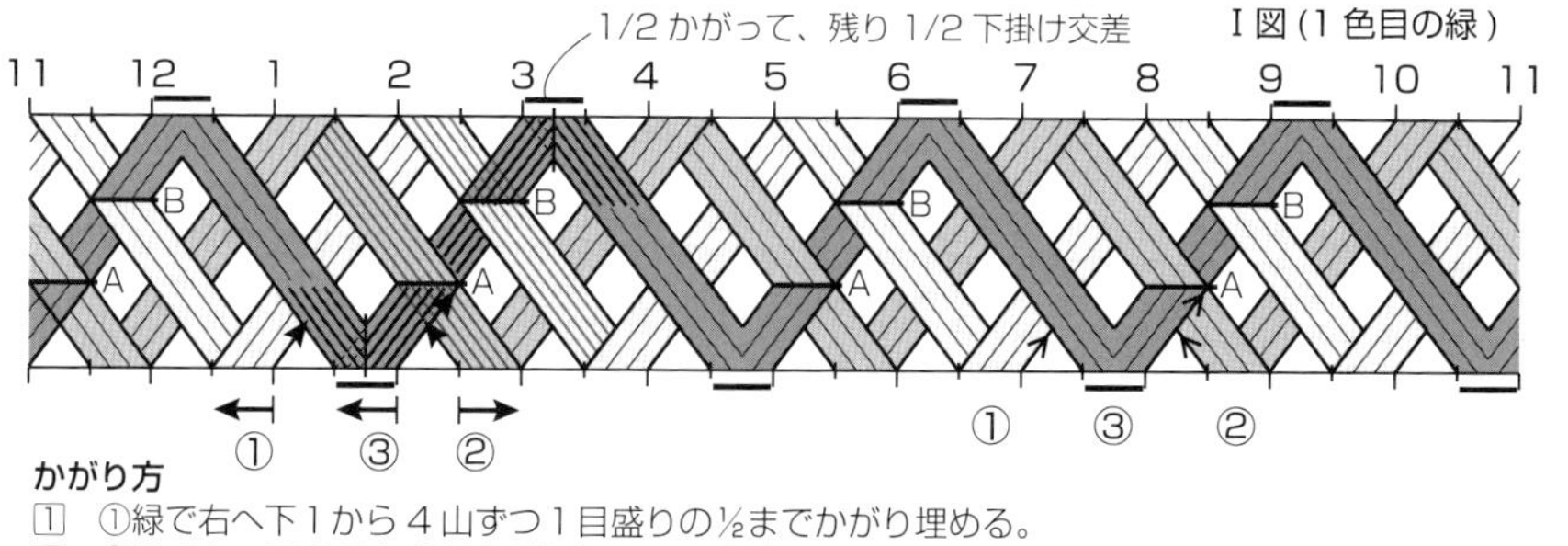

かがり方
1 ①緑で右へ下 1 から 4 山ずつ 1 目盛りの½までかがり埋める。
2 ②緑で左へ下 2.5 から½かがり埋める。上端から下端に向かうとき①の糸の下をくぐらせる。
3 ③緑で右へ下 2 から½かがり埋める。①②の糸を AB で下掛け交差 (1 段ずつくぐる段数を増やしていき、のる段数は 1 段ずつ減る)。上端から下端に向かうときはくぐりなしで、両端のー印は½かがって、残り½は下掛け交差でかがる。黒 1 段の縁取り線もかがる。

Ⅱ図 (2 色目の赤)

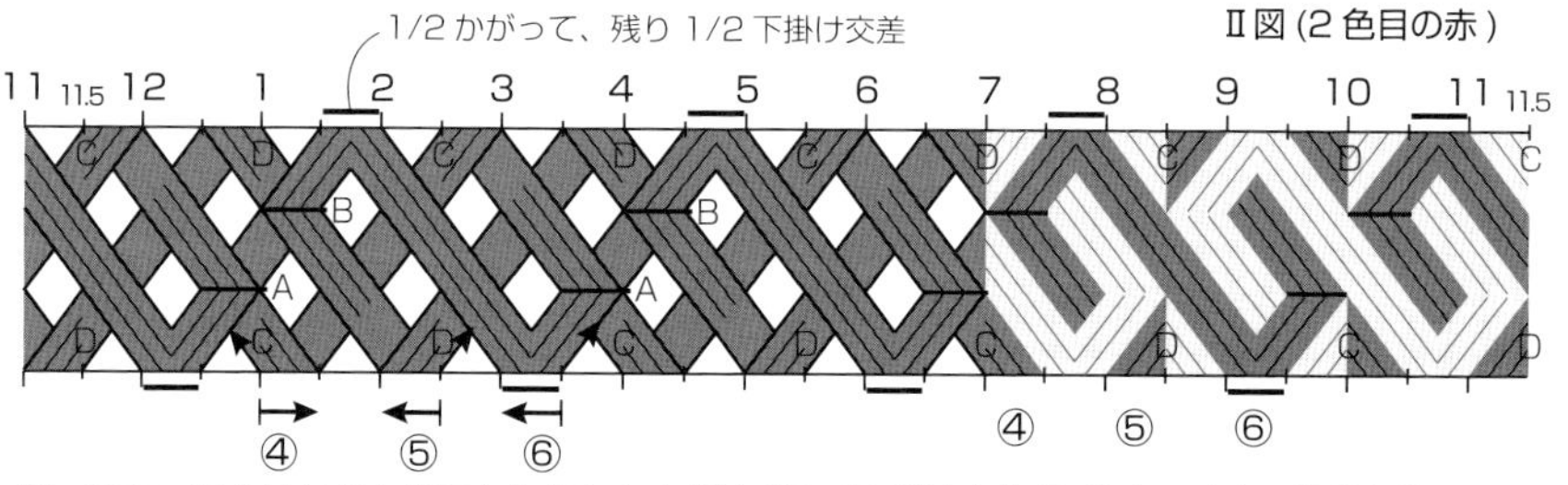

4 ④左へ下 1 から両端は緑をくぐる下掛け交差 (Ⅱ図 C 参照)
↖下交上上上下 ↙下交下下下下
5 ⑤右へ下 2.5 から両端は緑をくぐる下掛け交差 (Ⅱ図 D 参照)
↗下交下下下下 ↘下交上上上下

6 ⑥右へ下 3.5 から上端に向かうとき赤糸は AB で下掛け交差 (1 段ずつくぐる段数を増やしていき、のる段数は 1 段ずつ減る)。下端に向かうときはくぐりなし。上端は上掛け、ー印で ½ かがって残り ½ は下掛け交差。 **↗上 下交 下 下交 上 ↘上上上上上**
7 黒で縁取り線をかがる。

四つ編み 2

口絵 23 ページ

等分・・・ 12
間隔・・・ 2
山幅・・・ 4

かがり始め・・・ 下 4 か所から
山数・・・ 1 周で 3 山右寄せ
糸・・・ 赤①　茶②　緑③　青④　白

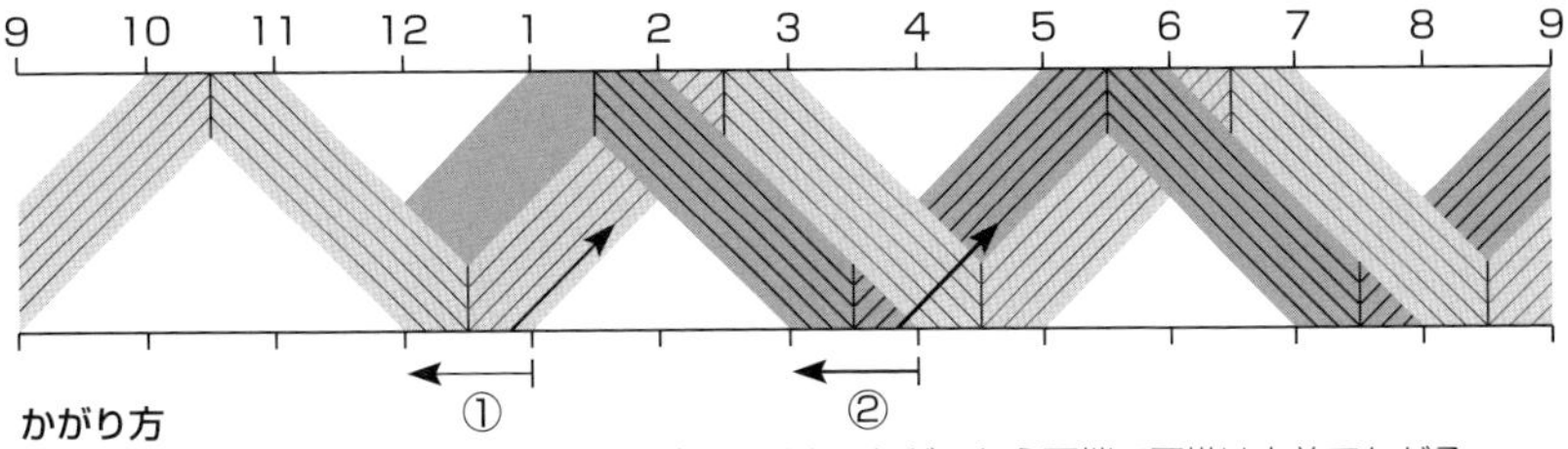

かがり方
1. 赤で下①から右へ 3 山 1 目盛りかがる。½までかがったら両端で下掛け交差でかがる。
2. 茶で下②から上に向かうとき①の赤をくぐらせてかがる。½で両端を下掛け交差でかがる。

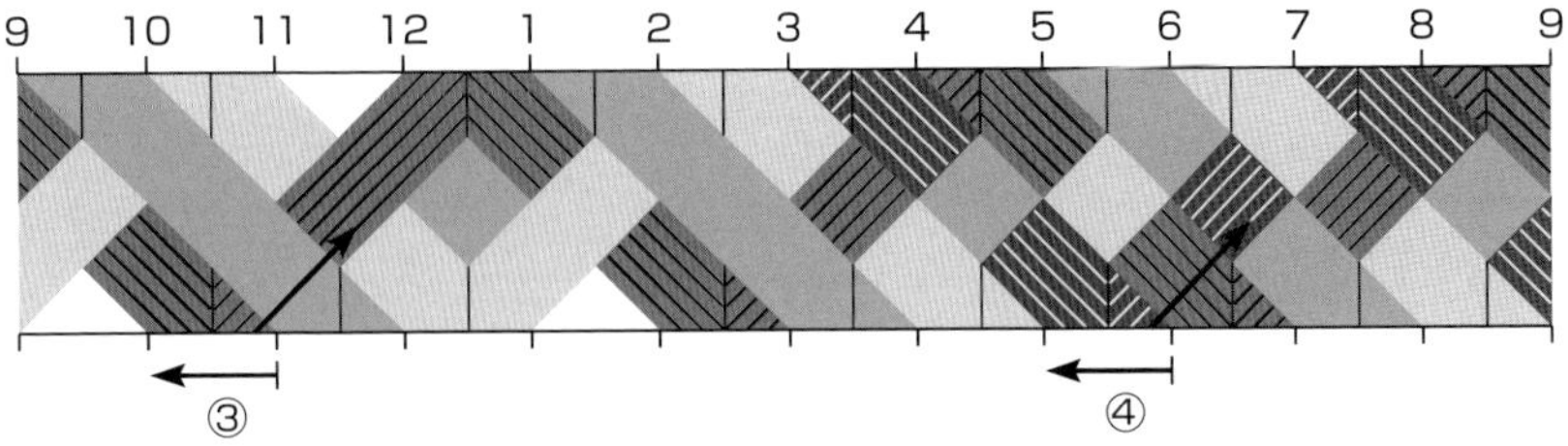

3. 緑で下③から右へ 3 山 1 目盛りかがる。上に向かうとき茶をくぐらせて下に向かうとき赤をくぐらせる。½までかがったら両端で下掛け交差でかがる。
4. 青で下④から上に向かうとき緑と赤をくぐらせ、下に向かうとき茶をくぐらせてかがる。½ で両端を下掛け交差でかがる。

網　代

二色縦組網代

口絵 22 ページ

等分・・・ 14（2 等分の補助印）
間隔・・・ 3　**山幅**・・・ 6
かがり始め・・・ 下 1 から右
山数・・・ 3 周で 7 山右寄せ
糸・・・ えんじ濃淡①②　緑濃淡③④

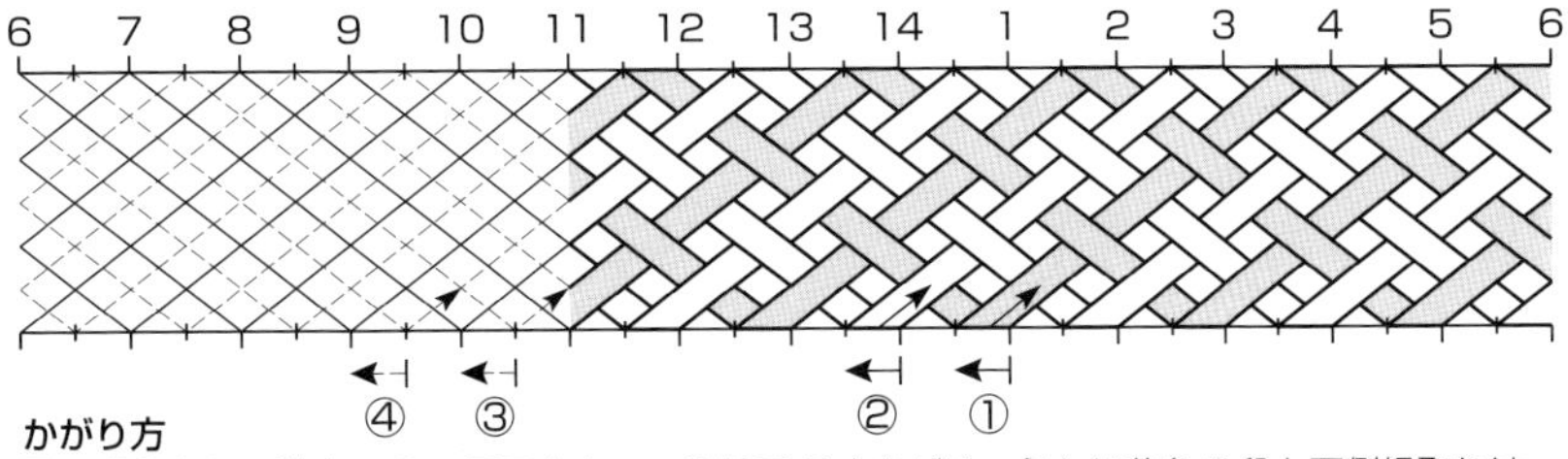

かがり方
1. ①えんじの濃色で 3 つ目ごと右へ、3 周で 7 山かがる。えんじ薄色 3 段と両側縁取りは濃色で目盛りの½の補助印までかがる。両端は上掛けで、2 か所で交わる。↗下下　↘上上
2. ②からも①と同じ色で同様にかがる。両端は上掛けで、5 か所で交わる。↗上下上下上　↘下上下上下

3. ③④の補助印からも①②でかがり残した ½ を緑で埋める（薄緑 3 段、両端濃緑の縁取り）。
両端上掛け
↗上上　下下　上上　下下　上上　下
↘上　下下　上上　下下　上上　下下

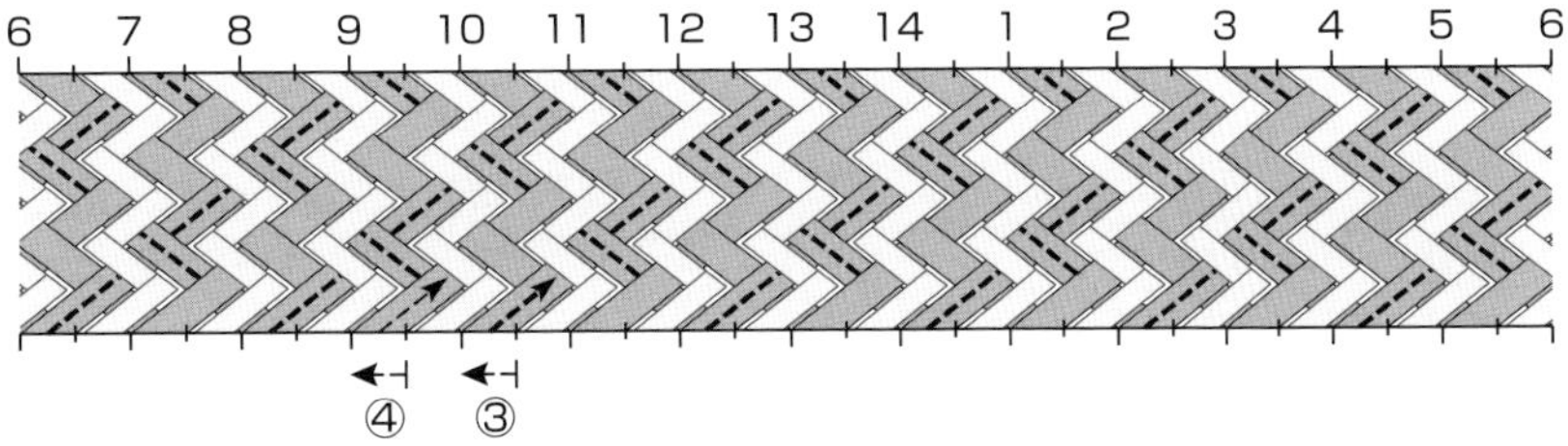

四色縦組網代

口絵 22 ページ

等分・・・10（2 等分の補助印）
間隔・・・ 2　**山幅**・・・ 4
かがり始め・・・ 下 1 から右
山数・・・ 2 周で 5 山右寄せ
糸・・・ 赤①　青②　ピンク③　緑④　薄黄（縁取り）

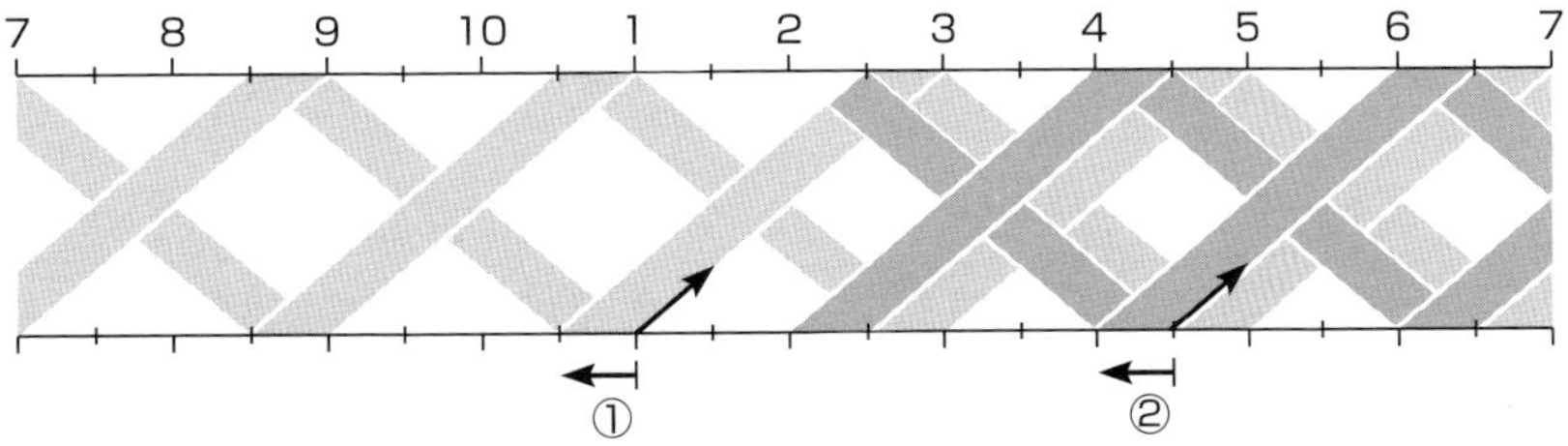

かがり方
1. 縁取り線の薄黄と赤で①から右に½の補助印までかがる。上端下掛けで、下に向かうとき中央の交差をくぐらせる。
2. 赤に続けて縁取り線の薄黄と青②から残り½をかがる。上端下掛けで、下に向かうとき青の中央の交差をくぐらせる。

（次ページに続く）

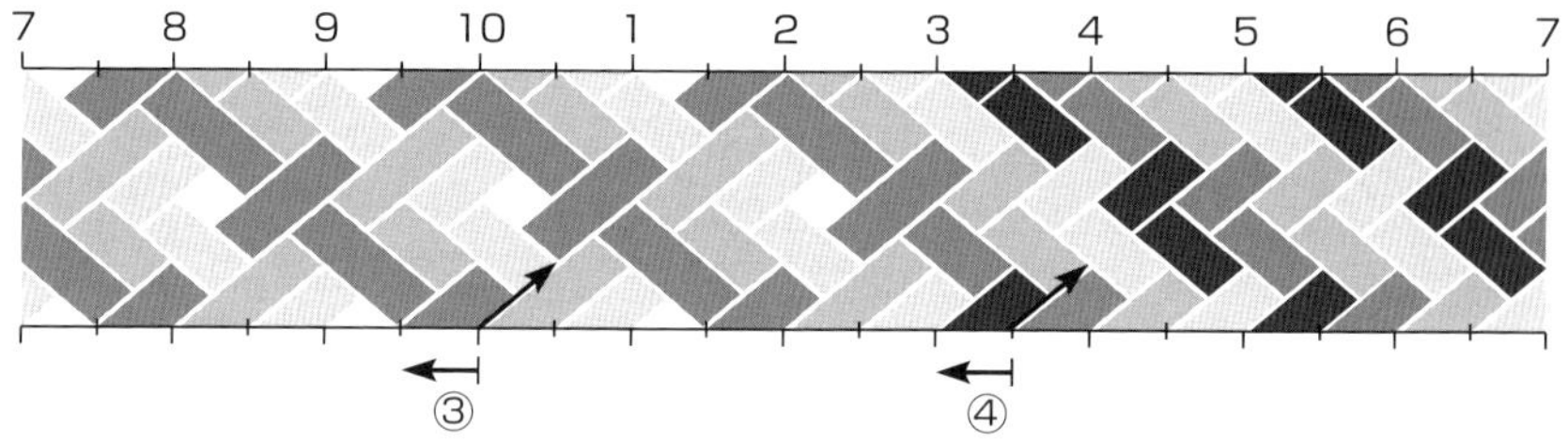

[3]　③縁取りとピンクで青に続けてかがる。上端下掛け　↗赤の下　↘ピンクの下
[4]　④縁取りと緑でピンクに続けてかがる。上端下掛け　↗青赤の下　↘赤緑の下

二色横組網代 口絵 22 ページ

等分・・・14（2等分の補助印）
間隔・・・2.5　**山幅**・・・5
かがり始め・・・下1から右
山数・・・5周で14山右寄せ
糸・・・橙濃淡①　緑濃淡②

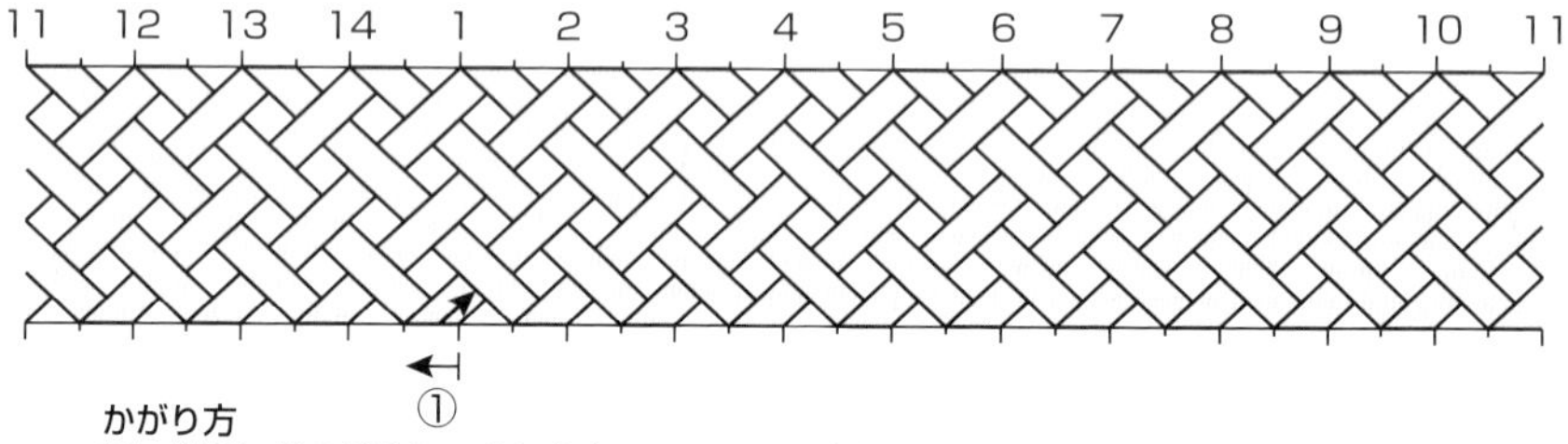

かがり方
[1]　薄橙に橙の縁取りで①から右へ5周で14山を目盛りの½までかがる。両端上掛け、4か所で交わる。　↗↘下上下上

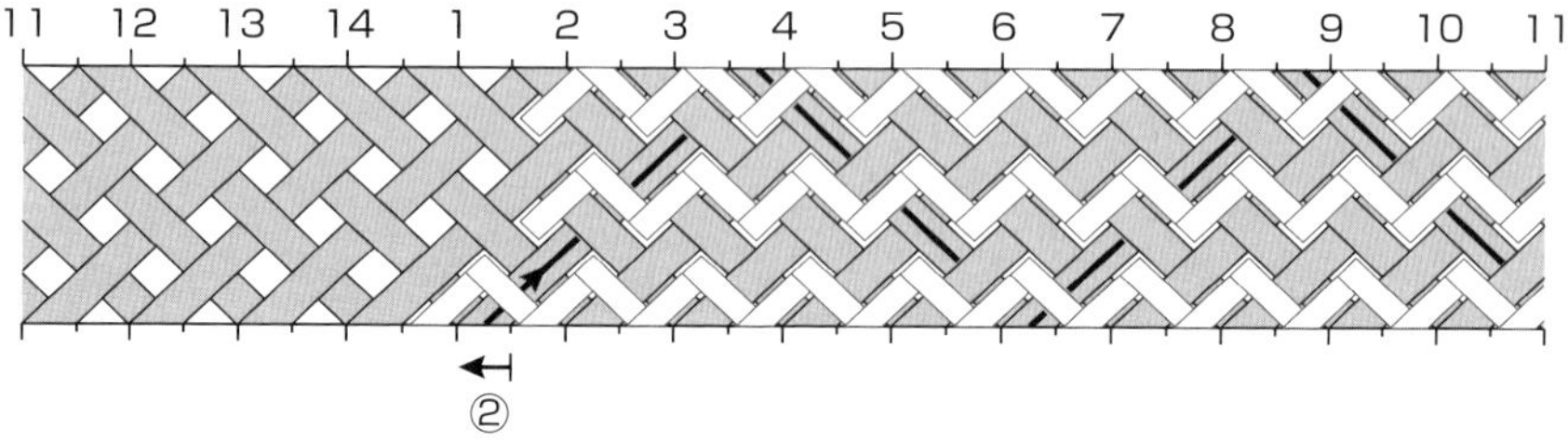

[2]　薄緑に緑の縁取りで②から右へ5周で14山を目盛りの残り½かがる。
両端上掛け　↗**下**　上**上**　下**下**　上**上**　下**下**　　↘**下**　上**上**　下**下**　上**上**　下**下**
（**上**‥赤の上になる　**下**‥赤の下くぐる　上‥青の上になる　下‥青の下くぐる）

四色横組網代 口絵 22 ページ

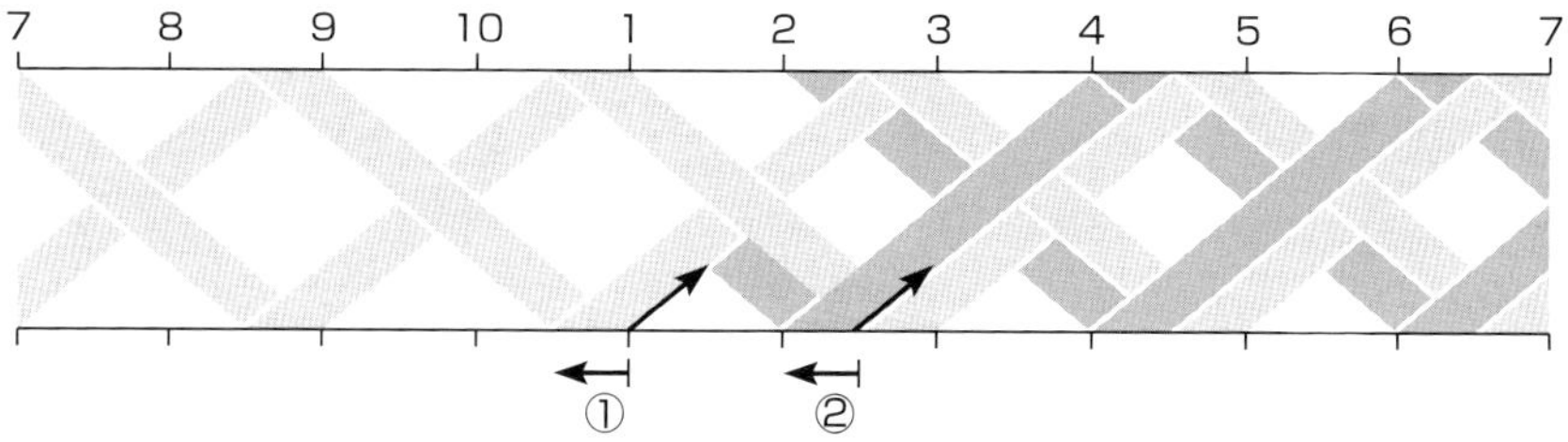

等分・・・10
間隔・・・2　**山幅**・・・4
かがり始め・・・下1から右
山数・・・2周で5山右寄せ
糸・・・えんじ①　青②　紫③
緑④　薄黄（縁取り）

かがり方
[1]　縁取り線の薄黄とえんじで①から右に½の補助印までかがる。
両端上掛けで、上に向かうとき中央の交差をくぐらせる。
[2]　縁取り線の薄黄と青で②から①の残り½をかがる。
両端上掛けで、下に向かうとき青赤をくぐる。

[3]　③縁取り線の薄黄と紫で青に続けてかがる。両端上掛け　↗紫青の下
↘えんじの下
[4]　④縁取り線の薄黄と緑で紫に続けてかがる。両端上掛け　↗青えんじの下　↘紫緑の下

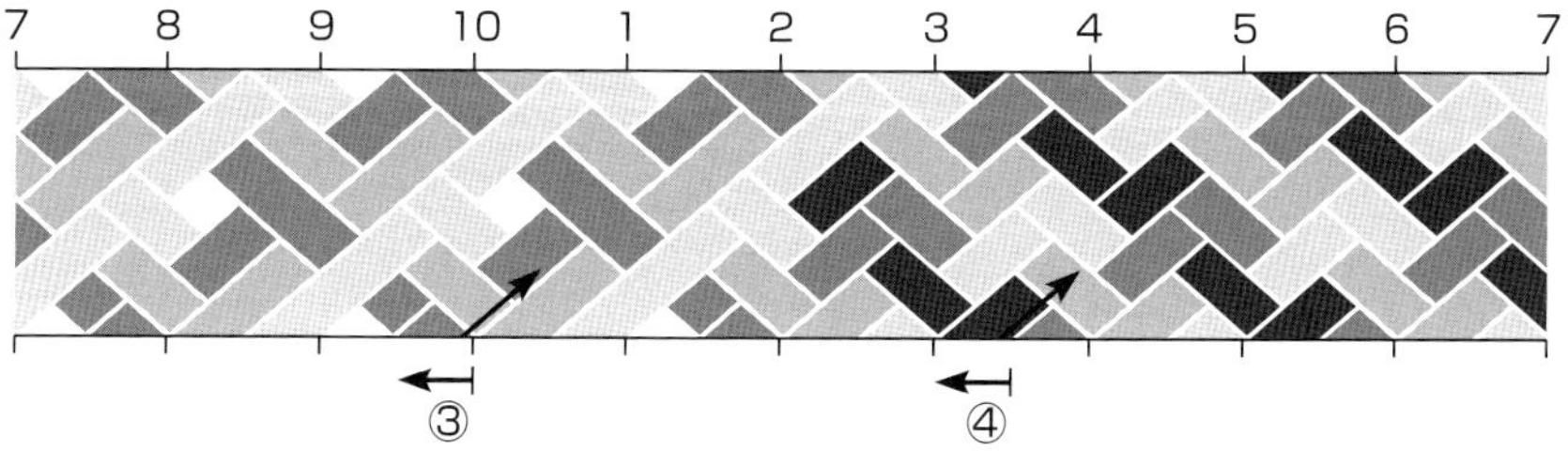

変わり三色網代 口絵 22 ページ

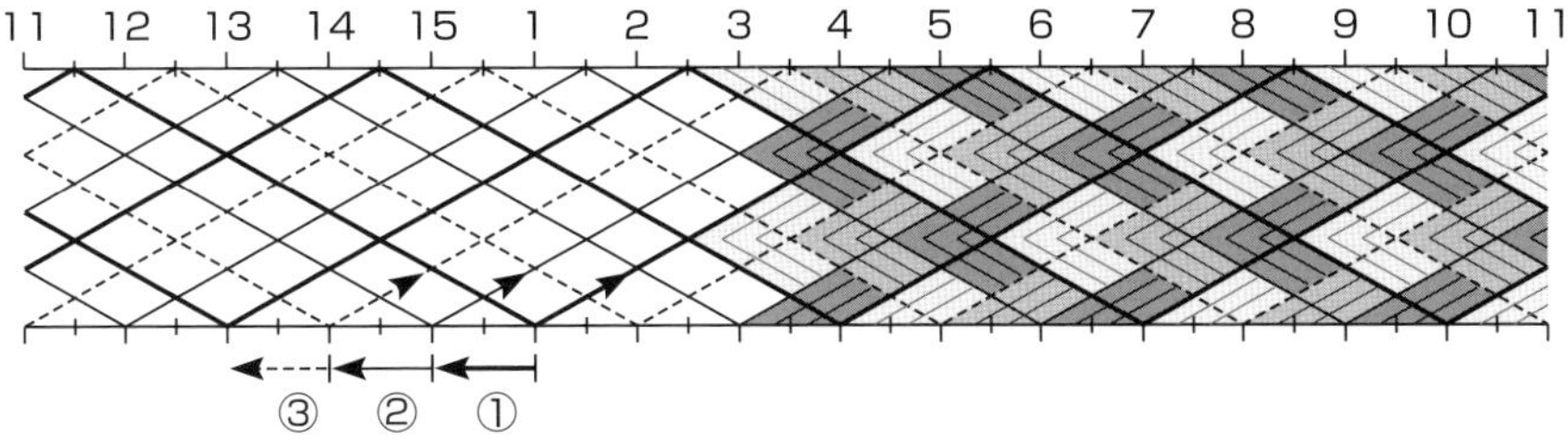

等分・・・15（2等分の補助印）
間隔・・・4.5　**山幅**・・・9
かがり始め・・・下1から右
山数・・・3周で5山右寄せ
糸・・・緑①　青②　茶③　白

かがり方
●両端上掛け
1　①緑と白の縞2本入れて右に3周で5山を1目盛りかがり埋める。
2　②青を続けてかがり埋める。
3　③茶で続けてかがる。交差する緑をくぐらせる。

四つ編み網代 口絵 22 ページ　制作／工藤　妙

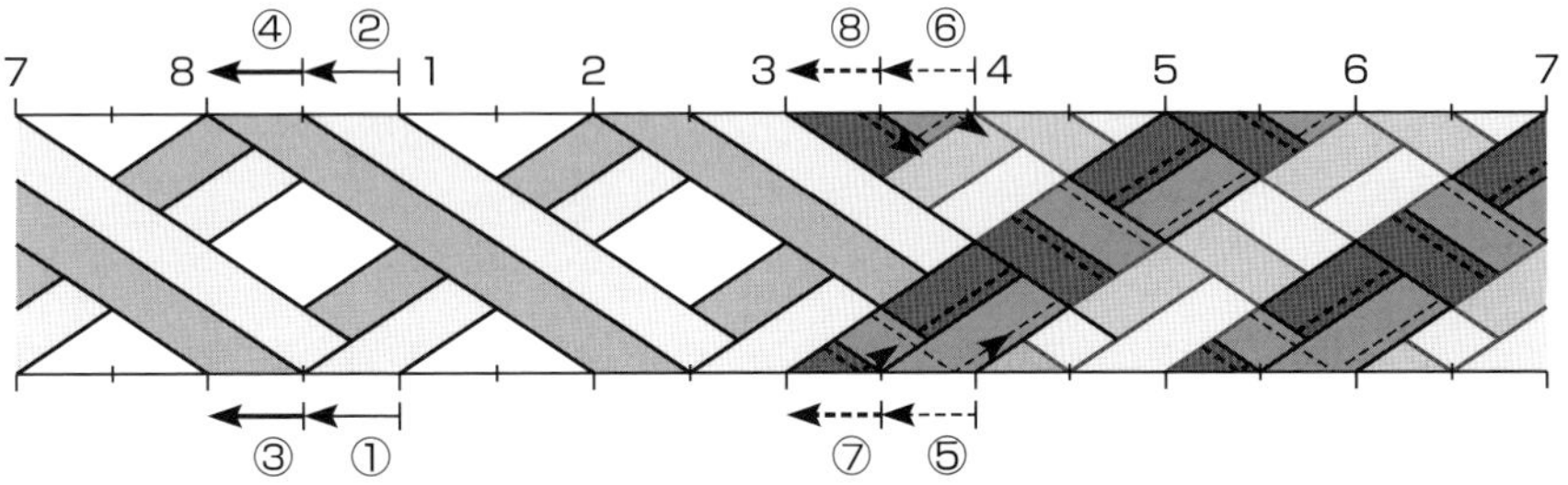

等分・・・8（2等分の補助印）
間隔・・・2　**山幅**・・・4
かがり始め・・・下1から右へ
山数・・・2山右寄せ
糸・・・ピンク①②　薄青③④　薄緑⑤⑥　黄⑦⑧　黒（縁取り）

かがり方
1　黒で下①から右へ2山を1段かがる。続けてピンクで目盛りの½までかがる。上②からもかがる。下端から上端に向かうときくぐらせる。
2　黒1段と薄青で下③から2山ずつ残り½を埋め、黒1段かがる。上④からもかがる。下端から上端に向かうときくぐらせる。
3　黒で下⑤から右へ2山を1段かがる。続けて薄緑で目盛りの½までかがる。上⑥からもかがる。下端から上端に向かうとき薄緑をくぐらせる。上端から下端に向かうとき薄青とピンクの縞をくぐらせる。
4　黒1段と黄で下⑦から2山ずつ残り½を埋め、黒1段かがる。上⑧からもかがる。下端から上端に向かうとき黄、薄緑の縞をくぐらせる。上端から下端に向かうとき薄青、ピンクの縞をくぐらせる。

篭　目 口絵 22 ページ

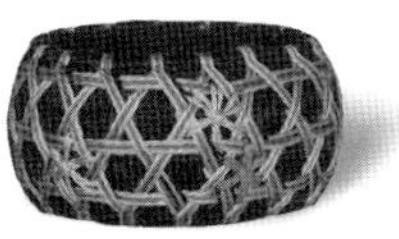

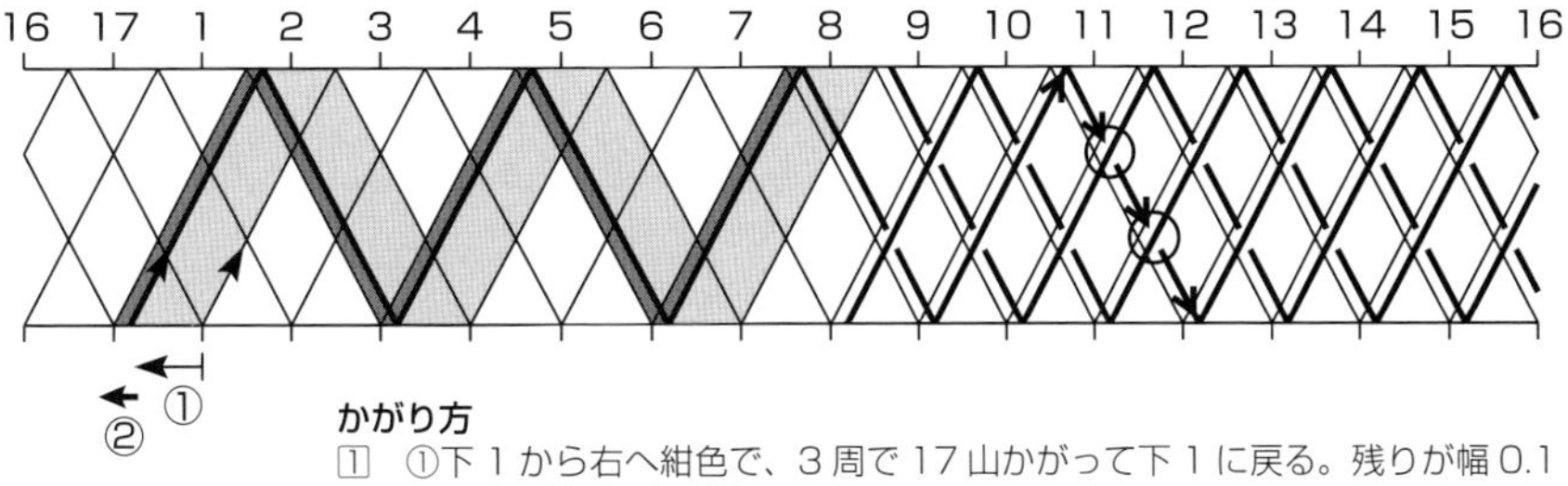

等分・・・17
間隔・・・1.5　**山幅**・・・3
かがり始め・・・下1から右
山数・・・3周で17山右寄せ
糸・・・紺　濃緑淡　ピンク濃淡

かがり方
1　①下1から右へ紺色で、3周で17山かがって下1に戻る。残りが幅0.1㎝になるまで続けてかがる。
2　②残り0.1㎝を篭目の色の薄緑、濃緑、薄緑の3段で埋める。上端から下端に向かうとき○印で篭目の糸をくぐらせる。

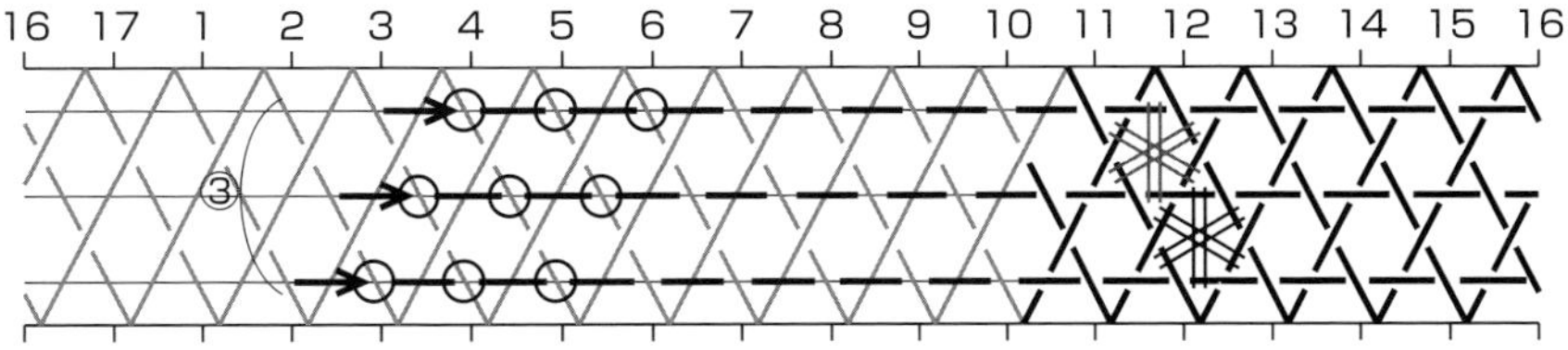

3　横に篭目の色で3本巻く。○印をくぐらせて篭目に組む。
4　松葉かがりの花を6本かがり、中心を止める。

著者紹介

○結婚後、義母とてまりを作り始める。刺繍てまりの復元や新しい多面体てまりの創作を発表し普及活動に務める。
○日本てまりの会資格認定審査員。
○全国御殿まりコンクール審査員。
○著書「加賀花てまり」「花てまり入門」「創作手まりづくし」「加賀のつるし手まり」「加賀の指ぬきと花てまり帖」
○ http://www1.odn.ne.jp/kagatemari

高原《たかはら》 曄子《ようこ》

◆てまり制作指導協力者／酒井禮子◆

日本手まりの会支部長・加賀てまりの会主宰・（財）日本手工芸指導協会師範。

長年カルチャー教室師範として普及活動に務める。全国御殿まりコンクール多数受賞する。

◆指ぬき制作指導協力者／山田理恵◆

指ぬきの古作の復元で研究習得。みかしほ指ぬきとして新しいデザインや技法を考案する。

ハンドクラフトデザイナー・一級建築士。

◆制作協力者（あいうえお順）

阿部嘉世 (P20 矢羽根・ブレスレット)　上島久美子 (P9 梅の輪繋ぎ)　大橋外美江 (P24 変わり三角・ブレスレット)　工藤　妙 (P22 四つ編み網代)　近澤美智子 (P12 四角卍)　酒井禮子 (P1 桜満開／ P9 陰八重梅 1・2 ／ P10 吉祥七宝紋 1 ／吉祥七宝紋 2 ／星付き七宝)　谷村葉子 (P9 雪が舞う)　鳥谷部可也子 (P11 花格子 2)　前沢知子　(P8 夜空の緋菊)　前田範子 (P5 花篭 2 ／ P6 洋蘭と鷺草)　松下良子 (P1 紺絣に咲く緋花／ P2 梅鉢と白梅／ P9　ダイヤモンドダスト)　丸田幸子 (P11 花格子 1)　村本　都 (P11 小紋花格子)　横井瑛子 (P5 花網代)　吉田智代美 (P16 かえで 1)

■加賀の指ぬきと花てまり帖 第二集■

続・加賀の指ぬきと花てまり帖

著　者　高原 曄子　

発行者　田波 清治

発行所　株式会社 マコー社

〒 113-0033 東京都文京区本郷 4-13-7
TEL03-3813-8331　FAX03-3813-8333
郵便振替／東京 00190-9-78826

平成 26 年 2 月 4 日 初版発行

印刷所　大日本印刷株式会社

撮　影　田島　昭 (タジマスタジオ)

編　集　菊地小夜子　田波美保

ISBN978 - 4 - 8377 - 0114 - 9　定価はカバーに表示してあります。落丁・乱丁その他不良の品は弊社でお取り替えいたします。